D1237310

Office 2007
POUR
LES NULS

Sommaire

Introduction

· ·

Microsoft Office 2007 dispose de nouvelles fonctions qui risquent d'en déconcerter plus d'un. Pourtant, ces fonctions poursuivent un seul objectif : faciliter l'utilisation des programmes de la suite Office 2007.

La grande révolution se fait dans l'interface utilisateur graphique. Si vous êtes familiarisé, et qui ne le serait pas, avec les menus déroulants, les barres d'outils, les boutons et les icônes des précédentes versions de cette suite bureautique, sachez que l'aspect de Word, Excel, PowerPoint, Access et Outlook n'a plus grand-chose à voir avec celui de leurs prédécesseurs. Grâce à cette interface renouvelée, vous trouverez facilement ce dont vous avez besoin pour exécuter vos tâches quotidiennes.

À qui est destiné ce livre

Ce livre cible deux types d'utilisateurs. Le premier regroupe des personnes qui connaissent Microsoft Office et qui, de facto, cherchent à appréhender les nouveautés de la version 2007. Le second regroupe des débutants qui découvrent Office après en avoir entendu tant parler. Pour eux, ce livre est un guide d'utilisation du logiciel de traitement de texte Microsoft Word, du tableur Microsoft Excel, de l'application de création de présentation Microsoft Power-Point, du gestionnaire de bases de données Microsoft Access, et de l'assistant personnel et de gestion des e-mails Microsoft Outlook.

Quel que soit votre niveau de connaissance d'Office, ce livre présente et étudie les fonctions les plus fréquemment utilisées, point de départ d'un apprentissage qui portera votre productivité bureautique dans une dimension que vous n'envisagiez même pas.

Organisation de ce livre

Pour vous aider à trouver l'aide qu'il vous faut, ce livre est divisé en parties traitant des différentes applications de la suite Microsoft Office 2007.

Première partie : Découvrir Microsoft Office 2007

De prime abord, Microsoft Office 2007 est assez déconcertant. Cependant, dès que vous en aurez compris la logique et le fonctionnement, vous trouverez cette suite bien plus facile à utiliser que ses aînées. Cette partie vous fait découvrir les nouveaux sous-menus du menu (ou bouton) Office, ainsi que la nouvelle barre d'outils Accès rapide. Vous verrez aussi comment asservir les commandes les plus utiles à l'exercice de votre art bureautique quel qu'en soit le domaine.

Deuxième partie : Travailler avec Word

Word est probablement le logiciel le plus utilisé de la suite Microsoft Office 2007. Cette partie en explique les grands principes. Vous apprendrez à créer, à enregistrer et à modifier du texte. Ces modifications entendent le changement de couleur des caractères, l'application d'une police particulière, l'ajout d'en-têtes et de pieds de page, la vérification de l'orthographe et de la grammaire, et l'impression de vos chefs-d'œuvre pour une présentation sur papier des plus parfaites.

Troisième partie : Jongler avec les chiffres grâce à Excel

La manipulation de données numériques impose le programme Excel. Vous découvrirez ici les trois parties principales qui forment toute feuille de calcul : la mise en forme des données, la création de formules et la représentation graphique de vos données chiffrées. Vous allez acquérir les fondamentaux de l'utilisation d'un tableur en apprenant à créer, à mettre en forme et à afficher des feuilles de calcul, et tout cela en vous amusant.

Quatrième partie : Créer des présentations PowerPoint

Fini les transparents, les paperboards, les tableaux blancs, les marqueurs et j'en passe ! Si vous devez faire une présentation devant un large auditoire, employez PowerPoint. Il permet de délivrer des diaporamas dynamiques, pleins de couleurs, et dont l'aspect visuel capte l'attention grâce à du texte, des images, des sons et des animations.

Cinquième partie : S'organiser avec Outlook

Qui n'a pas quotidiennement ce sentiment de mal organiser son temps ? Oui, vous aussi êtes envahi par cette sensation désagréable de ne pas savoir disposer d'un emploi du temps optimisé. Sachez que les choses peuvent considérablement s'améliorer avec Outlook. Ce programme permet de lire, de trier et d'écrire des courriels (e-mails), d'assurer le suivi de vos rendez-vous, de gérer votre carnet d'adresses et de planifier vos tâches quotidiennes. Grâce à Outlook, vous transformez votre ordinateur en un véritable assistant personnel qui améliorera votre productivité.

Sixième partie : Stocker des informations avec Access

Si vous devez stocker de grandes quantités de données, comme le suivi d'un inventaire ou l'organisation des commandes de vos clients, ou assurer des prospections commerciales, vous ne pouvez pas occulter Microsoft Access. Cette partie explique comment utiliser Access pour stocker, localiser, trier et imprimer vos données de différentes manières. Avec Access, vous maîtrisez toutes vos informations, et analysez précisément vos données pour mieux comprendre l'évolution de vos affaires et le fonctionnement de votre entreprise.

Septième partie : Les dix commandements

Les programmes informatiques permettent d'accomplir une même tâche de plusieurs manières. Office 2007 ne fait pas exception à la règle. Dès que vous serez un peu plus familiarisé avec Office, jetez un œil sur cette partie qui distille de savantes astuces pour travailler plus vite, notamment avec des raccourcis clavier. Toutes les explications que vous découvrirez ici servent à améliorer et à faciliter l'utilisation des applications Office 2007. Cette partie vous installe dans un confort absolu d'utilisation de la suite bureautique la plus célèbre du monde. Alors, dès que ce confort sera atteint, vous pousserez encore plus loin vos investigations des différentes fonctions d'Office.

Comment utiliser ce livre

Bien que vous puissiez feuilleter ce livre pour trouver le sujet qui vous intéresse, je ne peux que conseiller la lecture immédiate de la première partie. En effet, vous y comprendrez la nouvelle philosophie d'Office 2007 avec la disparition des menus traditionnels, le bouton Office, la barre d'outils Accès rapide, et l'ensemble de l'interface utilisateur articulée autour d'onglets, de groupes de commandes, de listes et de boutons. Lorsque vous aurez bien assimilé la logique générale de Microsoft Office 2007, vous comprendrez mieux comment fonctionne chaque programme.

Les conventions de ce livre

Pour tirer le meilleur parti de ce livre, vous devez comprendre un certain nombre de conventions :

- Le *pointeur de la souris* prend la forme d'une flèche et poursuit deux objectifs. Le premier consiste à sélectionner des éléments à modifier (texte, chiffres, messages électroniques, etc.) ; le second à indiquer au programme quelle commande utiliser pour réaliser ces modifications.

- Le terme *cliquer* signifie que vous placez le pointeur de la souris sur un élément affiché sur votre écran (comme une commande ou un bouton) et que vous appuyez une fois sur le bouton gauche de la souris.

- *Double-cliquer* signifie que vous placez le pointeur de la souris sur un élément, c'est-à-dire que vous le pointez, et que vous cliquez deux fois dessus du bouton gauche de la souris.

- *Glisser* indique que vous maintenez enfoncé le bouton gauche de la souris sur un élément, et que vous déplacez la souris. Cette action sert principalement à changer un élément d'un endroit, comme un mot dans une phrase ou un paragraphe.

- Le *clic-droit* consiste à placer le pointeur de la souris sur un élément et à appuyer une fois sur le bouton droit de ladite souris. Cette action ouvre un menu contextuel proposant des commandes et des options particulières à l'élément ciblé par ce clic-droit.

En plus de celles perpétrées avec la souris, vous devez savoir que certaines actions peuvent être réalisées par exécution d'un raccourci clavier. Lorsque vous lisez une instruction telle que "appuyez sur Ctrl+P", cela signifie que vous devez maintenir enfoncée la touche Ctrl du clavier et appuyer sur la touche P. Donc, les deux touches sont enfoncées simultanément, provoquant l'exécution d'une commande. (En l'occurrence, Ctrl+P ouvre la boîte de dialogue Imprimer.)

Signification des pictogrammes

Tout au long de ce livre, vous rencontrerez quatre pictogrammes différents dans la marge de certains paragraphes :

 Cette icône met en évidence des informations qui font gagner un temps précieux ou qui facilitent l'exécution de certaines tâches.

 Ce pictogramme rappelle des informations utiles mais non cruciales pour utiliser Office 2007.

 Aïe ! aïe ! aïe ! Lisez le contenu de ce paragraphe sous peine de vous exposer à bien des désagréments !

 Cette icône souligne un point technique particulièrement intéressant qu'il n'est toutefois pas nécessaire de connaître.

Prêt ? Partez !

Le meilleur moyen de maîtriser quelque chose est de s'y lancer à corps perdu. Si vous craignez de faire des bêtises, faites-vous les dents sur un document sans importance. Ainsi, vous n'aurez pas peur d'expérimenter telle ou telle commande, vos erreurs étant sans conséquence nuisible.

J'en profite pour vous donner un premier petit truc. Quelle que soit l'application Office 2007 que vous utilisez, dès que vous faites une erreur, annulez-la en appuyant sur Ctrl+Z. (Maintenez la touche Ctrl enfoncée, et appuyez sur la touche Z.) Cette puissante commande va vous sortir de bien des embarras. Ctrl+Z annule l'action que vous venez d'exécuter.

Si vous ne deviez retenir qu'une seule chose de ce livre c'est le raccourci clavier Ctrl+Z. Je vous avais bien dit que Microsoft Office 2007 était une suite bureautique très facile à maîtriser.

Première partie
Découvrir Microsoft Office 2007

"Le plus étrange est qu'il insiste pour utiliser
la dernière version d'Office."

Dans cette partie...

Lorsque vous posez votre regard sur Microsoft Office 2007, vous êtes impressionné par cet animal semblant débarquer d'une autre planète. Cependant, une fois les premières craintes dissipées, vous comprenez l'élégante folie qui se cache derrière cette masse informe.

Bien que Microsoft Office 2007 contienne bien plus de commandes que ne peut en utiliser une personne saine d'esprit, cette suite bureautique est assez facile à maîtriser. D'ailleurs, la partie la plus importante de ce livre consiste en une découverte de la nouvelle interface utilisateur des applications Office 2007. Elle ne ressemble en rien à ce que vous connaissiez jusqu'à maintenant. Pourquoi ce changement ? Pour améliorer votre productivité.

Pour vous aider à comprendre les multiples commandes mises à votre disposition, Office propose plusieurs manières d'obtenir les réponses aux questions que vous vous posez.

Dans cette partie, vous verrez comment solliciter l'aide d'Office 2007, mais aussi et surtout comment en lancer les applications. Vous découvrirez ensuite les éléments communs à tous les programmes d'Office 2007. Ainsi, lorsque vous saurez utiliser une application de cette suite, vous n'aurez aucune difficulté pour vous lancer dans l'apprentissage des autres.

Chapitre 1

Découvrir Microsoft Office 2007

Dans ce chapitre :

▶ Démarrer un programme Office 2007.

▶ Découvrir l'interface utilisateur Office 2007.

▶ Utiliser la barre d'outils Accès rapide.

▶ Personnaliser un programme Office 2007.

▶ Quitter Office 2007.

*M*icrosoft Office 2007 est une suite bureautique de cinq logiciels : Word, Excel, PowerPoint, Access et Outlook. Chacun de ces programmes manipule des données spécifiques. Ainsi, Word manipule du texte, des phrases et des paragraphes ; Excel manipule des chiffres ; PowerPoint manipule du texte et des images pour créer des diaporamas ; Access manipule des données, comme des listes de produits ; et Outlook manipule des informations personnelles comme des adresses e-mails (courriels) et des numéros de téléphone.

Les différentes données manipulées ne doivent pas masquer une chose fondamentale : tous ces programmes fonctionnent de la même manière. Vous commencez par entrer vos données dans un programme Office 2007 soit en les tapant au clavier, soit en les important d'un fichier externe. Ensuite, vous indiquez au programme comment manipuler ces données comme les souligner, les grossir, les colorier ou les effacer. Enfin, vous enregistrez vos données sous la forme d'un fichier.

Pour vous aider à maîtriser cette procédure à trois étapes, c'est-à-dire saisie (entrée), manipulation et enregistrement des données, Office 2007 fournit des commandes similaires dans chacun des programmes qui le composent. Vous pouvez alors très facilement passer de Word à PowerPoint et de PowerPoint à

Excel, sans être obligé de réapprendre les bases du fonctionnement général de l'application employée. Mieux : Office 2007 dispose les commandes génériques exactement au même endroit dans les diverses interfaces des applications en question. Quel que soit le programme Office que vous utilisez, vous êtes toujours en terrain connu.

Si vous êtes familiarisé avec l'informatique et les précédentes versions de Microsoft Office, parcourez malgré tout ce chapitre pour savoir comment Office 2007 organise les commandes partagées par tous ses programmes. Si vous débutez en informatique et/ou en bureautique, vous devez impérativement lire ce chapitre avant tout autre.

Démarrer un programme Office 2007

Pour démarrer un programme de la suite Office 2007, suivez cette procédure :

1. **Dans la Barre des tâches de Windows, cliquez sur le bouton Démarrer.**

2. **Cliquez sur Tous les programmes.**

3. **Pointez Microsoft Office.**

   Une liste de programmes apparaît, comme à la Figure 1.1.

   Si vous avez effectué une installation personnalisée d'Office 2007 en décidant de ne pas inclure tous les programmes, vous ne trouverez dans le sous-menu Microsoft Office que les programmes sélectionnés lors de cette installation.

4. **Cliquez sur le programme à utiliser, par exemple Microsoft Word 2007.**

   Le programme choisi affiche son interface.

La nouvelle interface utilisateur

Office 2007 propose une interface utilisateur entièrement relookée pour Word, Excel, PowerPoint, Access, et partiellement modifiée pour Outlook. Comme le montre la Figure 1.2, cette nouvelle interface consiste en trois parties :

- ✔ Le bouton Office.

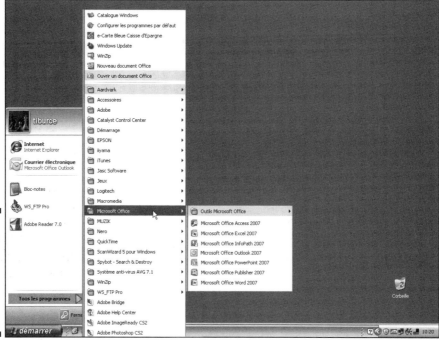

Figure 1.1
Les programmes
Office 2007 sont
dans le sous-
menu Microsoft
Office du menu
Tous les
programmes.

> ✔ La barre d'outils Accès rapide.

> ✔ Le ruban.

Le menu Office (Fichier)

Le menu Office, assimilable à l'ancien menu Fichier, prend la forme d'un bouton de l'interface. De prime abord, rien ne laisse supposer qu'il s'agit d'un bouton, et de surcroît contenant des commandes. C'est pourtant le cas. C'est ici que vous ouvrez, enregistrez, imprimez et fermez un fichier. Dans Word, un fichier n'est rien d'autre qu'un *document*. Dans Excel, c'est un *classeur*. Dans Power-Point, une *présentation*. Dans Access, une *base de données*.

Dans les précédentes versions d'Office, le menu Fichier prenait bel et bien la forme d'un menu déroulant nommé Fichier. Désormais, vous devez composer avec le bouton Office qui joue le rôle de menu Fichier, ou plus exactement de menu Office localisé dans le coin supérieur gauche de l'interface, comme à la Figure 1.2.

Vous pouvez ouvrir le menu Office (Fichier) en appuyant sur Alt+F.

Ruban

Bouton Office

Barre d'outils Accès rapide

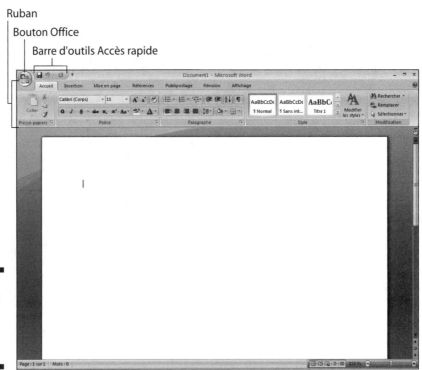

Figure 1.2
Les trois parties
de la nouvelle
interface
utilisateur
Office 2007.

Créer un nouveau fichier

Lorsque vous démarrez un programme Office 2007, il crée automatiquement
un nouveau document. Si vous désirez en créer un après l'ouverture du
programme, suivez ces étapes :

1. **Cliquez sur le bouton Office.**

   Un menu déroulant affiche des commandes, comme le montre la
   Figure 1.3.

2. **Choisissez Nouveau.**

   La boîte de dialogue Nouveau document apparaît, comme à la Figure 1.4.
   En fonction du programme exécuté, le type de document vierge portera
   un autre nom que sur cette figure, c'est-à-dire Nouveau document dans
   Word, Nouveau classeur Excel (dans Excel), etc.

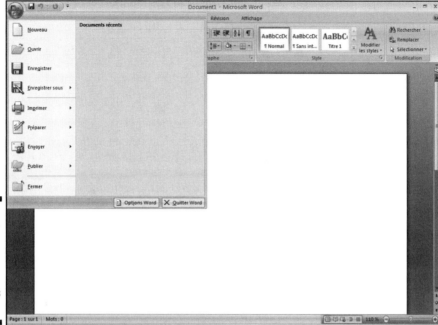

Figure 1.3
Le bouton Office contient des commandes d'ouverture, de création ou de fermeture de vos fichiers.

Figure 1.4
La boîte de dialogue Nouveau document permet de créer un document vierge à partir d'un modèle.

3. **Sélectionnez le document vierge comme ici (ou le document vide proposé par votre application), et cliquez sur le bouton Créer.**

L'intitulé du document vierge dépend du programme utilisé. Par exemple, dans PowerPoint, il se nomme Nouvelle présentation. Dans tous les cas, un document entièrement vide apparaît.

Créer un nouveau fichier à partir d'un modèle

Il est parfois plus facile de créer un document en s'appuyant sur un modèle. Un *modèle* contient une mise en forme prédéfinie pour créer des documents aussi spécifiques que des calendriers, des lettres d'information, des états de ventes ou des présentations commerciales. Office 2007 propose trois types de modèle :

✔ Les modèles Office 2007 installés sur votre ordinateur.

✔ Les modèles disponibles sur le site Web Microsoft.

✔ Des fichiers que vous avez créés et mis en forme vous-même.

Utiliser un modèle Office 2007 installé sur votre ordinateur

Office 2007 installe automatiquement des dizaines de modèles Word, Excel, PowerPoint et Access. Voici comment les utiliser :

1. **Cliquez sur le bouton Office, puis sur Nouveau.**

La boîte de dialogue Nouveau document apparaît, comme à la Figure 1.4.

2. **Cliquez sur Modèles installés.**

La boîte de dialogue Nouveau document affiche les modèles présents sur votre ordinateur.

3. **Cliquez sur le modèle à utiliser, puis sur le bouton Créer.**

Office 2007 crée un nouveau fichier basé sur le modèle sélectionné.

Télécharger et utiliser un modèle du site Web Microsoft

Microsoft met à votre disposition une vaste collection de modèles accessibles sur son site Web. Pour en profiter, vous devez être connecté à Internet et suivre ces étapes :

1. **Cliquez sur le bouton Office et choisissez Nouveau.**

La boîte de dialogue Nouveau document apparaît (Figure 1.4).

2. **Dans la section Microsoft Office Online, choisissez une catégorie comme Calendriers ou Diplômes.**

   La section centrale de la boîte de dialogue affiche les modèles disponibles, comme à la Figure 1.5.

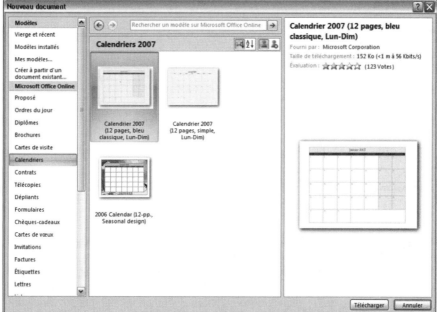

Figure 1.5
Le site Web de Microsoft offre des modèles adaptés à chaque programme de la suite Office 2007.

3. **Cliquez sur le modèle à utiliser, puis sur le bouton Télécharger.**

   Office 2007 télécharge et crée un nouveau fichier basé sur le modèle choisi.

Ouvrir un fichier existant

Lorsque vous démarrez un programme de la suite Office, c'est probablement pour y modifier un fichier que vous avez préalablement créé. Pour cela, vous devez indiquer à Office le dossier de stockage du fichier et le nom de ce fichier. Suivez ces étapes :

1. **Cliquez sur le bouton Office et choisissez Ouvrir.**

La boîte de dialogue Ouvrir apparaît, comme à la Figure 1.6.

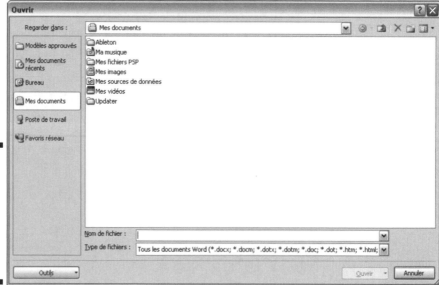

Figure 1.6
La boîte de
dialogue Ouvrir
permet de
sélectionner le
disque dur et le
dossier
contenant le
fichier à ouvrir.

2. **(Facultatif) Pour choisir un autre dossier que celui proposé par défaut, c'est-à-dire Mes documents, cliquez sur Regarder dans ou sur un des emplacements par défaut listés dans le volet gauche de la boîte de dialogue. Ensuite, spécifiez le disque dur, par exemple C:.**

3. **(Facultatif) Double-cliquez sur un dossier afin d'en afficher le contenu. Si ce dossier contient d'autres dossiers où se trouvent des fichiers, double-cliquez sur le sous-dossier concerné.**

4. **Cliquez sur le fichier qui vous intéresse, puis sur le bouton Ouvrir.**

Le fichier apparaît dans le programme, prêt à subir toutes les modifications nécessaires.

Lorsque vous cliquez sur le bouton Office, la partie droite de son menu affiche la liste des documents récemment utilisés. Pour utiliser l'un de ces fichiers, il suffit de cliquer dessus.

Enregistrer des fichiers

L'enregistrement d'un fichier stocke toutes ses données sur votre disque dur ou sur un périphérique de stockage externe (comme une clé USB ou un disque dur externe). Le premier enregistrement d'un fichier impose de spécifier :

✔ Le disque dur (le lecteur) et le dossier de stockage de votre fichier.

✔ Le nom du fichier.

✔ Le format d'enregistrement de ce fichier.

Le lecteur et le dossier de stockage du fichier sont arbitraires. Tout dépend de l'organisation de vos données sur vos différents disques durs ou supports amovibles. Toutefois, il est judicieux de bien sérialiser vos dossiers, et de leur assigner un nom significatif du type de fichiers qu'ils contiennent tel que *Lettres d'extorsion à ma grand-mère*, *Dissimulations fiscales*, etc. Par défaut, Office 2007 enregistre vos fichiers dans le dossier Mes documents.

Le nom du fichier aussi est arbitraire. Cependant, un nom descriptif permet d'identifier rapidement le contenu d'un fichier. Par exemple, un fichier dont le nom est *Rapport 2007 sur les OGM* est très évocateur.

Le format d'un fichier définit la manière dont Office 2007 stocke ses données. Par défaut, ce format est propre à Office 2007. Cela signifie que seules les personnes disposant de cette suite bureautique pourront pleinement profiter de certains effets de mise en page et de fonctions particulières à cette version du logiciel.

Par mesure de sécurité, je conseille d'enregistrer vos documents sous deux formats différents : celui d'Office 2007 et celui de ses anciennes versions. Ainsi, tout le monde pourra accéder au contenu de vos documents.

Enregistrer un fichier au format Office 2007

Si vous êtes le seul à modifier et consulter vos fichiers, vous pouvez les enregistrer au format Office 2007 en suivant ces étapes :

1. **Cliquez sur le bouton Office.**

2. **Cliquez sur Enregistrer.**

   Lorsque vous enregistrez un fichier pour la première fois, la boîte de dialogue Enregistrer sous apparaît, comme à la Figure 1.7.

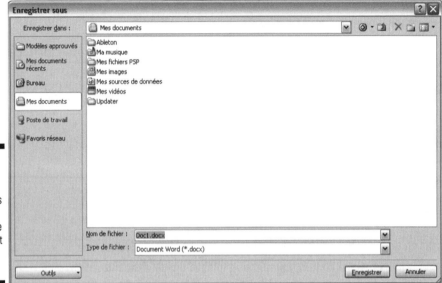

Figure 1.7
La boîte de
dialogue
Enregistrer sous
permet de
choisir le disque
dur, le dossier et
le format du
fichier.

Pour enregistrer rapidement un document, cliquez sur l'icône de la disquette située à droite du bouton Office, ou bien appuyez sur Ctrl+S.

3. **(Facultatif) Pour spécifier un lecteur et un dossier d'enregistrement, cliquez sur Regarder dans ou sur Poste de travail.**

   Cliquez ou double-cliquez sur le disque dur (ou le lecteur amovible) de destination, puis sur le dossier. Si aucun dossier n'existe ou ne correspond à la nature du document, cliquez sur l'icône Créer un dossier. Dans la boîte de dialogue Nouveau dossier, donnez-lui un nom significatif des documents qu'il va stocker, et cliquez sur OK.

4. **Cliquez dans le champ Nom de fichier, et assignez un nom descriptif à votre fichier.**

5. **Cliquez sur Enregistrer.**

Une fois que vous avez enregistré un fichier, vous l'enregistrez en cours de travail sans passer par la boîte de dialogue Enregistrer sous. En effet, il n'est pas nécessaire de préciser son emplacement de stockage et son nom de fichier puisque vous l'avez déjà fait.

Enregistrer un fichier pour d'anciennes versions de Microsoft Office

Si vous devez partager des fichiers avec des utilisateurs d'anciennes versions de Microsoft Office, vous êtes obligé de choisir un format compatible comme *97-2003*.

Ce format particulier enregistre des fichiers Office 2007 qui seront lisibles et modifiables dans les suites Microsoft Office 97/2000/XP/2003.

Quand vous enregistrez des fichiers au format 97-2003, Microsoft Office 2007 enregistre vos fichiers en leur ajoutant les trois lettres d'extension traditionnelles comme `.doc` ou `.xls` (respectivement pour Word et Excel). L'enregistrement des fichiers au format Office 2007 ajoute une extension de quatre ou cinq lettres, comme `.docx` (Word) ou `.pptx` (PowerPoint), comme l'indique le Tableau 1.1.

Tableau 1.1 : Les extensions de fichier utilisées par les différentes versions de Microsoft Office.

Programme	Extensions de fichier Office 2007	Extensions de fichier Office 97-2003
Microsoft Word	`.docx`	`.doc`
Microsoft Excel	`.xlsx`	`.xls`
Microsoft PowerPoint	`.pptx`	`.ppt`
Microsoft Access	`.accdb`	`.mdb`

Voici comment enregistrer vos fichiers Office 2007 au format 97-2003 :

1. **Cliquez sur le bouton Office et choisissez Enregistrer sous.**

   La boîte de dialogue éponyme apparaît.

2. **Déroulez la liste Type de fichier.**

   Comme le montre la Figure 1.8, différents formats apparaissent.

   Lorsque vous optez pour la commande Enregistrer sous, vous effectuez une copie du document original.

3. **Parmi les formats proposés, choisissez 97-2003, comme Document Word 97-2003 ou Classeur Excel 97-2003.**

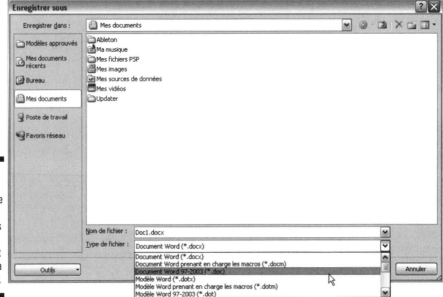

Figure 1.8
La liste Type de fichier de la boîte de dialogue Enregistrer sous permet de choisir le format dans lequel sera stocké le fichier.

La liste Type de fichier propose une multitude de formats. Pour y accéder, vous serez sans doute obligé de faire glisser le curseur de la barre de défilement vertical de cette liste. La plupart des programmes acceptent le format 97-2003. Cependant, les applications les plus anciennes ne le prennent pas en charge. Vous serez alors obligé d'enregistrer un même fichier sous différents formats.

4. **(Facultatif) Cliquez dans Nom de fichier et saisissez un nom suffisamment évocateur du contenu de votre fichier.**

5. **Cliquez sur Enregistrer.**

Fermer un fichier

Quand vous avez fini de travailler sur un fichier, vous devez le fermer. Cette fermeture fait disparaître le document de votre écran, donc de l'interface du programme. Vous en déduisez que fermer un document ne ferme pas l'application dans laquelle vous l'avez créé et modifié. Si, au moment de cette fermeture, vous n'avez pas enregistré vos dernières modifications, le programme affiche un message qui vous invite à y procéder.

Pour fermer un fichier :

1. **Cliquez sur le bouton Office et choisissez Fermer.**

   Si le fichier n'a jamais été enregistré ou si vous n'avez pas enregistré vos dernières modifications, un message vous invite à le faire.

   Pour fermer rapidement un fichier, appuyez sur Ctrl+F4.

2. **Cliquez sur Oui pour enregistrer le fichier et/ou ses modifications. Si vous cliquez sur Non, le document s'enregistre sans prise en compte des dernières modifications apportées. En d'autres termes, vous perdez sciemment le travail réalisé depuis le dernier enregistrement du fichier. Si vous cliquez sur Annuler, le fichier reste ouvert, c'est-à-dire que vous annulez la procédure de fermeture.**

   Si vous cliquez sur Oui ou Non, Office 2007 ferme votre fichier.

Utiliser la barre d'outils Accès rapide

La barre d'outils Accès rapide est présente à droite du bouton Office. Par défaut, elle propose trois boutons de commande : Enregistrer, Annuler et Répéter, visibles sur la Figure 1.9.

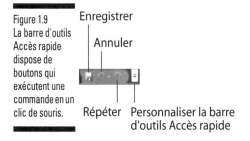

Figure 1.9
La barre d'outils Accès rapide dispose de boutons qui exécutent une commande en un clic de souris.

Enregistrer

Annuler

Répéter   Personnaliser la barre d'outils Accès rapide

Utiliser les boutons de la barre d'outils Accès rapide

Si vous cliquez sur le bouton Enregistrer de la barre d'outils Accès rapide, Office 2007 enregistre le fichier en cours de modification. S'il s'agit d'un nouveau document, la boîte de dialogue Enregistrer sous apparaît. Vous y indiquez le lecteur et le dossier de stockage du fichier, et lui attribuez un nom.

Si vous personnalisez la barre d'outils Accès rapide en y affichant le bouton Impression rapide, il suffit alors de cliquer dessus pour envoyer le document vers l'imprimante active par défaut sur votre système informatique. Ici, l'impression se fait immédiatement. Pour définir vos options d'impression, vous devez exécuter la commande Imprimer du bouton Office.

Le bouton Annuler s'utilise de deux manières. Si vous cliquez simplement dessus, il annule votre dernière action. Si vous cliquez sur sa flèche, vous affichez une liste d'actions à annuler, comme à la Figure 1.10. Les actions sont triées par ordre inverse de leur exécution, c'est-à-dire que la toute dernière action exécutée apparaît en haut de la liste. Voici comment annuler plusieurs actions :

Figure 1.10
Le bouton Annuler contient une liste d'actions que vous pouvez annuler.

1. **Cliquez sur la flèche du bouton Annuler de la barre d'outils Accès rapide.**

2. **Passez le pointeur de la souris sur les actions à annuler.**

3. **Cliquez sur le bouton gauche de la souris.**

   Office 2007 annule toutes les actions sélectionnées.

Le bouton Répéter annule inverse les effets de la commande Annuler. Par exemple, si vous supprimez un paragraphe, Office 2007 l'efface du document. Si vous cliquez immédiatement sur le bouton Annuler, le paragraphe réapparaît. Si vous cliquez immédiatement sur le bouton Répéter, l'annulation est annulée, ce qui fait de nouveau disparaître le paragraphe.

Ajouter des boutons

La barre d'outils Accès rapide est destinée à recevoir les boutons de commande les plus utilisés. Voici comment ajouter des boutons qui vous font défaut :

1. **Cliquez sur le bouton (flèche) Personnaliser la barre d'outils Accès rapide (voir la Figure 1.9).**

   Un menu apparaît.

   Vous pouvez ajouter un bouton à la barre d'outils en cliquant sur son nom. Une coche apparaît devant cette commande. Par exemple, avec cette méthode, activez Nouveau ou encore Impression rapide.

2. **Cliquez sur Autres commandes.**

   La boîte de dialogue Options Word apparaît, comme à la Figure 1.11. Le volet de droite affiche les boutons actuellement présents dans la barre d'outils Accès rapide. Celui de gauche montre tous ceux que vous pouvez y ajouter.

3. **Déroulez la liste Choisir les commandes dans les catégories suivantes. Optez pour le nom d'un type de commande comme Office menu ou encore Onglet Mise en page.**

   Le volet de gauche affiche les boutons et les commandes correspondants.

4. **Cliquez sur une icône d'un bouton, puis sur Ajouter.**

5. **(Facultatif) Répétez les étapes 3 et 4 pour chaque bouton à ajouter à la barre d'outils Accès rapide.**

6. **Cliquez sur OK.**

   Les boutons des commandes ainsi sélectionnées apparaissent dans la barre d'outils Accès rapide.

Supprimer des boutons

A tout moment, il est possible de supprimer des boutons de la barre d'outils Accès rapide. Suivez ces étapes :

1. **Faites un clic-droit sur un bouton de la barre d'outils Accès rapide.**

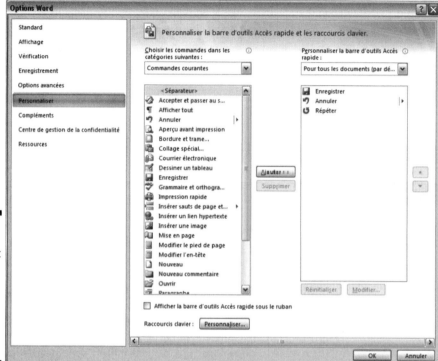

Figure 1.11
Les Options Word permettent de choisir les boutons de commande qui s'afficheront dans la barre d'outils Accès rapide.

Un menu contextuel apparaît.

2. **Choisissez Supprimer de la barre d'outils Accès rapide.**

Office 2007 supprime le bouton sélectionné de la barre d'outils.

Déplacer la barre d'outils Accès rapide

La barre d'outils Accès rapide peut apparaître à deux endroits de l'interface :

- Au-dessus du ruban (sa position par défaut).

- Sous le ruban.

Voici comment changer la position de la barre d'outils Accès rapide :

1. **Cliquez sur la flèche Personnaliser la barre d'outils Accès rapide.**

2. **Optez pour Afficher en dessous du ruban.**

Cette commande devient alors Afficher au-dessus du ruban. Il suffit de l'exécuter pour replacer la barre d'outils Accès rapide à sa position initiale.

Réduire le ruban

Vous pouvez masquer temporairement le ruban. Il n'apparaît alors que si vous cliquez sur un onglet comme Accueil ou Insertion. Voici comment procéder :

1. **Cliquez sur le bouton Personnaliser la barre d'outils Accès rapide.**

2. **Cliquez sur Réduire le ruban.**

   Office 2007 masque le ruban, n'affichant que les onglets. Pour afficher de nouveau le ruban, répétez ces deux étapes.

Utiliser le ruban

Le ruban, la grande nouveauté d'Office 2007, regroupe les commandes dans des catégories réparties sur des onglets. Par exemple, l'onglet Mise en page contient des groupes de commandes entièrement dévolus à la structure des pages et à leur aspect. L'onglet Insertion contient des commandes relatives à l'ajout d'éléments spécifiques dans les documents comme des sauts de page ou des images. La Figure 1.12 montre deux onglets différents.

Figure 1.12
Chaque onglet
du ruban
contient des
commandes
spécifiques.

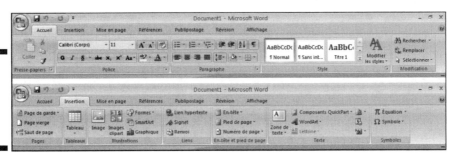

La procédure d'utilisation du ruban se fait en deux étapes. La première consiste à cliquer sur le nom de l'onglet contenant les commandes qui vous intéressent ; la seconde à exécuter une commande par un clic sur le bouton ou l'icône qui l'identifie.

Les onglets sont assimilables aux anciens menus d'Office. La grande différence est que les groupes de commandes sont immédiatement accessibles. Vous n'avez pas à les chercher dans des menus et des sous-menus.

Identifier les boutons du ruban

L'idée qui se cache derrière le concept de *ruban* est d'éviter à l'utilisateur de crouler sous les commandes. L'identification doit donc se faire au premier coup d'œil. Avouons que ce n'est pas toujours très évident, même si un effort énorme a été fait dans la dénomination des boutons ou les symboles de leurs icônes. Pour faciliter encore plus l'identification des commandes, des info-bulles apparaissent dès que vous placez le pointeur de la souris sur un élément de l'interface, comme à la Figure 1.13. Ces informations sont :

Figure 1.13
Les infobulles
décrivent
chaque
commande.

> ✔ Le nom de la commande (Reproduire la mise en forme, sur la Figure 1.13).

> ✔ Le raccourci clavier permettant d'exécuter directement la commande sans passer par l'onglet (dans notre exemple, Ctrl+Maj+C).

> ✔ Une petite explication de sa fonction.

Je rappelle que le raccourci clavier exécute une commande sans passer par un onglet, sans repérer le bon groupe de commandes, et enfin sans cliquer sur la commande en question. La majorité des raccourcis consistent en une combinaison de deux ou trois touches comme Ctrl+P ou Ctrl+Maj+C.

Utiliser l'Aperçu instantané

Dans le passé, vous saviez en gros ce que produisait l'exécution d'une commande, mais vous ne pouviez en vérifier l'impact réel dans votre document qu'après l'avoir exécutée. Si le résultat vous décevait, vous deviez annuler votre action.

Pour gagner du temps, Office 2007 introduit la notion et le concept d'*aperçu instantané*. Il suffit de placer le pointeur de la souris sur certaines icônes pour apprécier instantanément l'effet de la commande sur la partie du document où vous envisagez de l'exécuter.

Voici comment utiliser cet aperçu instantané :

1. **Placez le point d'insertion sur un élément de votre document comme du texte, une image, un tableau, etc.**

2. **Placez le pointeur de la souris sur un bouton de commande.**

   Office 2007 montre l'effet obtenu, comme à la Figure 1.14.

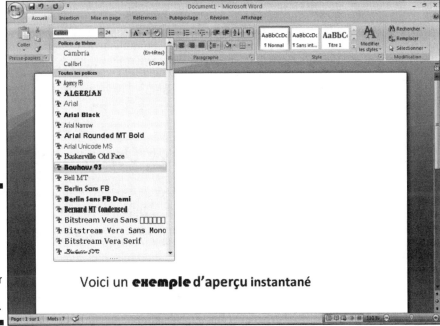

Figure 1.14
L'aperçu instantané montre à quoi ressemblera un élément, et ce avant d'exécuter la commande correspondante.

Dans Word, l'aperçu instantané ne fonctionne pas quand vous travaillez en mode Brouillon.

Donner des ordres à Office 2007

Voici comment demander à Office 2007 d'exécuter une commande :

1. **Sélectionnez un élément (texte, image, tableau, etc.) que vous désirez modifier.**

2. **Cliquez sur l'onglet contenant la commande à utiliser.**

3. **Cliquez sur ladite commande.**

Dans Office 2007, les boutons de commandes fonctionnent de trois manières différentes, comme le montre la Figure 1.15 :

- ✔ **Boutons (ou icônes cliquables) :** Dès que vous cliquez sur ces boutons, la commande correspondante est exécutée. Les boutons Gras et Italique sont des exemples types de commandes qui s'exécutent par un clic sur une icône.

- ✔ **Listes :** Certains boutons ou icônes sont accompagnés d'une petite flèche. Si vous cliquez dessus, vous accédez à une liste d'options ou de commandes. Les boutons Police et Taille de la police sont des incarnations parfaites des boutons à liste déroulante.

- ✔ **Galerie :** Certains boutons accompagnés d'une flèche ne déroulent pas de listes mais affichent une galerie d'éléments prédéfinis.

Personnaliser un programme Office 2007

Vous pouvez modifier le comportement général d'une application de la suite Office 2007 en la personnalisant. Voici comment procéder :

1. **Ouvrez le programme Office 2007 à personnaliser.**

2. **Cliquez sur le bouton Office.**

3. **Cliquez sur Options <nom de l'application>, situé dans le coin inférieur droit de ce menu Office.**

   Une boîte de dialogue apparaît, comme à la Figure 1.16.

Liste   Galerie

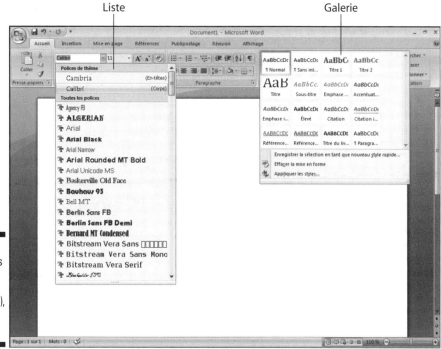

Figure 1.15
Les commandes
apparaissent
sous forme de
boutons (icônes),
de listes ou de
galeries.

4. Cliquez sur une catégorie comme Enregistrement ou Affichage.

Le volet droit de la boîte de dialogue des options affiche un ensemble d'options propres à la catégorie sélectionnée.

5. Cliquez sur OK pour valider les modifications apportées.

Si, à l'étape 4, vous cliquez sur la catégorie Enregistrement, vous pouvez définir le format de fichier par défaut de l'application ainsi que le chemin d'accès au dossier de stockage des fichiers.

Quitter Office 2007

Même si vous adorez Office 2007 au point que votre mari ou votre femme soupçonne une relation adultère informatique, à un moment ou à un autre, et souvent la fatigue aidant, vous prendrez la décision de quitter Office. (J'espère que vous savez qu'il y a une vie en dehors des applications Microsoft !) A l'exception d'Outlook, voici comment quitter les programmes Office :

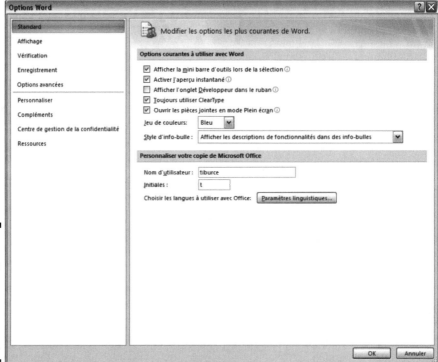

Figure 1.16
La boîte de dialogue Options permet de modifier le comportement de chaque application de la suite Office 2007.

✔ Par un clic sur le bouton Fermer situé dans le coin supérieur droit du programme.

✔ Par un clic sur Office/Quitter (voir la Figure 1.3).

✔ En appuyant sur Alt+F4.

Si vous fermez un programme sans avoir préalablement enregistré vos dernières modifications, un message vous invite à le faire. Si vous répondez par la négative, tout ce que vous avez fait dans ce programme depuis son dernier enregistrement est perdu.

Pour quitter Outlook, cliquez sur Fichier/Quitter.

Chapitre 2
Modifier des données

Dans ce chapitre :

▷ Sélectionner des données.

▷ Utiliser la minibarre d'outils.

▷ Copier, couper et coller.

▷ Copier et couper à la souris.

▷ Partager des données entres les applications Office 2007.

Bien qu'un fichier soit créé une seule fois, vous pouvez le modifier à l'infini. La *modification* ou *édition* d'un document consiste à ajouter, réorganiser ou supprimer des données comme du texte, des chiffres ou des images. L'édition est identique dans tous les programmes Office 2007.

Dès que vous entrez dans le processus de modification du contenu d'un document, prenez l'habitude de l'enregistrer périodiquement. Les deux méthodes les plus rapides consistent à cliquer sur le bouton Enregistrer de la barre d'outils Accès rapide ou à appuyer sur Ctrl+S. La moins rapide est de cliquer sur le bouton Office, puis sur Enregistrer. Ainsi, en cas de panne de courant, de plantage de votre ordinateur ou de tout autre événement entraînant une fermeture inopinée de l'application, votre travail ne sera pas perdu.

Ajouter des données en pointant

Lorsque vous entrez des données dans un fichier, elles apparaissent à l'emplacement précis de votre curseur. Le plus souvent, ce curseur prend la forme d'un trait vertical clignotant que l'on appelle *point d'insertion*.

Souvent, ce curseur n'apparaît pas exactement où vous désirez saisir vos données. Dans ce cas, vous devez le déplacer à la souris ou au clavier. Voici comment manœuvrer le curseur avec la souris :

1. **Placez le pointeur de la souris à l'endroit où vous souhaitez faire apparaître le curseur.**

2. **Cliquez sur le bouton gauche de la souris.**

Pour déplacer le curseur à l'aide du clavier :

✔ **Utilisez les touches du pavé directionnel (les quatre flèches de votre clavier).**

✔ **Appuyez sur les touches Début/Fin.**

✔ **Appuyez sur les touches Page Suivante/Page précédente.**

Utilisez les touches directionnelles pour des déplacements sur une courte distance comme une ligne ou la cellule suivante d'une feuille de calcul Excel.

Pour déplacer le curseur plus rapidement, appuyez sur la touche Ctrl et sur la flèche pointant dans la direction du déplacement voulu. Ainsi, en appuyant simultanément sur Ctrl+Flèche haut, vous déplacez le curseur d'un paragraphe vers le haut. Si vous appuyez sur Ctrl+Flèche bas, vous déplacez le curseur d'un paragraphe vers le bas. Si vous effectuez la même opération mais en appuyant sur la flèche droite ou gauche, vous déplacez le curseur d'un mot.

Appuyer sur la touche Début place le curseur en début de phrase (ou de ligne dans une feuille de calcul). Si vous appuyez sur la touche Fin, vous placez le curseur en fin de phrase (ou de ligne dans une feuille de calcul).

Appuyer sur Page précédente/Page suivante déplace le curseur d'un écran vers le haut ou le bas.

L'endroit où clignote le curseur symbolise l'emplacement où s'afficheront les données saisies. Le Tableau 2.1 liste les différentes manières de déplacer le curseur dans les programmes Office 2007.

Sélectionner des données

Pour modifier des données, vous devez préalablement les indiquer à Office 2007. Cette indication prend la forme d'une sélection du ou des éléments

Tableau 2.1 : Déplacer le curseur dans les programmes Office 2007.

Touche	Word	Excel	PowerPoint	Access
Début	Début de la ligne.	Colonne A de la ligne où se situe le curseur (Ctrl+Début place le curseur dans la cellule A1).	Affiche la première diapositive ; début de la ligne d'un texte sélectionné.	Premier champ de l'enregistrement en cours.
Fin	Fin de la ligne.	Dernière cellule visible (si mode Arrêt défilement activé).	Affiche la dernière diapositive ; fin de ligne d'un texte sélectionné.	Ajoute un nouveau champ à l'enregistrement en cours.
Page précédente	Une demi-page vers le haut.	Jusqu'à 27 lignes vers le haut.	Affiche la diapositive précédente.	Jusqu'à 25 enregistrements.
Page suivante	Une demi-page vers le bas.	Jusqu'à 27 lignes vers le haut.	Affiche la diapositive suivante.	Jusqu'à 25 enregistrements vers le bas.
Flèche haut/bas	Une ligne vers le haut/bas.	Une ligne vers le haut/bas.	Diapositive suivante/ précédente ; une ligne vers le haut/ bas d'une zone de texte.	Un enregistrement vers le haut/bas.
Flèche gauche/ droite	Un caractère vers la gauche/droite.	Une colonne vers la gauche/droite.	Diapositive suivante/ précédente ; un caractère vers la gauche/droite d'une zone de texte.	Un champ vers la gauche/droite.

à altérer. Ensuite, vous exécutez la commande adéquate comme un souligne-ment de texte ou la suppression d'une image.

Pour sélectionner un élément dans Office 2007, vous utilisez la souris ou le clavier. Souvent, la souris est plus rapide. Toutefois, dès que l'on maîtrise le clavier et ses raccourcis, il devient plus logique de rester sur le clavier pour éviter un incessant va-et-vient de la main entre la souris d'un côté et le clavier de l'autre.

Sélectionner des données à la souris

La souris permet de sélectionner les données de deux manières différentes. La première consiste à opérer un pointer et un glisser du pointeur de la souris, comme à la Figure 2.1.

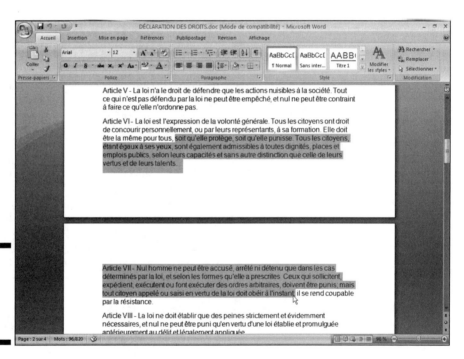

Figure 2.1
Glissez le pointeur de la souris sur les données à sélectionner.

La sélection par glisser impose de maintenir enfoncé le bouton gauche de la souris. Sinon, vous ne sélectionnez absolument rien.

Vous pouvez aussi sélectionner des données en cliquant. Par exemple, pour sélectionner une image comme un graphique Excel ou une photo insérée dans un document Word, cliquez dessus pour la sélectionner. Office 2007 affiche un rectangle de sélection muni de *poignées*, comme le montre la Figure 2.2.

Poignées

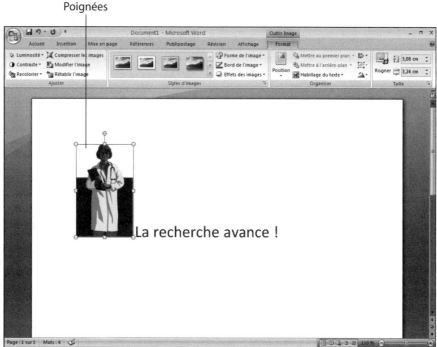

Figure 2.2
Pour
sélectionner une
image, cliquez
dessus.

Pour sélectionner du texte à la souris, cliquez dessus de trois manières différentes, comme le montre la Figure 2.3 :

- ✔ **Clic :** Déplace le curseur.

- ✔ **Double clic :** Sélectionne le mot double-cliqué.

- ✔ **Triple clic :** Sélectionne tout le paragraphe contenant le mot sur lequel vous avez accompli cette action.

Office 2007 définit comme *paragraphe* toute partie d'un texte commençant sur une ligne séparée des autres et se terminant par un caractère de retour chariot ou marque de fin de paragraphe (¶) que vous créez en appuyant sur la touche Entrée.

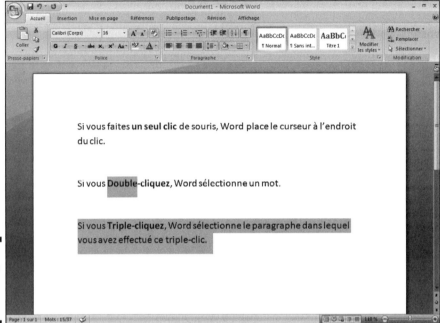

Figure 2.3
La sélection d'un
texte se fait par
un double ou un
triple clic.

Sélectionner des données au clavier

La sélection au clavier se fait en utilisant les touches suivantes :

- ✔ **Les touches de déplacement du curseur (haut/bas/gauche/droit, Début/Fin ou Page précédente/Page suivante).**

- ✔ **La touche Maj.**

Les touches directionnelles, c'est-à-dire les flèches du clavier de votre ordinateur, déplacent simplement le curseur. La touche Maj agit comme le bouton gauche de la souris. Elle indique à Office 2007 ce qu'il doit sélectionner. Voici comment procéder :

1. **Placez le curseur au début ou à la fin des données à sélectionner.**

2. **Maintenez la touche Maj enfoncée.**

3. **Déplacez le curseur en appuyant sur n'importe quelle touche de déplacement comme la flèche haut ou la touche Fin.**

Vous trouverez peut-être plus simple de placer le curseur à la souris, puis d'appuyer sur Maj tout en pressant une touche de déplacement afin de sélectionner les données avec plus de précision.

Pour sélectionner toutes les données d'un fichier, appuyez sur Ctrl+A.

Sélectionner plusieurs groupes de données avec la souris et le clavier

Pour une plus grande souplesse dans la sélection des données, utilisez simultanément le clavier et la souris. Cela permet de sélectionner des données à différents endroits d'un document :

1. **Sélectionnez une image ou un morceau de texte soit au clavier, soit à la souris.**

2. **Maintenez la touche Ctrl enfoncée.**

3. **Sélectionnez une autre image ou section de texte avec la souris ou le clavier.**

4. **Répétez l'étape 3 pour chaque nouvelle donnée à ajouter à cette sélection.**

5. **Relâchez la touche Ctrl quand vous avez fini votre multisélection.**

Modifier des données avec la minibarre d'outils

Dès que vous sélectionnez des données, Office 2007 affiche une minibarre d'outils qui contient les commandes d'édition les plus communément utilisées. Ces commandes prennent la forme de boutons. Cette minibarre d'outils s'affiche dans le coin supérieur droit de la donnée sélectionnée. Pour utiliser les commandes de la minibarre d'outils, vous devez y placer le pointeur de la souris, comme à la Figure 2.4. Si vous éloignez le pointeur de la minibarre d'outils, elle s'estompe.

Voici comment utiliser cette minibarre d'outils :

1. **Sélectionnez vos données avec la souris.**

   La sélection effectuée avec le clavier ne fait pas apparaître cette barre d'outils.

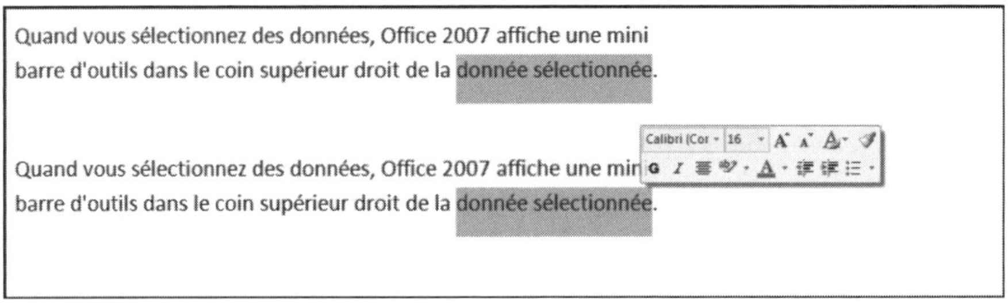

Figure 2.4
Chaque fois que vous sélectionnez des données, Office 2007 affiche une minibarre d'outils.

> Quand vous sélectionnez des données, Office 2007 affiche une mini barre d'outils dans le coin supérieur droit de la donnée sélectionnée.
>
> Quand vous sélectionnez des données, Office 2007 affiche une min barre d'outils dans le coin supérieur droit de la donnée sélectionnée.

2. **Placez le pointeur de la souris dans la partie supérieure droite de la donnée sélectionnée.**

   La minibarre d'outils apparaît en fondu.

   Plus vous approchez le pointeur de la souris de la minibarre d'outils, plus son contenu devient visible.

3. **Cliquez sur un bouton de commande de la minibarre d'outils.**

Supprimer des données

La méthode la plus simple pour modifier un fichier consiste à supprimer des données existantes. Ainsi, pour effacer un caractère, utilisez une de ces deux touches :

✔ **Retour arrière :** Efface le caractère situé à gauche du point d'insertion.

✔ **Suppr :** Efface le caractère situé à droite du point d'insertion.

Si vous devez effacer une grande quantité de texte :

1. **Sélectionnez avec la souris ou le clavier les données à supprimer. (Voir la section "Sélectionner des données".)**

2. **Appuyez sur la touche Suppr.**

   Office 2007 efface les données.

Couper et coller (déplacer) des données

Dans Office 2007, le déplacement de données est une procédure qui requiert deux étapes : couper et coller. Quand vous coupez des données, elles disparaissent du document et sont stockées dans une zone spéciale de la mémoire de votre ordinateur connue sous le nom de *Presse-papiers*. Lorsque vous *collez* les données, vous ne faites rien d'autre que copier le contenu de ce Presse-papiers dans votre document, comme à la Figure 2.5.

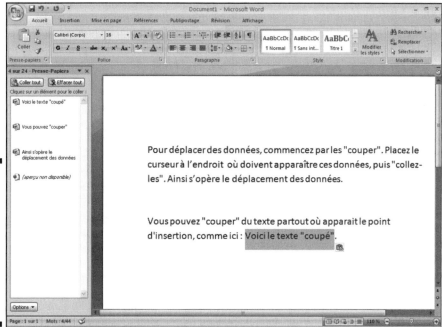

Figure 2.5
Pour déplacer des données, commencez par les couper de manière à les stocker dans le Presse-papiers. Ensuite, collez-les à la position du curseur.

Voici comment déplacer des données :

1. **Sélectionnez les données à déplacer (voir ci-avant la section "Sélectionner des données").**

2. **Utilisez l'une des techniques suivantes :**

   • Cliquez sur le bouton Couper de l'onglet Accueil.

   • Faites un clic-droit et choisissez Couper dans le menu contextuel.

- Appuyez sur Ctrl+X.

3. **Placez le curseur à l'endroit du document où vous souhaitez coller les données :**

   - Cliquez sur le bouton Coller de l'onglet Accueil.

   - Faites un clic-droit et choisissez Coller dans le menu contextuel.

   - Appuyez sur Ctrl+V.

Si vous sélectionnez des données à l'étape 3, vous pouvez les remplacer en collant les données sélectionnées aux étapes 1 et 2.

Copier et coller des données

Contrairement à la commande Couper, la commande Copier laisse en place les données sélectionnées. Une copie de ces données apparaît ensuite à la position du curseur, c'est-à-dire à l'emplacement où vous avez décidé de coller lesdites données. Voici comment procéder :

1. **Sélectionnez, avec la souris ou le clavier, les données à copier (voir ci-avant la section "Sélectionner des données").**

2. **Utilisez une des techniques suivantes :**

   - Cliquez sur le bouton Copier.

   - Faites un clic-droit et choisissez Copier dans le menu contextuel.

   - Appuyez sur Ctrl+C.

3. **Placez le curseur à l'endroit du document où vous souhaitez copier les données.**

4. **Choisissez une des techniques suivantes :**

   - Cliquez sur le bouton Coller.

   - Faites un clic-droit et choisissez Coller dans le menu contextuel.

   - Appuyez sur Ctrl+V.

Glisser la souris pour couper, copier et coller

La souris permet aussi de couper, de copier, et de coller des données. Pour déplacer des éléments avec la souris :

1. **Sélectionnez les données à déplacer (voir ci-avant la section "Sélectionner des données").**

2. **Placez le pointeur de la souris sur les données en surbrillance.**

3. **Maintenez le bouton gauche de la souris enfoncé, et faites glisser (déplacer) la souris.**

    Le pointeur de la souris affiche une flèche ornée d'un carré à sa base. Une barre verticale en pointillé permet de suivre précisément le déplacement.

    Vous pouvez utiliser la même technique pour copier des données. Il suffit d'appuyer sur la touche Ctrl pendant le déplacement de la souris. Cette fois, le signe + apparaît à la base du pointeur.

4. **Déplacez la barre verticale à l'endroit du document où vous désirez placer l'élément sélectionné à l'étape 1.**

5. **Relâchez le bouton gauche de la souris.**

    Vos données apparaissent au nouvel emplacement.

Annuler et Répéter

Afin de ne pas vous bloquer dans votre travail et pour vous éviter de devoir recommencer certaines tâches, Office 2007 propose la commande Annuler. Elle dit à votre ordinateur : "N'oublie pas ce que je viens de faire au cas où je changerais immédiatement d'avis."

Vous pouvez utiliser la commande Annuler en cours de modification de votre document pour, dans un premier temps, annuler la dernière action commise. Voici comment exécuter cette commande :

✔ **Cliquez sur le bouton Annuler de la barre d'outils Accès rapide (voir la Figure 2.6).**

✔ **Appuyez sur Ctrl+Z.**

Figure 2.6
Les commandes
Annuler et
Répéter sont
présentes dans
la barre d'outils
Accès rapide.

Annuler   Répéter

L'annulation ne se limite pas à la dernière action réalisée. Lors de la modification d'un document, vous pouvez parfaitement vous rendre compte que les cinq ou les dix dernières modifications apportées au document ne conviennent pas. Voici comment les annuler en une seule opération :

1. **Cliquez sur la flèche du bouton Annuler de la barre d'outils Accès rapide.**

   Une liste des commandes exécutées apparaît.

2. **Faites glisser le pointeur de la souris sur les commandes à annuler, comme le montre la Figure 2.7.**

Figure 2.7
La flèche du
bouton Annuler
affiche les
commandes
exécutées que
vous pouvez
annuler.

Tant que vous n'avez pas utilisé au moins une fois la commande Annuler, la commande Répéter reste inaccessible. Elle permet d'annuler une annulation, donc de rétablir le document dans l'état qui était le sien juste avant que vous n'annuliez une ou plusieurs actions. Voici comment mettre en œuvre cette commande :

✔ **Cliquez sur le bouton Répéter de la barre d'outils Accès rapide (voir la Figure 2.6).**

✔ **Appuyez sur Ctrl+Y.**

La commande Répéter annule les effets de la commande Annuler. Par exemple, si vous exécutez quatre fois la commande Annuler, vous ne pourrez utiliser la commande Répéter que quatre fois également.

Partager des données avec d'autres programmes Office 2007

Couper, copier et coller des données est très utile pour parfaire un même document. Cependant, il faut savoir qu'Office 2007 permet d'effectuer ces opérations entre plusieurs programmes. Ainsi, il est facile de copier un graphique Excel pour le coller dans une présentation PowerPoint.

Utiliser le Presse-papiers Office

Lorsque vous coupez ou copiez des données, Windows les stocke dans une partie spéciale de la mémoire appelée _Presse-papiers_. Le Presse-papiers de Windows ne peut contenir qu'un seul élément à la fois. En revanche, le Presse-papier d'Office 2007 peut contenir jusqu'à 24 éléments.

Alors que le Presse-papiers de Windows fonctionne avec tous les programmes de ce système d'exploitation (comme Microsoft Paint ou WordPerfect), celui d'Office n'est disponible que dans les programmes de la suite c'est-à-dire Word, Excel, PowerPoint, Access et Outlook. Pour stocker des données dans le Presse-papiers d'Office, il suffit d'exécuter les commandes Copier ou Couper dans une application Office.

Voici les deux gros avantages du Presse-papiers Office :

✔ **Vous pouvez stocker jusqu'à 24 éléments.**

Le Presse-papiers Windows ne peut en contenir qu'un seul.

➤ **Vous sélectionnez, dans le Presse-papiers, ce que vous désirez coller.**

Le Presse-papiers Windows ne permet de coller que l'élément qu'il contient.

Afficher le contenu du Presse-papiers Office et coller des éléments

Au fur et à mesure que vous copiez ou coupez des éléments, le Presse-papiers Office les stocke à votre insu. Pour afficher son contenu afin d'y choisir l'élément à coller :

1. **Placez le curseur à l'endroit où vous désirez coller un élément du Presse-papiers Office.**

2. **Cliquez sur le lanceur de boîte de dialogue du groupe Presse-papiers de l'onglet Accueil.**

   Le volet Presse-Papiers apparaît comme à la Figure 2.8. L'icône précédant le nom du contenu indique la provenance de l'élément. Ainsi, une icône Word permet de savoir que l'élément a été copié ou coupé dans Word.

Figure 2.8
Le volet Presse-Papiers affiche le contenu des éléments copiés ou coupés dans les différentes applications Office 2007.

Si vous cliquez sur le bouton Coller tout, chaque élément présent dans le Presse-papiers est copié dans votre fichier.

Supprimer des éléments du Presse-papiers Office

Le Presse-papiers Office peut contenir jusqu'à 24 éléments. Quand vous en ajoutez un vingt-cinquième, Office 2007 supprime le plus ancien pour stocker le nouvel élément.

Il est possible de supprimer manuellement un élément en suivant cette procédure :

1. **Cliquez sur le lanceur de boîte de dialogue du groupe Presse-papiers de l'onglet Accueil.**

   Le Presse-papiers apparaît.

2. **Placez le pointeur de la souris sur un élément du Presse-papiers Office.**

   Une flèche apparaît sur sa droite. Cliquez dessus pour accéder au menu de la Figure 2.9.

Figure 2.9
Pour effacer un élément du Presse-papiers Office, cliquez sur sa flèche et choisissez Supprimer.

3. **Cliquez sur Supprimer.**

   Office 2007 efface l'élément en question.

4. **Pour quitter le volet Presse-Papiers, cliquez sur son bouton de fermeture, ou sur le bouton lanceur de boîte de dialogue du groupe Presse-
   papiers de l'onglet Accueil.**

Si vous cliquez sur le bouton Effacer tout, vous supprimez tous les éléments du
Presse-papiers Office.

Soyez bien sûr de vouloir supprimer un élément du Presse-papiers, car vous ne
pourrez pas le récupérer par une quelconque annulation de votre action.

Chapitre 3

Office 2007 à votre secours

Dans ce chapitre :

▷ Ouvrir et découvrir la fenêtre d'aide.

▷ Effectuer une recherche dans l'aide.

▷ Modifier l'apparence de la fenêtre d'aide.

Microsoft a voulu faire d'Office 2007 la plus simple de toute les suites bureautiques conçues jusqu'à présent. En dépit d'une nouvelle interface qui cherche à faciliter l'utilisation des programmes de cette suite, vous aurez parfois besoin de solliciter une aide, car des fonctions rarement utilisées vous poseront quelques problèmes.

Pour répondre à vos questions, Office 2007 propose un système d'aide structurée autour de rubriques que vous pouvez consulter et interroger de deux manières. La première méthode de consultation consiste à parcourir les divers sujets affichés jusqu'à ce que vous trouviez une réponse à votre question. La seconde méthode consiste à taper l'objet de votre recherche d'aide comme **Marges de page** ou **Taille de police**. Le système d'aide affiche alors tous les sujets traitant de ces éléments et fonctions. Cette méthode peut s'avérer très pratique pour trouver rapidement la réponse aux questions qui vous préoccupent. Cependant, si vous ne saisissez pas la bonne terminologie, non seulement la recherche risque de prendre du temps, mais surtout de ne donner aucun résultat satisfaisant.

Découvrir la fenêtre d'aide

Chaque programme Office 2007 dispose de ses propres fichiers d'aide auxquels vous accédez quand vous en avez besoin. Voici comment atteindre l'aide des applications Office :

1. **Utilisez une des méthodes suivantes pour accéder à l'aide dont la fenêtre est illustrée à la Figure 3.1 :**

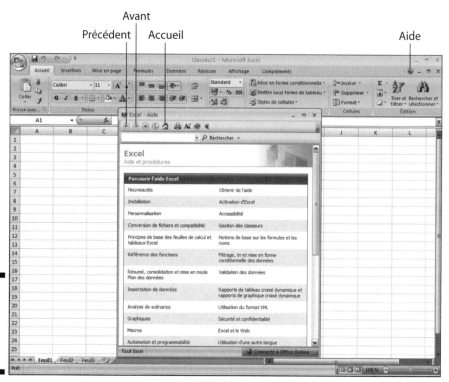

Figure 3.1
La fenêtre Aide permet de trouver une réponse à vos questions.

- Cliquez sur le bouton Aide.

- Appuyez sur F1.

2. **Cliquez sur un sujet.**

La fenêtre d'aide affiche le sujet principal et ses sous-catégories, comme à la Figure 3.2. Il suffit de cliquer sur une sous-catégorie pour afficher une nouvelle liste de sujets qui lui sont relatifs.

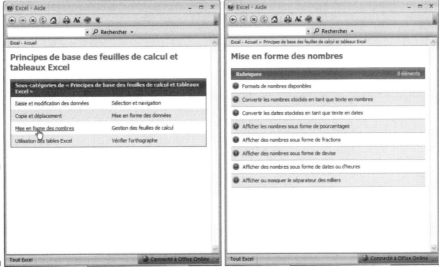

Figure 3.2
La fenêtre Aide peut afficher une liste de catégories ou de rubriques.

3. **Cliquez sur une rubrique marquée d'un point d'interrogation.**

   La fenêtre d'aide donne des explications étape par étape.

4. **Une fois que vous avez pris connaissance des explications, quittez la fenêtre Aide par un clic sur son bouton Fermer.**

Si vous cliquez sur le bouton Précédent, vous accédez à l'explication précédente. Si vous cliquez sur le bouton Avant, vous revenez à l'écran d'aide que vous venez de quitter. Si vous cliquez sur le bouton Accueil, vous affichez la liste des rubriques principales de l'aide du programme.

Rechercher de l'aide

Plutôt que de consulter les catégories et les rubriques pour trouver l'aide dont vous avez besoin, il est possible de taper des mots-clés objets de votre recherche. Par exemple, vous saisirez *Imprimer* ou *Modifier des graphiques*.

Si vous faites une faute de frappe, le système d'aide ne comprendra pas l'objet de votre demande. Faites donc très attention à votre orthographe.

Voici comment obtenir de l'aide en tapant l'objet de votre recherche :

1. **Utilisez une des méthodes suivantes pour accéder à la fenêtre d'aide (voir la Figure 3.1) :**

   • Cliquez sur le bouton Aide.

   • Appuyez sur F1.

2. **Cliquez dans le champ Rechercher, et saisissez un ou plusieurs mots, comme mise en forme ou aligner du texte.**

3. **Cliquez sur le bouton Rechercher.**

   La fenêtre Aide affiche une liste de rubriques comme le montre la Figure 3.3.

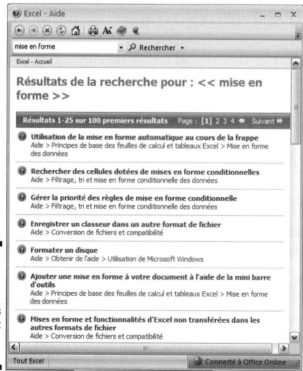

Figure 3.3
Des mots-clés permettent d'obtenir une liste de rubriques relatives au sujet de votre recherche.

4. **Cliquez sur une des rubriques d'aide affichées.**

   Des instructions données étape par étape doivent apporter la solution à votre problème.

5. **Pour quitter la fenêtre d'aide, cliquez sur son bouton Fermer.**

Faciliter la lecture de l'aide

Le plus gros problème posé par la fenêtre d'aide des applications Office est sa relative petite taille qui ne permet pas toujours de prendre correctement connaissance de son contenu. Pour pallier cette difficulté, deux choix s'offrent à vous :

✔ Redimensionner la fenêtre Aide.

✔ Augmenter la taille du texte dans la fenêtre Aide.

Redimensionner la fenêtre Aide

Vous redimensionnez la fenêtre d'aide comme n'importe quel autre type de fenêtre Windows. Il suffit de cliquer sur un des boutons situés dans son coin supérieur droit :

✔ **Réduire :** Fait de la fenêtre un bouton de la Barre des tâches de Windows.

✔ **Agrandir :** Permet à la fenêtre de remplir la totalité de l'écran.

✔ **Niveau inférieur :** Restaure la taille de la fenêtre au niveau qui était le sien avant que vous cliquiez sur ce bouton.

Vous pouvez également redimensionner une fenêtre en plaçant le pointeur de la souris sur un de ses côtés ou de ses angles. Le pointeur prend alors la forme d'une flèche à deux têtes. Cliquez et, sans relâcher le bouton de la souris, faites glisser le côté ou l'angle dans la direction du redimensionnement voulu. Une fois la dimension souhaitée atteinte, relâchez le bouton de la souris.

Agrandir le texte de la fenêtre Aide

Une alternative au redimensionnement de la fenêtre est l'agrandissement de son texte. Sachez qu'il est cependant possible de réduire la taille de ce texte. Voici comment rendre le texte plus lisible dans la fenêtre d'aide :

1. **Cliquez sur le bouton Aide ou appuyez sur F1 pour ouvrir la fenêtre.**

2. **Cliquez sur le bouton Modifier la taille de la police.**

    Un menu apparaît, comme à la Figure 3.4.

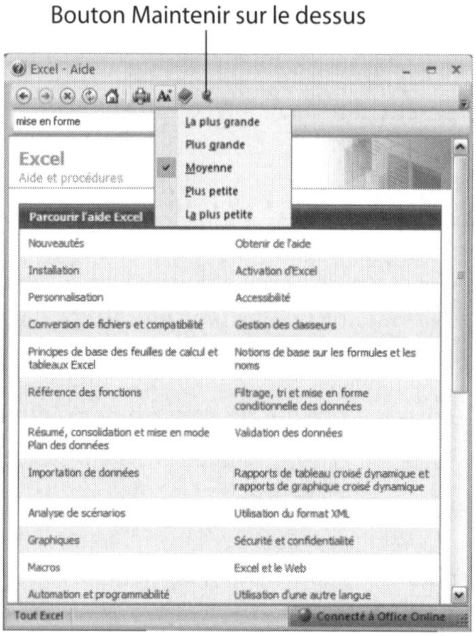

Bouton Maintenir sur le dessus

Figure 3.4
Le bouton Modifier la taille de la police permet d'augmenter ou de réduire la taille du texte de la fenêtre d'aide.

3. **Choisissez une option comme Plus grande ou Plus petite.**

    La taille du texte de la fenêtre change en conséquence.

Garder la fenêtre Aide constamment visible

Le bouton Maintenir sur le dessus permet d'afficher en permanence la fenêtre Aide pendant que vous utilisez un programme Office 2007. Vous pouvez donc suivre les instructions tout en les exécutant.

Si vous désactivez cette fonction, la fenêtre d'aide devient un bouton de la Barre des tâches dès que vous cliquez sur celle de votre programme.

Le libellé du bouton qui permet d'activer ou de désactiver la visibilité constante de la fenêtre peut prêter à confusion. En effet, si vous placez le pointeur de la souris dessus, l'infobulle qui apparaît n'indique pas ce qui va se passer si vous cliquez sur ce bouton, mais spécifie son état actuel. Donc, pour rendre la fenêtre constamment visible, vous devez cliquer sur le bouton Ne pas placer sur le dessus. Il devient Maintenir sur le dessus (voir la Figure 3.4).

Imprimer le texte de la fenêtre Aide

Les explications données dans la fenêtre d'aide peuvent vous paraître tellement utiles que vous souhaiterez les imprimer. Cela vous évite de rouvrir la fenêtre d'aide et de rechercher la même explication.

Voici comment imprimer le contenu de la fenêtre d'aide :

1. **Cliquez sur le bouton Aide ou appuyez sur F1 pour ouvrir la fenêtre.**

2. **Vérifiez qu'une imprimante est connectée à votre ordinateur et qu'elle est sous tension.**

3. **Cliquez sur le bouton Imprimer (voir la Figure 3.4).**

   La boîte de dialogue Imprimer s'ouvre.

4. **Définissez vos options d'impression (comme l'imprimante à utiliser), puis cliquez sur OK. Vous imprimez alors ce qui est affiché dans la fenêtre d'aide.**

Afficher la table des matières

Lorsque vous effectuez une recherche dans la fenêtre d'aide, il est très facile de vous perdre dans les catégories, les sous-catégories et les rubriques. Pour éviter toute confusion, vous pouvez afficher la fenêtre d'aide en deux volets. Le volet de gauche affiche la table des matières et celui de droite des informations complémentaires, comme le montre la Figure 3.5.

Afficher/Masquer la table des matières

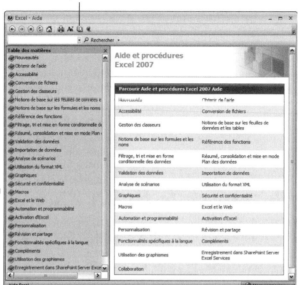

Figure 3.5
Afficher la table des matières scinde la fenêtre d'aide en deux parties.

Pour afficher la table des matières :

1. **Cliquez sur le bouton Aide ou appuyez sur la touche F1 pour ouvrir la fenêtre.**

2. **Cliquez sur le bouton Afficher la table des matières.**

   La fenêtre d'aide se scinde en deux volets.

3. **Cliquez sur un sujet du volet gauche.**

   Une liste de sous-catégories ou de rubriques (point d'interrogation) apparaît. Vous serez parfois obligé de cliquer sur plusieurs sous-catégories avant d'atteindre la rubrique qui vous intéresse.

4. **Cliquez sur une rubrique.**

   Le panneau de droite affiche les instructions étape par étape.

5. **(Facultatif) Cliquez sur le bouton Masquer la table des matières.**

Si la table des matières reste visible, elle sera affichée la prochaine fois que vous solliciterez l'aide.

6. **Pour quitter la fenêtre Aide, cliquez sur son bouton Fermer.**

Deuxième partie
Travailler avec Word

"J'adore la manière dont Word justifie le texte de mon rapport. Maintenant comment faire pour qu'il justifie ma demande d'augmentation ?!"

Dans cette partie...

Après les jeux, les e-mails et Internet, Word est l'application la plus utilisée en informatique professionnelle ou domestique. Cette partie explore la puissance du logiciel de traitement de texte Word. Sa version 2007, complètement relookée, met à votre disposition immédiate tous les outils nécessaires à la création des lettres les plus simples et des rapports commerciaux les plus sophistiqués.

Parallèlement aux fonctions avancées de ce programme, vous en appréhenderez l'apprentissage de l'écriture, la modification du document, la vérification orthographique et grammaticale, et la mise en forme du texte pour obtenir un document superbement présenté.

De prime abord, Word apparaît comme un logiciel de traitement de texte identique aux autres. Cependant, dès que vous découvrirez les techniques d'aide à la rédaction, à la création et à l'impression, vous verrez alors qu'il est possible de coucher vos idées dans un document Word aussi vite qu'elles vous viennent à l'esprit.

Chapitre 4

Saisir (ou taper) du texte dans Word

L a nature même d'un logiciel de traitement de texte est de vous permettre de saisir du texte, c'est-à-dire de le taper ou encore de l'entrer. Heureusement, Word ne fait pas exception à cette fonction première. Donc, pour bien utiliser Word, il faut d'abord apprendre à y saisir des mots qui, lus bout à bout, forment des phrases. Toutes ces phrases aboutissent à des paragraphes qui eux-mêmes constituent un fichier Word appelé *document*.

Dans chaque document, Word fait clignoter un curseur vertical à la droite duquel apparaît le texte saisi. On appelle ce curseur un *point d'insertion*. Il se déplace avec la souris ou les touches de votre clavier.

Déplacer le point d'insertion avec la souris

Lorsque vous bougez la souris, Word transforme le pointeur (ou curseur) en une sorte de grand *i* majuscule. Si vous placez ce curseur sur une zone où aucun texte ne peut être saisi, il reprend la forme traditionnelle d'une flèche, c'est-à-dire l'aspect premier du pointeur de la souris. En fonction de la position du pointeur, sa flèche pointe vers la droite ou la gauche.

Pour déplacer le point d'insertion dans un document Word, il suffit de positionner le pointeur de la souris à un endroit particulier (action de pointer), puis de cliquer du bouton gauche. Le point d'insertion clignote alors à l'emplacement du document où vous avez cliqué.

Si votre page est vierge ou si vous vous trouvez dans une zone vide située à la fin du document, vous pouvez placer le point d'insertion n'importe où en suivant cette procédure :

1. **Placez le pointeur de la souris sur une zone vierge à proximité de la fin du document.**

   Pour Word, la fin d'un document est un point à la suite duquel il n'y a plus aucun texte. Pour être certain de bien vous trouver sur ce point, appuyez sur Ctrl+Fin.

   • *Dans un nouveau document :* La fin du document se situe dans le coin supérieur gauche... c'est-à-dire au début. (En effet, le document est entièrement vide.)

   • *Dans un document contenant du texte :* La fin d'un document est la zone située juste après le tout dernier texte.

2. **Placez le pointeur de la souris sur n'importe quelle zone située à proximité de la fin du document.**

   Le pointeur prend la forme d'une des icônes représentées à la Figure 4.1. Une série de traits indique le type de justification qui sera appliqué au texte saisi.

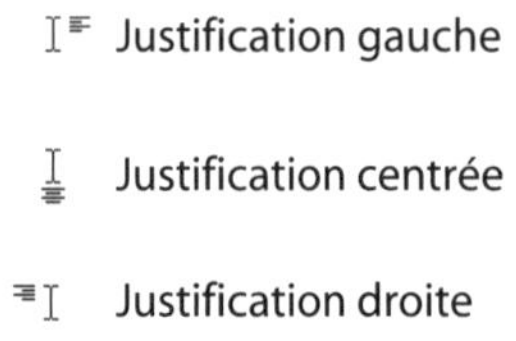

Figure 4.1
L'icône de justification apparaît à côté du pointeur de la souris quand vous le placez à proximité de la fin d'un document contenant du texte.

I⁼ Justification gauche

I Justification centrée

⁼I Justification droite

3. **Vérifiez que le bon type de justification s'affiche à côté du pointeur.**

   Par exemple, si vous désirez une justification centrée, veillez que l'icône adéquate apparaisse sous le pointeur de la souris devenu symbole du point d'insertion.

   Il est parfois difficile d'obtenir la bonne justification. La plupart du temps, le pointeur de la souris propose la justification gauche. Pour obtenir une justification centrée, placez le pointeur au centre de la page. Pour obtenir une justification droite, placez-le le plus possible vers la droite de la page.

4. **Double-cliquez.**

   Word affiche le point d'insertion dans la zone cliquée. Désormais, tout texte tapé apparaîtra à partir de ce point et se justifiera selon l'icône affichée à l'étape 3.

Déplacer le point d'insertion avec le clavier

Vous pouvez facilement et rapidement déplacer le point d'insertion avec le clavier. Reportez-vous au contenu du Tableau 4.1 pour connaître les combinaisons de touches permettant de placer le point d'insertion là où vous le souhaitez.

Il est possible de déplacer le point d'insertion en utilisant simultanément la souris et le clavier.

Tableau 4.1 : Les touches de déplacement du point d'insertion.

Touche	Fonction
↑	Déplace le point d'insertion d'une ligne vers le haut.
↓	Déplace le point d'insertion d'une ligne vers le bas.
→	Déplace le point d'insertion d'un caractère vers la droite.
←	Déplace le point d'insertion d'un caractère vers la gauche.
Ctrl + ↑	Place le point d'insertion au début du paragraphe précédent.
Ctrl + ↓	Place le point d'insertion au début du paragraphe suivant.

Tableau 4.1 : Les touches de déplacement du point

Touche	Fonction
Ctrl + →	Déplace le point d'insertion d'un mot vers la droite.
Ctrl + ←	Déplace le point d'insertion d'un mot vers la gauche.
Début	Place le point d'insertion au début de la ligne.
Fin	Place le point d'insertion à la fin de la ligne.
Ctrl+Début	Place le point d'insertion au début du document.
Ctrl+Fin	Place le point d'insertion à la fin du document.
Page Précédente	Déplace le point d'insertion d'un écran vers le haut.
Page Suivante	Déplace le point d'insertion d'un écran vers le bas.
Ctrl+Page Précédente	Place le point d'insertion au début de la page précédente.
Ctrl+Page Suivante	Place le point d'insertion au début de la page suivante.

Afficher un document

Dans Word, un document peut s'afficher de cinq manières différentes. Ces affichages permettent de mieux appréhender la mise en page, les marges et les sauts de page du document :

- **Page :** Affiche les pages comme si vous étiez devant une machine à écrire. La page est symbolisée par un cadre noir très fin. Les pages sont séparées par un saut de page, sorte de barre horizontale identifiant clairement le passage d'une page à l'autre du document.

- **Lecture plein écran :** Affiche les pages côté à côte comme un livre que vous lisez.

- **Web :** Affiche votre document tel qu'il apparaîtrait si vous l'affichiez dans un navigateur Web.

- **Plan :** Affiche votre document sous la forme d'un plan dont la structure se base sur les styles Titre et Sous-titre.

> ✔ **Brouillon :** Affiche le document sans marges. Ici, le changement de page (ou saut de page automatique) est identifié par une ligne en pointillé.

Basculer d'un affichage à un autre

Dans Word, il est très facile de passer d'un mode d'affichage du document à un autre, comme le montre la Figure 4.2 :

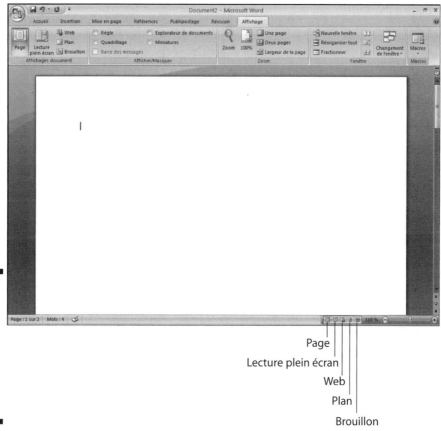

Figure 4.2
Vous changez rapidement d'affichage par un clic sur l'une des icônes situées en bas à droite de l'interface de Word.

Page
Lecture plein écran
Web
Plan
Brouillon

> ✔ Dans le coin inférieur droit du document, cliquez sur l'icône d'affichage correspondant au mode voulu.

✔ Cliquez sur l'onglet Affichage puis sur le bouton correspondant du groupe Affichages document.

Les modes Page et Web se ressemblent. En revanche, le mode Brouillon affiche un document dépourvu de marges. Il facilite la saisie et la modification des données de votre document. Les deux modes les moins utiles sont Lecture plein écran et Plan.

Le mode Lecture plein écran

En mode Lecture plein écran, deux pages apparaissent l'une à côté de l'autre à l'instar d'un livre ouvert, comme le montre la Figure 4.3. Pour "tourner les pages de ce livre", utilisez une des techniques suivantes :

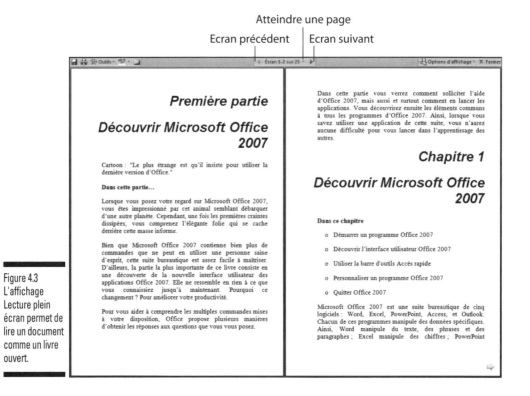

Figure 4.3
L'affichage
Lecture plein
écran permet de
lire un document
comme un livre
ouvert.

✔ Cliquez sur le bouton Ecran précédent ou Ecran suivant.

   ✔ Cliquez sur le bouton Atteindre une page.

Pour quitter le mode Lecture plein écran :

   ✔ Appuyez sur Echap.

   ✔ Cliquez sur le bouton Fermer.

Le mode Plan

L'affichage *en mode Plan* présente le document sous forme de titres et de sous-titres. En fonction du niveau hiérarchique choisi, plus ou moins de texte peut apparaître dans ce mode. Un affichage type du plan est illustré Figure 4.4.

En mode Plan, vous pouvez :

   ✔ **Réduire les titres** pour masquer temporairement des parties (sous-titres et texte) du document.

   ✔ **Réorganiser la hiérarchie des titres** pour déplacer facilement le sous-titre et son texte dans un grand document.

Lorsque vous déplacez un titre, ses sous-titres et tout le texte correspondant sont également déplacés. Le mode Plan évite la fastidieuse tâche du couper-coller. L'organisation hiérarchique du document est bien plus facile à réaliser dans ce mode.

Pour passer en mode Plan, cliquez sur l'icône éponyme située dans la partie inférieure droite de la fenêtre du document. (Vous pouvez aussi cliquer sur l'onglet Affichage, puis sur le bouton Plan du groupe Affichages document.)

Définir un titre

En mode Plan, chaque ligne est soit un titre, soit un texte. Voici comment définir le niveau des lignes du document :

1. **Placez le point d'insertion sur une ligne dont vous désirez définir le niveau hiérarchique.**

2. **Dans la liste Niveau hiérarchique, choisissez le niveau à appliquer à la ligne, comme Niveau 2.**

Word affiche le Niveau 1 dans une police plus grande et en aligne le texte sur la marge gauche. Le Niveau 2 est écrit dans une police plus petite avec une légère

Promouvoir au Titre 1

Promouvoir

Développer

Réduire

Abaisser

Abaisser en corps de texte

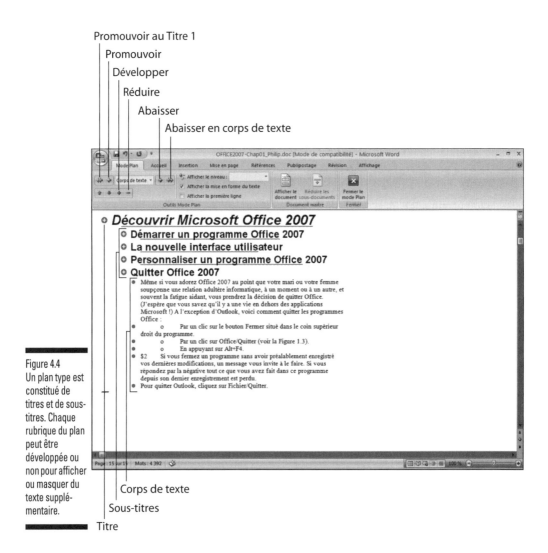

Figure 4.4
Un plan type est constitué de titres et de sous-titres. Chaque rubrique du plan peut être développée ou non pour afficher ou masquer du texte supplémentaire.

Corps de texte

Sous-titres

Titre

mise en retrait par rapport au Niveau 1. Il en va ainsi de tous les niveaux qui se suivent, comme le montre bien la Figure 4.5.

Pour créer rapidement un titre, placez le point d'insertion à la fin d'un titre existant et appuyez sur Entrée. Cette action crée exactement le même type de titre, c'est-à-dire applique le même niveau hiérarchique. Par exemple, si vous placez le point d'insertion à la fin d'un titre de Niveau 3 et que vous appuyez sur Entrée, Word crée un nouveau Niveau 3 vide.

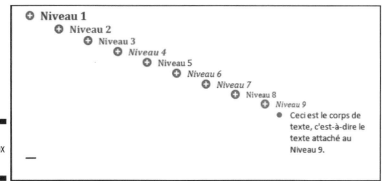

Figure 4.5
Les neuf niveaux
disponibles.

Promouvoir et abaisser un titre

Une fois que vous avez défini le niveau d'un titre, vous pouvez le changer à tout instant. Par exemple, il est très facile de passer un Niveau 1 en Niveau 2 et réciproquement. Lorsque vous augmentez le niveau hiérarchique, on parle de *promotion* (ou de *promouvoir un titre*) ; quand vous diminuez le niveau hiérarchique, on parle d'*abaisser* (par exemple, passer un Niveau 4 au Niveau 5).

Un Niveau 1 ne peut pas être promu, car il est au sommet de la hiérarchie des niveaux. De même, un Niveau 9 ne peut pas être abaissé, car il se situe au plus bas niveau hiérarchique.

Pour promouvoir ou abaisser un niveau, suivez cette procédure :

1. **Avec la souris ou le clavier, placez le point d'insertion sur le titre à promouvoir ou à abaisser.**

2. **Choisissez une de ces méthodes :**

   - Dans la liste Niveau hiérarchique, choisissez un niveau comme Niveau 2.

   - Appuyez sur la touche Tab pour abaisser et sur Maj+Tab pour promouvoir.

   - Placez le pointeur de la souris sur un cercle affiché à gauche du titre. Appuyez sur le bouton gauche de la souris, et faites glisser celle-ci vers la gauche ou la droite. Ensuite, relâchez le bouton de la souris.

Vous pouvez rapidement convertir n'importe quel titre en un titre de Niveau 1 en cliquant sur le bouton Promouvoir au Titre 1.

Promouvoir ou abaisser un titre déplacent n'importe quel sous-titre ou texte attaché à ce titre.

Déplacer des titres

Vous pouvez déplacer des titres vers le haut et le bas d'un document. Voici comment procéder :

1. **A la souris ou au clavier, placez le point d'insertion sur le titre à promouvoir ou à abaisser.**

2. **Choisissez une des méthodes suivantes :**

   - Cliquez sur le bouton Monter ou Descendre.

   - Appuyez sur Alt+Maj+↓

   - Placez le pointeur de la souris sur le cercle situé à gauche du niveau. Appuyez sur le bouton gauche de la souris et faites-la glisser vers le haut ou le bas. Enfin, relâchez le bouton de la souris.

Si vous réduisez le contenu d'un titre avant de le déplacer, vous déplacez alors ses sous-titres et/ou son corps de texte.

Créer du texte

Le *texte* consiste en une ou plusieurs phrases ou en un ou plusieurs paragraphes. Le texte est toujours en retrait par rapport au titre ou au sous-titre auquel il est attaché. Voici comment créer du texte en mode Plan :

1. **Placez le point d'insertion à la fin d'un titre ou d'un sous-titre.**

   Il s'agit du titre ou du sous-titre auquel le texte va être attaché si vous déplacez ce niveau hiérarchique.

2. **Appuyez sur Entrée.**

   Word crée une ligne vide.

3. **Cliquez sur le bouton Abaisser en corps de texte.**

   Word affiche une puce en retrait du niveau choisi à l'étape 1.

4. **Tapez votre texte.**

Réduire et développer des titres et des sous-titres

Si un titre ou un sous-titre contient d'autres sous-titres ou du texte, vous pouvez réduire le titre et le sous-titre en question. *Réduire* un titre signifie que vous masquez temporairement ses sous-titres et son texte. *Développer* un titre affiche ses sous-titres et/ou son texte masqués.

Pour réduire un titre et ses sous-titres ou son texte, double-cliquez sur l'icône affichant le signe + et située à gauche du titre.

Pour réduire uniquement un sous-titre ou un texte situé sous le titre, choisissez une des deux méthodes suivantes :

- ✔ Placez le point d'insertion sur le titre à réduire, puis cliquez sur le bouton Réduire. Chaque clic réduit le contenu du titre d'un niveau.

- ✔ Appuyez sur Alt+Maj+– (signe *moins* du pavé numérique).

Pour développer un titre réduit et ainsi révéler les sous-titres et le corps du texte qu'il contient, double-cliquez sur son icône + affichée à sa gauche.

Si vous souhaitez développer uniquement le sous-titre ou le texte situé immédiatement en dessous de lui, choisissez une des techniques suivantes :

- ✔ Placez le point d'insertion sur le titre à développer, puis cliquez sur le bouton Développer.

- ✔ Appuyez sur Alt+Maj++ (du pavé numérique).

Parcourir un document

Si vous créez un gros document de plusieurs pages, vous ne pourrez pas toutes les voir en même temps. Vous devez donc faire défiler le contenu du document avec la souris ou le clavier.

Parcourir avec la souris

Pour faire défiler le contenu d'un document avec la souris :

- ✔ Utilisez la barre de défilement vertical située sur le bord droit de la fenêtre du document.

✔ Si vous disposez d'une souris à molette, faites tourner cette dernière dans le sens du défilement souhaité.

Utiliser la barre de défilement

Comme le montre la barre de défilement de la Figure 4.6, vous pouvez parcourir un document de plusieurs manières :

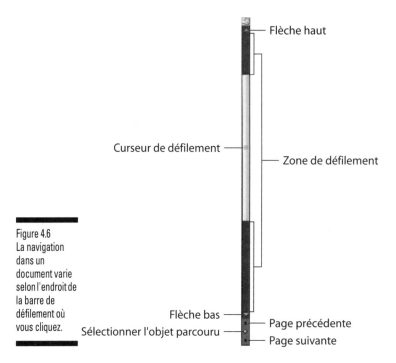

Flèche haut

Curseur de défilement

Zone de défilement

Figure 4.6
La navigation
dans un
document varie
selon l'endroit de
la barre de
défilement où
vous cliquez.

Flèche bas
Sélectionner l'objet parcouru
Page précédente
Page suivante

✔ **Flèche haut (↑) :** Remonte d'une ligne à chaque pression sur la touche.

✔ **Flèche bas (↓) :** Descend d'une ligne à chaque pression sur la touche.

✔ **Curseur de défilement :** En faisant glisser ce curseur, vous affichez rapidement différentes pages. Un défilement vers le haut vous rapproche de la première, alors qu'un défilement vers le bas vous rapproche de la dernière.

✔ **Zone de défilement :** Cliquer au-dessus du curseur de défilement remonte d'un écran. Cliquer en dessous descend d'un écran.

✔ **Page précédente :** Place le point d'insertion en haut de la page précédente.

✔ **Page suivante :** Place le point d'insertion en haut de la page suivante.

✔ **Sélectionner l'objet parcouru :** Offre plusieurs options de navigation dans le document comme par page, section ou titre.

Utiliser une souris à molette

Si votre souris est équipée d'une molette, utilisez-la pour parcourir votre document. Voici les deux méthodes possibles :

✔ Placez le pointeur de la souris sur votre document et faites tourner la molette vers le haut ou le bas.

✔ Placez le pointeur de la souris sur le document, et appuyez sur la molette. (En effet, l'autre fonction de la molette équivaut à un troisième bouton sur lequel vous pouvez appuyer.) Sans relâcher la molette, déplacez-la vers le haut ou le bas. La vitesse de défilement s'accélère au fur et à mesure que vous tournez la molette. Cliquez sur le bouton gauche de la souris ou sur la molette pour désactiver le mode de défilement automatique. J'attire votre attention sur le fait que la réaction et l'utilisation de la molette peuvent dépendre des réglages que vous avez effectués dans le pilote de votre périphérique de pointage.

Utiliser la commande Atteindre

Si vous connaissez le numéro de la page à afficher, foncez-y directement via la commande Atteindre. Suivez cette procédure :

1. **Cliquez sur l'onglet Accueil.**

2. **Choisissez une des options suivantes :**

   • Dans le groupe Modification, cliquez sur Rechercher/Atteindre.

   • Cliquez sur le bouton Page, situé dans le coin inférieur gauche de la fenêtre du document.

   • Cliquez sur le bouton Sélectionner l'objet parcouru, puis sur Atteindre.

   • Appuyez sur Ctrl+B.

La boîte de dialogue Rechercher et remplacer s'affiche. Son onglet Atteindre est actif, comme à la Figure 4.7.

Figure 4.7
L'onglet
Atteindre et ses
options de
recherche.

3. **Dans le champ Numéro de la page, tapez le numéro de la page à atteindre.**

Si vous tapez le signe + ou – devant le numéro de la page, vous parcourez autant de pages que le numéro spécifié. Par exemple, si vous affichez la page 5 et tapez – **2**, vous atteignez la page 3. Si vous tapez +**12**, vous atteignez la page 17.

4. **Cliquez sur le bouton Atteindre.**

Word affiche la page spécifiée.

5. **Cliquez sur le bouton Fermer pour quitter la boîte de dialogue Rechercher et remplacer.**

Rechercher et remplacer du texte

La fonction de recherche de Word permet de retrouver un texte particulier. Il peut s'agir d'un mot ou d'une phrase. La fonction Remplacer, quant à elle, recherche le mot spécifié et le remplace par un autre.

Utiliser la commande Rechercher

Cette commande peut rechercher un caractère, un mot ou une phrase. Pour accélérer la recherche, vous spécifiez si elle porte sur tout le document ou sur une partie spécifique. Voici comment employer cette commande :

1. **Cliquez sur l'onglet Accueil.**

2. **Dans le groupe Modification, cliquez sur Rechercher.**

   La boîte de dialogue Rechercher et remplacer apparaît, l'onglet Rechercher étant actif.

3. **Dans le champ Rechercher, tapez le mot ou la phrase objet de votre convoitise.**

4. **(Facultatif) Cliquez sur le bouton Plus et choisissez une des options précisant l'objet de votre recherche, comme le montre la Figure 4.8 :**

Figure 4.8
Le bouton Plus renferme des options qui précisent la recherche.

- *Respecter la casse :* Trouve le texte qui correspond exactement à ce que vous avez saisi dans le champ Rechercher. Ici, les majuscules et les minuscules sont prises en compte.

- *Mot entier :* Trouve le mot saisi et ne s'arrête pas sur une partie de ce mot qui en formerait un autre. Par exemple, si vous cherchez *forme*, Word trouvera uniquement ce mot et pas *former*, *formerait*, etc.

- *Utiliser les caractères génériques :* Permet d'employer des caractères comme ? ou * en remplacement d'une ou plusieurs lettres. Si vous tapez *f?rme*, Word trouvera *forme* et *ferme*. Si vous tapez *b*te*, Word trouvera *botte*, *batte*, *boîte*, etc.

5. **Cliquez sur un des boutons suivants :**

- *Rechercher dans/Document principal* : Effectue une recherche dans la totalité du document.

- *Suivant* : Effectue une recherche depuis la position du point d'insertion jusqu'à la fin du document.

6. **Pour trouver une autre occurrence du mot saisi, cliquez sur Suivant.**

7. **Pour fermer la boîte de dialogue Rechercher et remplacer, cliquez sur Annuler.**

Utiliser la commande Rechercher et remplacer

Il est possible de rechercher un texte particulier pour le remplacer par un autre. Voici comment utiliser la commande Rechercher et remplacer :

1. **Cliquez sur l'onglet Accueil.**

2. **Cliquez sur le bouton Remplacer du groupe Modification. (Vous pouvez également appuyer sur Ctrl+H.)**

   La boîte de dialogue Rechercher et remplacer apparaît.

3. **Dans le champ Rechercher, tapez le mot ou la phrase objet de votre recherche.**

4. **Dans le champ Remplacer par, saisissez le mot ou la phrase devant remplacer ce que vous avez tapé à l'étape 3.**

5. **(Facultatif) Cliquez sur le bouton Plus pour définir des options de recherche (voir la Figure 4.8).**

6. **Cliquez sur l'un des boutons suivants :**

- *Remplacer tout :* Cherche et remplace toutes les occurrences du texte dans votre document.

- *Remplacer :* Remplace uniquement le texte trouvé mis en surbrillance (sélectionné).

- *Suivant :* Effectue une recherche à partir du point d'insertion jusqu'à la fin du document.

7. **Cliquez sur le bouton Suivant pour trouver d'autres occurrences du texte objet de la recherche.**

8. **Cliquez sur Annuler pour fermer la boîte de dialogue Rechercher et remplacer.**

Vérifier l'orthographe

Lorsque vous tapez votre texte, Word tente de corriger automatiquement votre orthographe. (Essayez ! Tapez **lui meme** et Word le remplace par **lui-même** dès que vous appuyez sur la barre d'espace ou la touche Tab.) Si vous saisissez des termes inconnus de Word, il les souligne d'une ondulation rouge.

Ce n'est pas parce que Word considère un mot comme mal orthographié qu'il l'est ! En effet, vous pouvez très bien employer un vocabulaire inconnu de Word. Dans ce cas, par prudence, Word attire votre attention sur ce terme inconnu en le soulignant. Ainsi, beaucoup de noms propres sont inconnus de Word.

Pour corriger certains mots soulignés d'une ondulation rouge, suivez ces étapes :

1. **Faites un clic-droit sur le terme en question.**

   Un menu contextuel apparaît, comme à la Figure 4.9.

2. **Choisissez une des options suivantes :**

   - *Un des mots proposés :* Cliquez sur le mot correctement orthographié proposé par Word.

   - *Ignorer tout :* Indique à Word d'ignorer ce terme, c'est-à-dire de ne plus le souligner, dans le reste du document.

   - *Ajouter au dictionnaire :* Word ajoute ce terme au dictionnaire. A partir de cet instant, Word reconnaîtra le mot et ne le considérera donc plus comme mal orthographié.

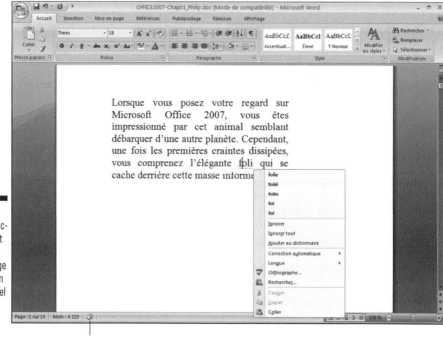

Figure 4.9
Effectuez un clic-droit sur un mot souligné d'une ondulation rouge pour afficher un menu contextuel proposant des corrections possibles.

Icône de vérification

Vérifier votre grammaire

Parfois, les erreurs sont soulignées en vert. Cela indique qu'il s'agit d'une faute grammaticale que vous pouvez corriger en suivant ces étapes :

1. **Faites un clic-droit sur le texte souligné d'une ondulation verte.**

   Un menu contextuel apparaît.

2. **Choisissez une des options suivantes :**

   - *Une des corrections proposées :* Cliquez sur la bonne correction du mot ou de la phrase.

   - *Ignorer :* Indique à Word de ne pas considérer ce mot ou cette phrase comme une erreur.

Par défaut, Word vérifie automatiquement les erreurs orthographiques et grammaticales. Si cela vous perturbe, effectuez un clic-droit sur la barre d'état de Word. Dans le menu contextuel, décochez l'option Vérification de l'orthographe et de la grammaire.

Insérer des symboles

Les claviers disposent d'un nombre limité de caractères. De ce fait, comment saisir des symboles comme

Pour insérer des symboles inhabituels dans un document Word :

1. **Placez le point d'insertion où vous désirez insérer un caractère qui ne figure pas sur votre clavier.**

2. **Cliquez sur l'onglet Insertion.**

3. **Dans le groupe Symboles, déroulez la liste Symbole.**

   Un menu apparaît, comme le montre la Figure 4.10.

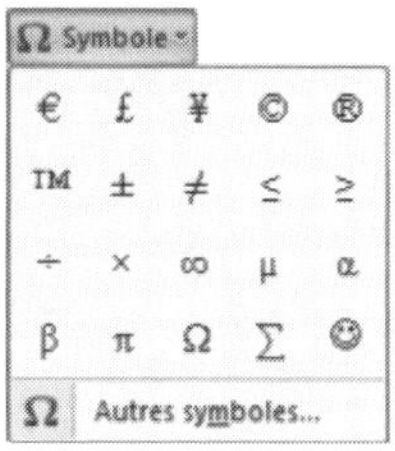

Figure 4.10
Les symboles les plus communément utilisés sont regroupés dans cette liste.

4. **Cliquez sur le symbole à insérer.**

   Il apparaît dans votre document.

5. **(Facultatif) Si vous ne voyez pas le symbole que vous désirez ajouter :**

   • Cliquez sur *Autres symboles*.

     Word ouvre la boîte de dialogue Caractères spéciaux, illustrée à la Figure 4.11.

   • Cliquez sur un symbole, sur Insérer, puis sur Fermer. Vous pouvez également insérer un symbole en double-cliquant dessus. Ensuite, quittez la boîte de dialogue par un clic sur le bouton Fermer.

Figure 4.11
La boîte de
dialogue
Caractères
spéciaux affiche
tous les
symboles
pouvant être
insérés dans
votre document.

Word peut insérer des équations mathématiques si, à l'étape 3, vous cliquez sur le bouton Equation du groupe Symboles.

Chapitre 5

Mettre en forme du texte

Une fois que vous avez saisi du texte dans un document, que vous l'avez modifié, et que vous avez vérifié sa grammaire et son orthographe, vous pouvez en améliorer l'aspect. Cette phase de votre travail s'appelle la *mise en forme*. Elle est d'autant plus importante qu'elle conditionne la lisibilité et la présentation d'un document.

L'onglet Accueil répartit les outils de mise en forme en trois catégories :

✔ **Police :** Pour définir la police utilisée, sa taille, sa couleur, son surlignage et son style (gras, italique, souligné, barré, indice, exposant et casse).

✔ **Paragraphe :** Détermine la justification (gauche, centrée ou droite), l'interlignage, la trame de fond, les bordures, les retraits, les symboles de mise en forme et les styles des listes (à puces, numérotées ou à plusieurs niveaux).

✔ **Style :** Propose des mises en forme prédéfinies que vous pouvez appliquer à votre texte.

Voici comment mettre en forme n'importe quel type de texte :

1. **Sélectionnez le texte à mettre en forme.**

2. **Choisissez un outil de mise en forme.**

Lorsque vous sélectionnez des commandes de mise en forme, elles restent actives (surbrillance) tant que vous ne cliquez pas de nouveau dessus.

Dès que vous sélectionnez du texte, Word affiche une mini barre d'outils qui contient les commandes de mise en forme les plus utilisées, comme le montre la Figure 5.1. Il suffit de cliquer sur un de ses boutons pour exécuter la commande correspondante.

Figure 5.1
La minibarre
d'outils de mise
en forme du
texte.

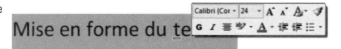

Modifier la police

La méthode la plus simple pour modifier l'aspect d'un texte consiste à changer sa police de caractères. La police définit le style et l'aspect du texte, comme Baskerville, Courier, Old English ou Stencil.

Voici comment modifier la police :

1. **Cliquez sur l'onglet Accueil.**

2. **Sélectionnez le texte dont vous désirez changer la police.**

3. **Cliquez sur la liste des noms de police.**

Les polices disponibles varient d'un ordinateur à l'autre, car elles sont installées sur le système en même temps que les programmes. La Figure 5.2 montre une liste type de polices accessibles depuis Word 2007.

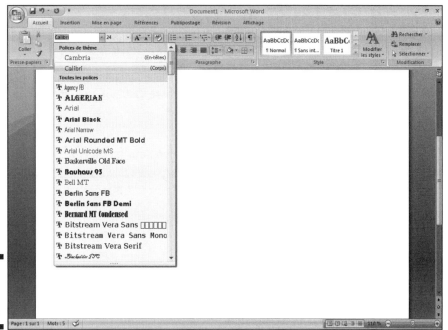

Figure 5.2
La liste des
polices montre
leur apparence.

4. Placez le pointeur de la souris sur chaque police.

Un aperçu instantané permet de voir l'aspect qu'aura le texte du document si vous optez pour la police sur laquelle se trouve le pointeur de la
souris.

5. Cliquez sur la police à utiliser.

Word change l'aspect du texte en lui appliquant la police en question.

D'une manière générale, résistez à la tentation d'employer plus de trois types
de police dans un même document. En effet, l'abus de polices peut être dangereux pour la santé... non, je plaisante ; il risque simplement de détourner
l'attention du lecteur.

Comme tous les ordinateurs n'ont pas les mêmes polices, soyez très prudent
quand vous écrivez un document destiné à être partagé avec d'autres
personnes. Dans ce cas, je conseille d'utiliser une police très répandue comme
Times New Roman ou Arial.

Modifier la taille de la police

La *police* modifie l'aspect du texte, et la *taille de la police* altère sa grosseur. Vous pouvez la modifier de deux manières :

- ✔ Choisissez une valeur dans la liste Taille de police.

- ✔ Utilisez les commandes Agrandir et Réduire la police.

Vous pouvez utiliser ces deux méthodes pour modifier la taille du texte. Par exemple, sélectionnez une valeur précise dans la liste Taille de police, puis augmentez ou réduisez sa taille via les commandes Agrandir et Réduire la police.

Voici comment changer la taille de la police :

1. **Cliquez sur l'onglet Accueil.**

2. **Sélectionnez le texte dont vous souhaitez changer la taille des caractères.**

3. **Optez pour une des méthodes suivantes :**

   - Dans la liste Taille de police, choisissez une valeur exprimée en points comme 12 ou 24 (Figure 5.3).

   - Cliquez sur le bouton Agrandir ou Réduire la police.

Modifier le style du texte

Le *style* définit l'apparence du texte en lui appliquant un ou plusieurs des enrichissements suivants :

- ✔ **Gras :** Appuyez sur Ctrl+G.

- ✔ *Italique :* Appuyez sur Ctrl+I.

- ✔ Souligné : Appuyez sur Ctrl+U.

- ✔ Barré : Trace un trait sur toute la longueur du texte.

- ✔ Indice : Permet d'abaisser les caractères au niveau de la ligne de base comme le 2 de H_2O.

Réduire la police

Agrandir la police

Figure 5.3
Modifier la taille
de la police agit
sur la grandeur
des caractères.

✔ Exposant : Permet d'élever un chiffre à la puissance comme le 2 de
   $E = mc^2$.

Pour enrichir un texte :

1. **Cliquez sur l'onglet Accueil.**

2. **Sélectionnez le texte à modifier.**

3. **Cliquez sur un bouton de style de texte comme gras ou souligné.**

4. **Répétez l'étape 3 pour chaque nouveau style à appliquer à votre texte
   (comme *italique* et** souligné**).**

Si vous cliquez sur n'importe quel style sans avoir préalablement sélectionné
du texte, l'enrichissement s'applique au texte que vous allez saisir.

Modifier la couleur

La couleur permet de mettre en évidence le texte. Il existe deux manières de
l'utiliser :

✔ Modifier la couleur du texte, c'est-à-dire celle de la police.

✔ Surligner du texte avec une autre couleur (couleur de surbrillance du texte).

Modifier la couleur du texte

Lorsque vous changez la couleur du texte, vous affichez une couleur différente pour chaque lettre. Par défaut, Word affiche le texte en noir, mais rien ne vous empêche de lui assigner un rouge vif ou un vert foncé.

Si vous choisissez une couleur claire, elle risque d'être difficile à lire sur un fond blanc.

Pour changer la couleur du texte :

1. **Cliquez sur l'onglet Accueil.**

2. **Sélectionnez le texte dont vous désirez changer la couleur.**

3. **Cliquez sur la flèche du bouton Couleur de police.**

   Une palette apparaît, comme à la Figure 5.4.

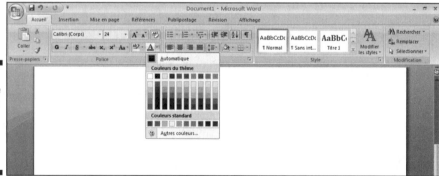

Figure 5.4
Afficher du texte en couleur attire l'attention du lecteur sur une partie du document.

4. **Cliquez sur une couleur.**

   Word applique la couleur au texte sélectionné.

Une fois que vous avez sélectionné une couleur, elle s'affiche sur l'icône du bouton Couleur de police. Pour appliquer cette même couleur à un autre texte, sélectionnez-le, puis cliquez directement sur ce bouton sans afficher la palette de couleurs.

Surligner du texte

Le surlignage informatique est l'équivalent numérique de celui que vous réalisez avec un surligneur appliqué sur le texte d'une feuille de papier. Il permet d'attirer l'attention sur un passage particulier d'un ouvrage. Voici comment surligner dans Word :

1. **Cliquez sur l'onglet Accueil.**

2. **Sélectionnez le texte à surligner.**

3. **Cliquez sur la flèche du bouton Couleur de surbrillance du texte.**

   Une palette apparaît, comme à la Figure 5.5.

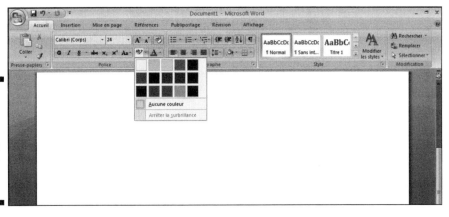

Figure 5.5
La palette du bouton Couleur de surbrillance du texte permet de choisir votre couleur de surlignage.

4. **Cliquez sur une couleur.**

   Word surligne le texte sélectionné avec la couleur ainsi choisie.

5. **Appuyez sur Echap (ou cliquez sur le bouton Couleur de surbrillance du texte) pour désactiver cette commande.**

Pour effacer un surlignage, c'est-à-dire restaurer l'état initial d'un texte surligné, il suffit de le sélectionner et d'appliquer la même couleur de surlignage. Ainsi, vous annulez purement et simplement le surlignage.

Si aucun texte n'est sélectionné, vous pouvez cliquer sur le bouton Couleur de surbrillance du texte (pas sur sa flèche). Le pointeur de la souris prend la forme d'un outil de surlignage. Passez cet outil sur le texte à surligner.

Justifier le texte

Word peut aligner le texte de quatre manières différentes, comme le montre la Figure 5.6 :

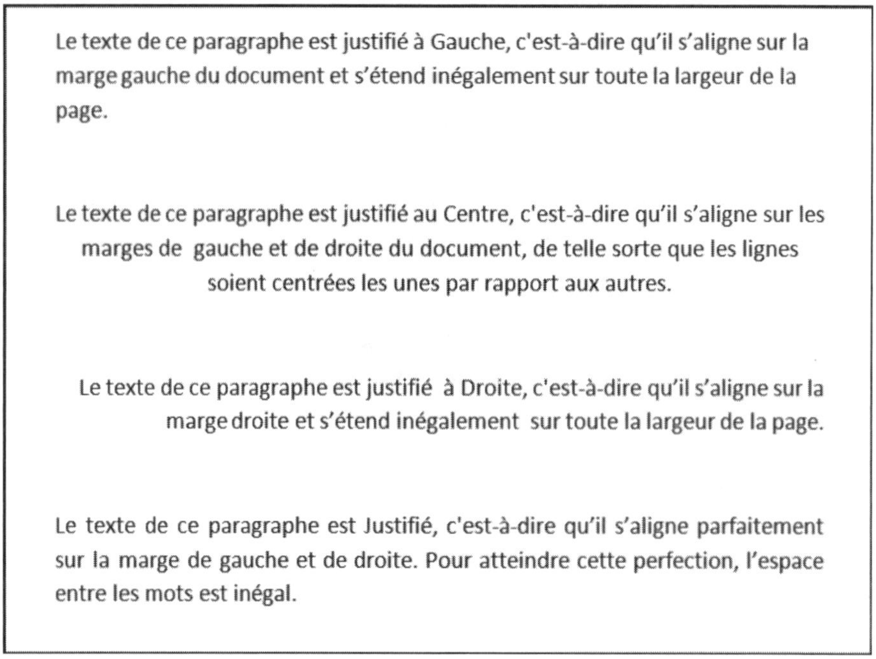

Le texte de ce paragraphe est justifié à Gauche, c'est-à-dire qu'il s'aligne sur la marge gauche du document et s'étend inégalement sur toute la largeur de la page.

Le texte de ce paragraphe est justifié au Centre, c'est-à-dire qu'il s'aligne sur les marges de gauche et de droite du document, de telle sorte que les lignes soient centrées les unes par rapport aux autres.

Le texte de ce paragraphe est justifié à Droite, c'est-à-dire qu'il s'aligne sur la marge droite et s'étend inégalement sur toute la largeur de la page.

Le texte de ce paragraphe est Justifié, c'est-à-dire qu'il s'aligne parfaitement sur la marge de gauche et de droite. Pour atteindre cette perfection, l'espace entre les mots est inégal.

Figure 5.6
Les quatre types d'alignement du texte.

- ✔ **Gauche :** Le texte s'aligne sur la marge gauche et s'étend de manière inégale jusqu'à la marge droite.

- ✔ **Centrer :** Chaque ligne est centrée par rapport aux marges gauche et droite.

✔ **Droite :** Le texte s'aligne sur la marge droite et s'étend de manière inégale jusqu'à la marge gauche.

✔ **Justifié :** Le texte s'aligne équitablement sur les marges gauche et droite.

Voici comment aligner du texte :

1. **Cliquez sur l'onglet Accueil.**

2. **Placez le point d'insertion dans le paragraphe à justifier.**

3. **Cliquez sur un des boutons d'alignement du texte comme Centrer ou Justifié.**

Vous pouvez aligner un texte en utilisant un raccourci clavier : appuyez sur Ctrl+Maj+G pour aligner à gauche ; Ctrl+E pour centrer ; Ctrl+Maj+D pour aligner à droite ; et Ctrl+J pour justifier.

Ajuster l'interlignage

L'*interligne* définit l'espace qui sépare les lignes situées les unes au-dessous des autres. Voici comment changer l'interligne d'un paragraphe ou de tout un document :

1. **Cliquez sur l'onglet Accueil.**

2. **Sélectionnez le texte dont vous désirez modifier l'interlignage.**

3. **Cliquez sur la flèche du bouton Interligne du groupe Paragraphe.**

   Une liste apparaît, comme à la Figure 5.7.

4. **Cliquez sur la valeur d'espacement à appliquer comme 1,0 (interligne simple) ou 3,0 (triple interligne).**

Si vous cliquez sur Options d'interligne, vous pouvez définir un espacement très précis comme 2,75 ou 3,13.

Créer des listes

Word peut présenter le texte sous la forme de trois types de liste différents :

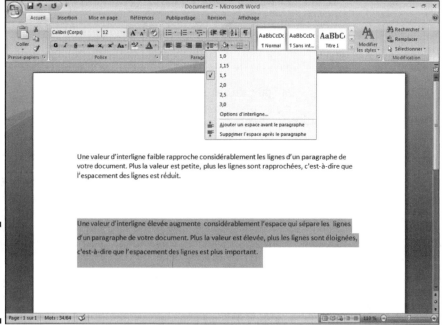

Figure 5.7
L'interligne
espace plus ou
moins les lignes
de vos
paragraphes.

✔ A puces (comme la présente liste).

✔ Numérotée.

✔ A plusieurs niveaux.

Vous pouvez créer une liste avant d'y saisir du texte, ou bien convertir un texte existant en liste. Voici comment créer une liste :

1. **Cliquez sur l'onglet Accueil.**

2. **Placez le curseur à l'endroit du document où vous désirez faire apparaître la liste.**

3. **Cliquez sur les boutons Puces, Numérotation ou Liste à plusieurs niveaux.**

   Si vous désirez convertir le contenu d'une liste à puces en texte normal, cliquez de nouveau sur le bouton Puces.

Personnaliser une liste

Lorsque vous créez une liste à puces ou numérotée, vous disposez de plusieurs options de présentation. Voici comment choisir un format de numérotation :

1. **Cliquez sur la flèche du bouton Numérotation.**

   Veillez à ne pas cliquer sur le bouton lui-même.

   Une liste de styles apparaît, comme le montre la Figure 5.8.

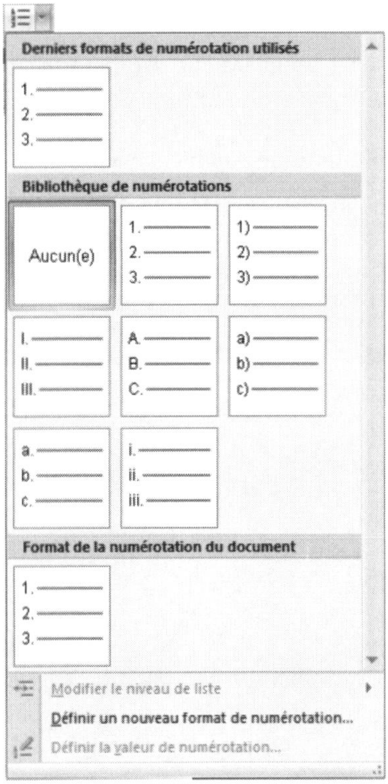

Figure 5.8
Choisissez le type de numérotation à appliquer à votre liste.

2. **Cliquez sur le style de numéros à appliquer.**

   La prochaine fois que vous créerez une liste numérotée, le dernier style sélectionné sera appliqué.

Les modifications apportées au style de liste à puces ou numérotée ne concernent que le document actuel.

Renuméroter des listes

Les listes numérotées peuvent poser un problème lorsque vous les scindez ou les copiez. En effet, vous souhaiterez parfois que la numérotation de la première puce soit différente de 1.

Pour modifier le numéro de départ d'une liste numérotée :

1. **Effectuez un clic-droit sur l'élément de la liste dont vous désirez changer le numéro.**

   Pour renuméroter toute la liste, faites un clic-droit sur le premier élément.

   Un menu contextuel apparaît, comme à la Figure 5.9.

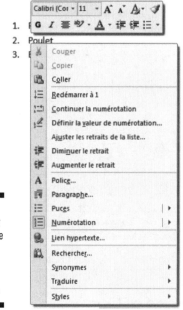

Figure 5.9
Un clic-droit sur un élément d'une liste numérotée affiche des options de renumérotation.

2. **Choisissez une des options suivantes :**

   Redémarrer à 1 : Le numéro de l'élément devient 1. Les numéros qui le suivent sont actualisés en conséquence pour conserver la numérotation logique de la liste.

   Continuer la numérotation : Modifie le numéro de l'élément de telle sorte qu'il soit la suite logique du numéro de l'élément qui le précède. Par exemple, si cet élément porte le numéro 3, l'élément suivant portera le numéro 4.

   Définir la valeur de numérotation : Affiche la boîte de dialogue éponyme, illustrée à la Figure 5.10. Vous y spécifiez le numéro de l'élément de la liste comme 34 ou 39.

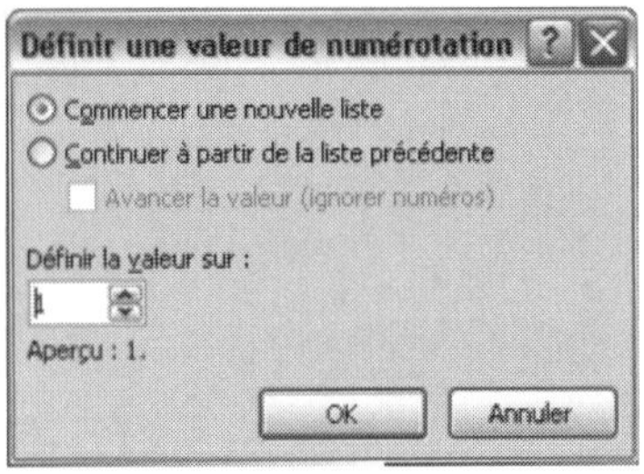

Figure 5.10
Assignez le
numéro de votre
choix.

Définir une valeur de numérotation

- ● Commencer une nouvelle liste
- ○ Continuer à partir de la liste précédente
- ☐ Avancer la valeur (ignorer numéros)

Définir la valeur sur :

Aperçu : 1.

OK   Annuler

Utiliser la règle

Lorsque vous créez un document, Word génère automatiquement les marges de vos pages. Si vous avez besoin de modifier ces marges par défaut, ou si vous devez insérer des tabulations et effectuer des mises en retrait, l'utilisation de la règle est incontournable.

Par défaut, Word masque la règle. Pour l'afficher, cliquez sur le bouton Règle situé au-dessus de la barre de défilement vertical, comme à la Figure 5.11.

Pour masquer la règle, cliquez de nouveau sur ce bouton.

Règles   Bouton Règle

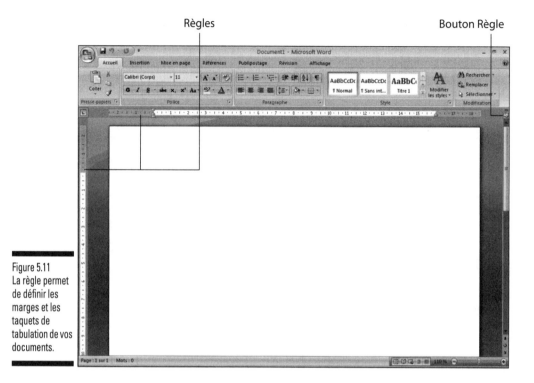

Figure 5.11
La règle permet
de définir les
marges et les
taquets de
tabulation de vos
documents.

Ajuster les marges de gauche et de droite d'un paragraphe

La règle définit les marges de gauche et de droite de vos paragraphes. Voici comment les modifier :

1. **Affichez la règle.**

2. **Sélectionnez du texte.**

3. **Placez le pointeur de la souris sur le bouton Retrait à gauche. Cliquez et faites glisser ce bouton vers la droite pour définir la marge de gauche.**

   Word affiche une barre verticale en pointillé qui symbolise la marge, comme le montre la Figure 5.12.

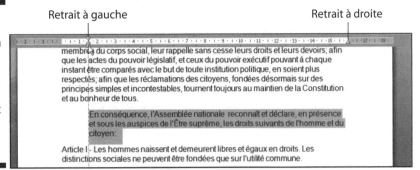

Figure 5.12
Faites glisser le bouton Retrait à gauche vers la droite pour définir la marge de gauche de votre document ou du paragraphe sélectionné.

4. **Dès que la position de la marge de gauche vous convient, relâchez le bouton de la souris.**

5. **Placez le pointeur de la souris sur le bouton Retrait à droite. Maintenez enfoncé le bouton gauche de la souris et faites glisser la souris vers la gauche pour définir la marge de droite.**

   Word affiche une barre verticale en pointillé qui symbolise la marge de droite.

6. **Relâchez le bouton de la souris dès que la position de cette marge vous satisfait.**

Définir un retrait avec la règle

Les deux boutons permettant de définir un retrait sont Retrait de la première ligne et Retrait négatif. L'un ne met en retrait que la première ligne d'un paragraphe, tandis que l'autre place en retrait toutes les lignes du paragraphe à l'exception de la première. Ces deux boutons sont identifiés sur la Figure 5.13.

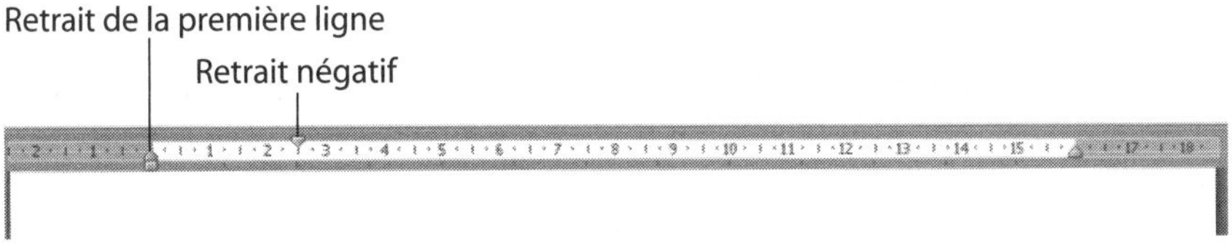

Figure 5.13
Faites glisser ces boutons pour définir des retraits.

Retrait de la première ligne

Retrait négatif

Voici comment définir un retrait de la première ligne et un retrait négatif :

1. **Affichez la règle.**

2. **Sélectionnez du texte.**

3. **Placez le pointeur de la souris sur le bouton Retrait négatif. Maintenez le bouton gauche de la souris enfoncé et faites glisser l'icône du retrait négatif vers la droite.**

   Word symbole la limite du retrait par une barre verticale en pointillé.

4. **Relâchez le bouton gauche de la souris dès que le retrait vous convient.**

5. **Placez le pointeur de la souris sur le bouton Retrait de la première ligne. Maintenez le bouton de la souris enfoncé, et faites glisser cette icône vers la droite ou la gauche.**

   Word symbolise la limite du retrait de la première ligne par une barre verticale en pointillé.

6. **Relâchez le bouton gauche de la souris dès que le retrait de la première ligne vous convient.**

Afficher les marques de mise en forme

Pour aligner précisément du texte, vous serez obligé d'afficher les symboles de mise en forme de votre document. Ils permettent de voir où se situent les espaces, les tabulations et les fins de paragraphe.

Pour afficher les marques de mise en forme :

1. **Cliquez sur le bouton Office.**

2. **Choisissez Options Word.**

3. **Dans le volet gauche de la boîte de dialogue Options Word, cliquez sur Affichage.**

   Word affiche le contenu de cette catégorie dans le volet de droite. Vous y trouvez de nombreuses cases à cocher qui activent et désactivent des options d'affichage.

4. **Cochez les cases des symboles de mise en forme que vous désirez affi-cher dans le document. Il peut s'agir de Marques de paragraphe, Espaces, Tabulations, etc., comme à la Figure 5.14.**

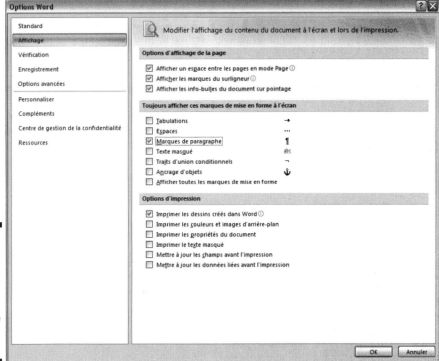

Figure 5.14
La catégorie Affichage des options de Word permet de choisir les marques de mise en forme à afficher ou non.

Word affiche les marques de mise en forme dans le document.

5. **Cliquez sur OK.**

Pour activer/désactiver rapidement l'affichage des marques de mise en forme, cliquez sur l'onglet Accueil, puis sur le bouton Afficher tout. A la différence de la procédure ci-dessus, ce bouton affiche absolument toutes les marques de mise en forme. Vous ne choisissez pas celles à affi-cher et celles à masquer.

Utiliser l'outil Reproduire la mise en forme

La mise en forme peut être très simple ou très complexe. Lorsque vous avez appliqué une mise en forme à une partie de votre texte, il est facile de l'appliquer à d'autres.

Pour éviter de perdre du temps en répétant les opérations initiales de votre mise en forme manuelle, asservissez l'outil Reproduire la mise en forme comme ceci :

1. **Cliquez sur l'onglet Accueil.**

2. **Dans votre document, sélectionnez le texte contenant la mise en forme que vous désirez appliquer à une ou d'autres parties du document.**

3. **Cliquez sur l'outil Reproduire la mise en forme, comme à la Figure 5.15.**

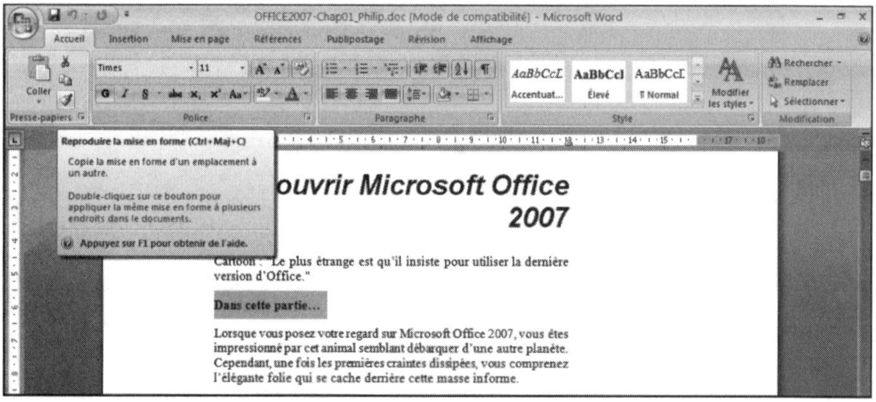

Figure 5.15
Après avoir choisi le texte dont vous souhaitez copier la mise en forme, activez l'outil Reproduire la mise en forme.

4. **Faites glisser le pointeur de la souris sur le texte à mettre en forme. (Cette opération revient à sélectionner le texte en question.)**

Word reproduit la mise en forme.

Utiliser des styles

Au lieu de définir manuellement la police, sa taille et les enrichissements du texte (comme gras, italique, etc.), vous pouvez appliquer des styles prédéfinis qui disposent déjà de tous ces types de mise en forme. Voici comment utiliser un style prédéfini :

1. **Cliquez sur l'onglet Accueil.**

2. **Sélectionnez le texte à mettre en forme.**

3. **Cliquez sur les flèches haut/bas du groupe Styles pour faire défiler les mises en forme disponibles. Vous pouvez également cliquer sur le bouton Autres pour afficher la galerie des styles rapides, illustrée à la Figure 5.16.**

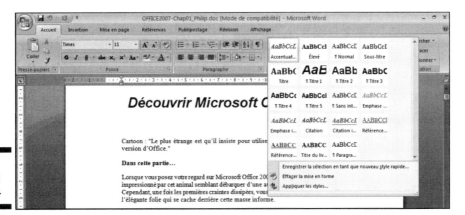

Figure 5.16
La galerie des
styles rapides.

4. **Placez le pointeur de la souris sur un style.**

   Un aperçu instantané permet de voir comment sera le paragraphe si vous appliquez ce style.

5. **Cliquez sur le style à appliquer comme Titre 1, Titre ou Citation.**

   Word met en forme le texte.

Pour utiliser les styles à partir du volet éponyme, cliquez sur le lanceur de boîte de dialogue du groupe Styles (en bas à droite). Vous affichez le volet en question. Pour le fermer, cliquez sur son bouton de fermeture.

Utiliser des modèles

Si vous désirez mettre en forme la totalité d'un document, il est préférable d'utiliser des modèles plutôt que d'effectuer une mise en forme manuelle qui risque de s'avérer fastidieuse. Les *modèles* sont des documents préformatés. Word en fournit quelques-uns, mais vous en trouverez des centaines sur le site Web de Microsoft.

Créer un document à partir d'un modèle

La manière la plus simple d'utiliser un modèle consiste à le choisir avant de taper votre texte. Donc, voici comment créer un document à partir d'un modèle :

1. **Cliquez sur le bouton Office, et choisissez Nouveau.**

   La boîte de dialogue Nouveau document apparaît.

2. **Dans le volet gauche, cliquez sur l'une des catégories suivantes :**

   Modèles installés : Affiche les modèles présents sur votre ordinateur.

   N'importe quelle catégorie de la rubrique Microsoft Office Online, comme Brochures ou Formulaires.

   La fenêtre Nouveau document affiche les modèles disponibles dans la catégorie sélectionnée, comme à la Figure 5.17. Si vous ne choisissez pas de modèle, Word applique le modèle Normal.

3. **Cliquez sur un modèle, puis sur le bouton Créer ou Télécharger.**

   Word affiche alors un document contenant du texte générique pour vous donner une idée de la mise en forme.

4. **Saisissez votre texte et utilisez le groupe Style pour choisir les mises en forme fournies avec le modèle.**

Créer un document à partir d'un document existant

Si vous disposez déjà d'un document contenant tous les styles que vous souhaitez utiliser, employez-le en tant que modèle. Vous utilisez en fait une

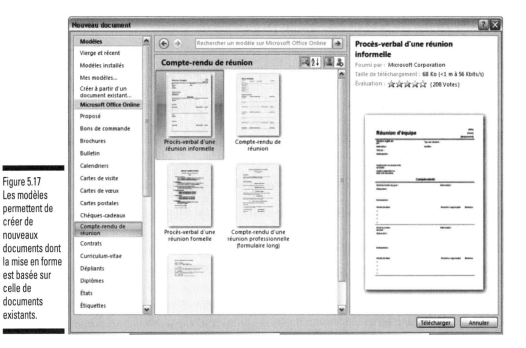

Figure 5.17
Les modèles permettent de créer de nouveaux documents dont la mise en forme est basée sur celle de documents existants.

copie d'un document contenant son texte et ses mises en forme. Vous en changez le contenu que vous enregistrez sous un nouveau nom.

Pour créer un document basé sur un document existant :

1. **Cliquez sur le bouton Office, puis sur Nouveau.**

    La boîte de dialogue Nouveau document apparaît.

2. **Dans le volet gauche, cliquez sur Créer à partir d'un document existant.**

    La boîte de dialogue éponyme apparaît.

3. **Parcourez vos disques durs et dossiers pour localiser le fichier à utiliser.**

4. **Sélectionnez ce fichier, puis cliquez sur Créer.**

    Word affiche une copie de ce document.

5. **Enregistrez-le sous un autre nom, puis modifiez son contenu.**

Supprimer une mise en forme

Il est toujours possible de supprimer une mise en forme appliquée à un document. La méthode la plus simple consiste à appliquer la même mise en forme que celle que vous souhaitez supprimer. Par exemple, si vous soulignez du texte, supprimez ce soulignement en soulignant de nouveau ce même texte. (Appuyez sur Ctrl+U.)

Pour supprimer plusieurs mises en forme, vous pouvez les effacer une à une. Cependant, le plus rapide consiste à utiliser l'outil Effacer la mise en forme. Toutes les mises en forme sont alors supprimées.

Voici comment utiliser l'outil Effacer la mise en forme :

1. **Cliquez sur l'onglet Accueil.**

2. **Sélectionnez le texte contenant la mise en forme à supprimer.**

3. **Cliquez sur le bouton Effacer la mise en forme, illustré à la Figure 5.18.**

   Word supprime la mise en forme du texte sélectionné.

Figure 5.18
Cliquez sur ce bouton pour supprimer toutes les mises en forme d'un texte sélectionné.

La commande Effacer la mise en forme ne supprime pas le surlignage du texte.

Chapitre 6
Mettre en page

La mise en page consiste à structurer votre document en ajoutant des colonnes, ou encore des en-têtes et des pieds de page qui affichent des titres ou des numéros de pages. La mise en page d'un document se fait par le biais des commandes des onglets Insertion et Mise en page.

L'onglet Insertion fournit des commandes qui insèrent des éléments dans votre document comme de nouvelles pages, des tableaux, des images, des en-têtes et des pieds de page.

L'onglet Mise en page propose des commandes qui définissent l'aspect de vos pages comme l'application de colonnes, la définition des marges haut, bas, gauche et droite, l'habillage d'un texte autour d'une image ou d'autres objets.

Insérer des pages

Dès que vous arrivez en fin de page, Word crée automatiquement une nouvelle page si vous continuez à saisir du texte. Ainsi, il n'y a pas d'interruption dans la

rédaction de longs textes. Cependant, si besoin, vous pouvez insérer manuellement une page à n'importe quel endroit de votre projet.

Voici comment insérer une page :

1. **Cliquez sur l'onglet Insertion.**

2. **Placez le point d'insertion à l'endroit où vous désirez insérer la
nouvelle page.**

3. **Cliquez sur le bouton Saut de page du groupe Pages.**

   Word ajoute une page vide au document.

Inutile d'insérer une page en fin de document. Contentez-vous de placer le
point d'insertion à la fin du document en appuyant sur Ctrl+Fin, et tapez du
texte. Word ajoute automatiquement une nouvelle page pour que vous puissiez
saisir le texte au kilomètre, c'est-à-dire sans que vous ayez à penser à la création d'une nouvelle page en fin de document.

Ajouter (et supprimer) une page de garde

Dans certaines circonstances, vous n'aurez besoin d'insérer qu'une seule page,
celle de la couverture de votre document. On l'appelle *page de garde*.

Voici comment en ajouter une à votre document :

1. **Cliquez sur l'onglet Insertion.**

2. **Dans le groupe Pages, cliquez sur Page de garde (Figure 6.1).**

   Word affiche la galerie des pages de garde.

3. **Cliquez sur la page de garde à insérer.**

   Word ajoute la page de garde au début du document.

Un document ne peut avoir qu'une seule page de garde. Si vous en choisissez
une autre, elle remplacera celle que vous y avez insérée précédemment.

Si vous changez d'avis en choisissant finalement de ne pas insérer de page de
garde, voici comment la supprimer :

1. **Cliquez sur l'onglet Insertion.**

Figure 6.1
Cliquez sur ce bouton pour afficher une galerie de pages de garde.

2. **Dans le groupe Pages, cliquez sur Page de garde.**

3. **Dans le menu qui apparaît, choisissez Supprimer la page de garde actuelle.**

Word enlève la page de garde du document.

Insérer des sauts de page

Plutôt que d'insérer une nouvelle page, vous souhaiterez parfois répartir sur deux pages un texte tenant sur une seule page. Pour cela, vous devez insérer un saut de page comme ceci :

1. **Cliquez sur l'onglet Insertion.**

2. **Placez le point d'insertion à l'endroit où votre document doit se scinder en deux pages.**

3. **Dans le groupe Pages, cliquez sur Saut de page.**

Word scinde votre document en deux pages.

Pour supprimer un saut de page, placez le point d'insertion en haut de la page située sous le saut en question, et appuyez sur la touche Retour arrière.

Vous pouvez rapidement créer un saut de page en appuyant sur Ctrl+Entrée au lieu de passer par l'onglet Insertion.

Insérer des en-têtes et des pieds de page

Les en-têtes et les pieds de page apparaissent respectivement en haut et en bas d'une ou plusieurs pages de votre document. Les en-têtes et les pieds de page peuvent afficher des informations comme des titres, des noms de chapitres, des dates et des numéros de pages.

Créer un en-tête ou un pied de page

Pour créer un en-tête ou un pied de page, suivez ces étapes :

1. **Cliquez sur l'onglet Insertion.**

2. **Dans le groupe En-tête et pied de page, cliquez sur la flèche du bouton En-tête ou Pied de page.**

   Un menu apparaît.

3. **Cliquez sur Modifier l'en-tête (ou Modifier le pied de page).**

   Word affiche votre en-tête ou votre pied de page.

   Les en-têtes et les pieds de page ne sont visibles qu'en mode Page.

4. **Tapez, modifiez ou supprimez tout texte que vous désirez insérer ou changer dans l'en-tête ou le pied de page.**

5. **(Facultatif) Dans l'onglet Création de Outils des en-têtes et des pieds de page, cliquez sur le bouton Date et heure ou Numéro de page.**

6. **Pour quitter le mode d'édition des en-têtes et des pieds de page, cliquez sur le bouton Fermer l'en-tête et le pied de page.**

   Word affiche en grisé le contenu des en-têtes et des pieds de page.

Définir les pages affichant un en-tête ou un pied de page

Habituellement, lorsque vous définissez un en-tête ou un pied de page, Word l'affiche sur chaque page du document. Toutefois, Word donne la possibilité de choisir les pages sur lesquelles ces deux éléments apparaîtront. Par exemple, ils s'afficheront uniquement sur la première page, ou encore les en-têtes ou les pieds de page seront différents sur les pages paires et impaires.

Créer un en-tête ou un pied de page unique pour la première page

La plupart du temps, un en-tête ou un pied de page affiche un numéro de page ou des titres de chapitres. Cet affichage est identique sur toutes les pages, sauf la première. Cette première page mérite donc un en-tête et/ou un pied de page unique que vous spécifiez de cette manière :

1. **Pour voir le contenu des en-têtes et des pieds de page, basculez en mode d'affichage Page. Pour cela, cliquez sur l'icône adéquate située dans la partie inférieure droite de l'interface de Word.**

2. **Cliquez sur l'onglet Insertion. Dans le groupe En-tête et pied de page, cliquez sur En-tête/Modifier l'en-tête (ou le pied de page).**

   L'onglet Création apparaît.

3. **Dans le groupe Options, cochez la case Première page différente.**

   Word affiche dans l'en-tête ou le pied de page du document une sorte d'onglet nommé `Premier en-tête` ou `Premier pied de page`.

Pour annuler cet affichage spécifique d'un en-tête et/ou d'un pied de page différent sur la première page, il suffit de décocher la case Première page différente.

Créer des en-têtes et des pieds de page uniques pour les pages paires et impaires

Parfois, vous souhaiterez que des en-têtes et/ou des pieds de page différents s'affichent sur les pages paires et impaires d'un document. Dans la plupart des ouvrages, les en-têtes apparaissent dans le coin supérieur gauche des pages paires, tandis qu'ils s'affichent dans le coin supérieur droit des pages impaires. Pour obtenir pareil effet dans vos documents, vous devez spécifier des en-têtes différents pour ces deux types de page.

Voici la démarche à suivre :

1. **Basculez en mode Page par un clic sur l'icône correspondante située dans la partie inférieure droite de l'interface.**

2. **Cliquez sur l'onglet Insertion. Dans le groupe En-tête et pied de page, cliquez sur la flèche du bouton En-tête et choisissez Modifier l'en-tête.**

L'onglet Création apparaît.

3. **Cochez la case Pages paires et impaires différentes.**

    Dans le document, Word affiche une sorte d'onglet nommé En-tête de page impaire et En-tête de page paire.

4. **Tapez le contenu de l'en-tête des pages impaires, c'est-à-dire celui qui s'affichera uniquement sur ces pages.**

5. **Pour quitter ce mode d'édition, cliquez sur le bouton Fermer l'en-tête et le pied de page.**

6. **Passez à une page paire, et répétez les étapes 2 à 4.**

Pour que les pages paires et impaires cessent d'afficher des en-têtes ou des pieds de page spécifiques, décochez la case Pages paires et impaires différentes du groupe Options de l'onglet Création.

Supprimer un en-tête ou un pied de page

Voici comment ne plus afficher d'en-tête ou de pied de page dans votre document :

1. **Cliquez sur l'onglet Insertion.**

2. **Basculez en mode Page par un clic sur l'icône correspondante de la partie inférieure droite de l'interface.**

3. **Dans le groupe En-tête et pied de page, cliquez sur la flèche du bouton En-tête.**

4. **Dans le menu qui apparaît, cliquez sur Supprimer l'en-tête (ou Supprimer le pied de page).**

    Word efface votre en-tête ou votre pied de page.

Organiser du texte dans des tableaux

Les *tableaux* organisent le texte dans des lignes et des colonnes. Les tableaux permettent de saisir, de modifier et de formater facilement le texte tout en l'espaçant de manière à faciliter sa lecture. Dans un tableau, le texte apparaît dans des cellules. Une *cellule* est l'intersection d'une ligne et d'une colonne.

Word permet de créer des tableaux de quatre manières différentes :

 ✔ Par un clic sur l'onglet Insertion, puis sur le bouton Tableau. Dans le menu local qui apparaît, faites glisser la souris sur les lignes et les colonnes qui vont définir la structure du tableau (8 lignes et 10 colonnes maximum).

 ✔ En utilisant la boîte de dialogue Insérer un tableau.

 ✔ En définissant à la souris la taille et la position du tableau.

 ✔ Par conversion d'un texte existant (divisé via un caractère de délimitation comme une tabulation ou une virgule).

Créer un tableau par sélection de lignes et de colonnes

Cette technique permet de créer des tableaux qui contiendront un maximum de huit lignes et de dix colonnes. Voici comment créer un tableau de ce genre :

1. **Cliquez sur l'onglet Insertion.**

2. **Dans votre document, placez le point d'insertion où vous désirez insérer le tableau.**

3. **Cliquez sur le bouton Tableau.**

   Un menu local apparaît, comme à la Figure 6.2.

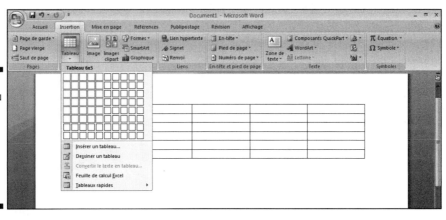

Figure 6.2
Le menu Tableau affiche des carrés qui symbolisent les lignes et les colonnes de votre futur tableau.

4. **Faites glisser le pointeur de la souris sur les carrés de manière à définir le nombre de lignes et de colonnes qui vont former les cellules de votre tableau.**

   Dès que vous sélectionnez un carré, Word actualise le tableau dans le document. Vous voyez, en temps réel, à quoi ressemble le tableau grâce à cet aperçu instantané.

5. **Dès que le tableau vous convient, cliquez sur le bouton gauche de la souris.**

Créer un tableau via la boîte de dialogue Insérer un tableau

La création d'un tableau par sélection de ses lignes et de ses colonnes est très intuitive mais limitée en taille. Pour créer un tableau contenant un nombre très précis de cellules (jusqu'à 63 colonnes), suivez ces étapes :

1. **Cliquez sur l'onglet Insertion.**

2. **Placez le pointeur de la souris où vous souhaitez insérer le tableau.**

3. **Cliquez sur le bouton Tableau.**

4. **Dans le menu local, cliquez sur Insérer un tableau.**

   La boîte de dialogue éponyme apparaît, comme à la Figure 6.3.

Figure 6.3
Indiquez le nombre exact de lignes et de colonnes du tableau.

5. **Dans le champ Nombre de colonnes, tapez un chiffre entre 1 et 63, ou bien cliquez sur les petites flèches (tournettes) pour spécifier le nombre de colonnes de votre tableau.**

6. **Dans le champ Nombre de lignes, spécifiez le nombre de lignes de votre tableau.**

7. **Ensuite, activez une des options suivantes :**

   - _Largeur de colonne fixe :_ Indique que la largeur des colonnes sera d'une taille fixe, en l'occurrence 1,25 cm qui reste invariable quel que soit le contenu textuel des cellules.

   - _Ajuster au contenu :_ La taille des colonnes dépend de l'élément le plus large contenu par le tableau.

   - _Ajuster à la fenêtre :_ Etend (ou réduit) le tableau pour qu'il s'affiche en entier dans la fenêtre du document.

8. **Cliquez sur OK.**

   Word affiche le tableau dans votre document.

Dessiner un tableau avec la souris

Dessiner un tableau est très utile quand vous désirez le placer au beau milieu d'une page, et que vous souhaitez définir des lignes et des colonnes de différentes tailles, comme à la Figure 6.4.

Pour dessiner un tableau dans votre document :

1. **Cliquez sur l'onglet Insertion.**

2. **Cliquez sur le bouton Tableau.**

3. **Dans le menu local, cliquez sur Dessiner un tableau.**

   Le pointeur de la souris prend la forme d'un crayon.

4. **Placez le pointeur de la souris là où vous souhaitez insérer le tableau dans votre document. Ensuite, appuyez sur le bouton gauche de la souris et tracez votre tableau.**

   Word trace un rectangle en pointillé symbolisant la position du tableau dans le document.

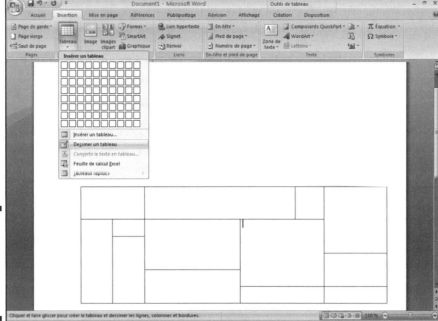

Figure 6.4
Dessiner un
tableau à la
souris vous
permet de créer
des cellules très
particulières.

5. **Dès que la taille du tableau vous convient, relâchez le bouton de la souris.**

6. **Ensuite, placez le pointeur de la souris là où vous désirez tracer des lignes ou des colonnes à partir de n'importe quel bord du tableau. Cliquez sur le bouton gauche de la souris, et faites-la glisser vers le haut, le bas, la droite ou la gauche. Par cette action, vous créez les cellules de votre tableau.**

7. **Appuyez sur Echap ou double-cliquez n'importe où pour quitter le mode de dessin du tableau.**

Créer un tableau à partir d'un texte existant

Il est possible de convertir un texte normal en un tableau. La première chose à faire est de séparer les éléments du texte pour permettre la création automatique et précise des cellules du tableau. Voici ce que Word prend en compte pour créer les cellules d'un tableau et les remplir avec du texte existant :

✔ **Les paragraphes apparaissent dans des lignes distinctes.**

Regardez la première ligne de la Figure 6.5. Le caractère de délimitation peut être une virgule, une tabulation, un dièse (#) ou un astérisque (*).

✔ **Le texte tabulé s'affiche en colonnes, comme dans le tableau situé en bas de la Figure 6.5.**

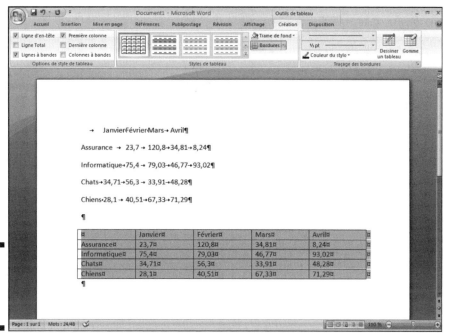

Figure 6.5
Voici comment
Word convertit
un texte en
tableau.

Pour convertir un texte existant en tableau :

1. **Cliquez sur l'onglet Insertion.**

2. **Dans votre document, sélectionnez le texte à convertir en tableau.**

3. **Cliquez sur le bouton Tableau.**

4. **Dans le menu local qui apparaît, cliquez sur Convertir le texte en tableau.**

   La boîte de dialogue éponyme apparaît, comme à la Figure 6.6.

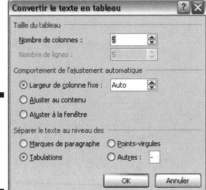

Figure 6.6
Définissez la
manière dont le
texte va se
transformer en
tableau.

5. **(Facultatif) Dans la section Séparer le texte au niveau des, activez le bouton radio correspondant au caractère utilisé pour séparer les éléments de votre texte comme Marques de paragraphe, Tabulations, Points-virgules et Autres.**

Vous devez choisir l'option correspondant au séparateur que vous avez réellement utilisé. Ainsi, si votre texte est séparé par des tabulations, activez le bouton radio Tabulations.

6. **Cliquez sur OK.**

Word convertit le texte en tableau.

Vous pouvez également convertir un tableau en texte. Voici comment procéder :

1. **Cliquez n'importe où dans le tableau à convertir en texte.**

L'onglet Disposition apparaît.

2. **Cliquez sur l'onglet Disposition.**

3. **Cliquez sur Données/Convertir en texte.**

La boîte de dialogue Convertir le tableau en texte apparaît, comme à la Figure 6.7.

4. **Activez le bouton radio correspondant au type de séparateur que vous désirez utiliser : Marques de paragraphe, Tabulations, Points-virgules ou Autres (voir la Figure 6.8).**

5. **Cliquez sur OK.**

Figure 6.7
La boîte de dialogue Convertir le tableau en texte permet de définir comment le texte sera séparé une fois la conversion réalisée.

Figure 6.8
Lorsque vous convertissez un tableau en texte, l'aspect du texte varie en fonction du type de séparateur choisi.

Mettre en forme et appliquer de la couleur à un tableau

Une fois qu'un tableau a été créé, il est facile de mettre en forme chaque cellule individuellement, ou bien les colonnes et/ou les lignes. Vous redimensionnerez les cellules, alignerez le texte, et ajouterez des bordures, une trame de fond ou des couleurs. Tout cela permet de rendre le texte plus lisible.

Sélectionner tout ou partie d'un tableau

Pour mettre en forme un tableau et lui appliquer de la couleur, vous devez commencer par sélectionner le tableau lui-même, des lignes, des colonnes ou des cellules. Voici comment procéder :

1. **Cliquez dans le tableau, la ligne, la colonne ou la cellule à modifier.**

   L'onglet Outils de tableau apparaît.

2. **Cliquez sur l'onglet Disposition.**

3. **Dans le groupe Tableau, cliquez sur le bouton Sélectionner.**

   Un menu local apparaît, comme à la Figure 6.9.

Figure 6.9
Sélectionnez une ligne, une colonne ou tout le tableau.

4. **Choisissez une option comme Sélectionner la colonne ou Sélectionner la ligne.**

   Word place en surbrillance l'élément du tableau que vous avez choisi de sélectionner.

Aligner du texte dans une cellule d'un tableau

Le texte des cellules d'un tableau peut s'aligner de neuf manières différentes : Coin supérieur gauche, Au centre en haut, Coin supérieur droit, Au centre à gauche, Centrer, Au centre à droite, Coin inférieur gauche, Au centre en bas et Coin inférieur droit, comme le montre si bien (*ben oui, car c'est moi qui l'a fait !*) la Figure 6.10.

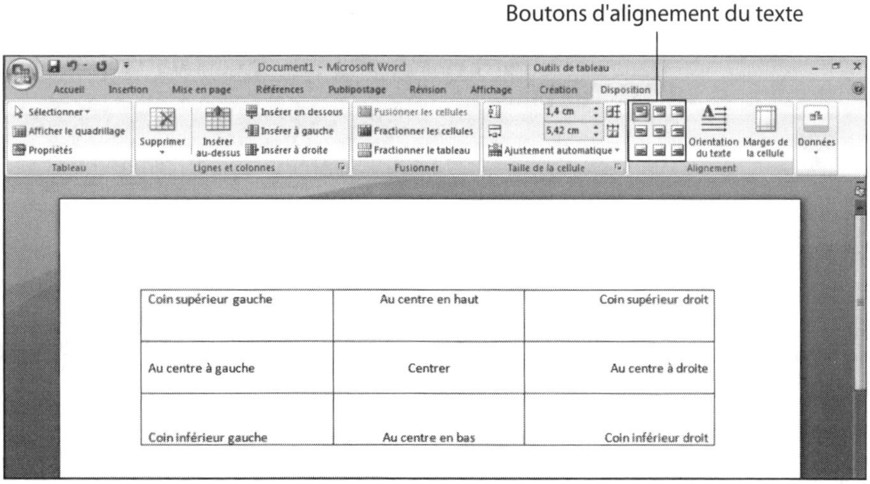

Boutons d'alignement du texte

Figure 6.10
Le texte des
cellules d'un
tableau s'aligne
de neuf manières
différentes.

Voici comment procéder à l'alignement du texte dans les cellules d'un tableau :

1. **Cliquez dans la cellule qui contient le texte à aligner.**

   Les Outils de tableau apparaissent.

2. **Cliquez sur l'onglet Disposition.**

3. **Dans le groupe Alignement, cliquez sur l'un des boutons d'alignement du texte (voir la Figure 6.10) comme Coin supérieur droit ou Au centre en bas.**

   Word aligne le texte en conséquence. Si vous appliquez un alignement à une cellule vide, le texte saisi s'alignera en conséquence.

Appliquer de la couleur aux cellules

Un tableau peut être totalement ou partiellement colorisé. Voici comment procéder :

1. **Sélectionnez un tableau, une ligne, une colonne ou une cellule selon les explications données à la section "Sélectionner tout ou partie d'un tableau", plus haut dans ce chapitre.**

   Word affiche en surbrillance l'élément du tableau que vous venez de sélectionner.

2. **Cliquez sur l'onglet Création.**

3. **Dans le groupe Styles de tableau, cliquez sur la flèche du bouton Trame de fond.**

   Comme le montre la Figure 6.11, une palette de couleurs apparaît.

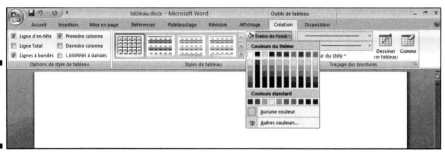

Figure 6.11
Le bouton Trame de fond cache une palette de couleurs.

4. **Placez le pointeur de la souris sur une couleur.**

   L'aperçu instantané montre l'impact de la couleur sur l'élément sélectionné du tableau. Si vous changez de couleur, Word actualise cet aperçu en temps réel.

5. **Cliquez sur une couleur à appliquer.**

Ajouter des bordures

Les bordures peuvent considérablement améliorer la présentation de votre tableau en mettant en évidence certaines lignes et/ou colonnes. Pour ajouter des bordures à vos tableaux, vous devez définir :

✔ L'endroit du tableau où doit apparaître la bordure (en bas d'une ligne, à gauche d'une cellule, en haut d'une colonne, etc.).

✔ La couleur de la bordure.

✔ Le style du trait.

✔ L'épaisseur de ce trait.

Pour ajouter une bordure :

1. **Placez le point d'insertion dans la ligne, la colonne, la cellule ou le tableau à l'endroit précis où la bordure doit s'afficher.**

2. **Cliquez sur l'onglet Création des Outils de tableau.**

3. **Cliquez sur la flèche du bouton Couleur du stylo.**

   Une palette de couleurs s'affiche.

4. **Cliquez sur la couleur que vous désirez appliquer à la bordure.**

5. **Cliquez sur la liste Style du stylo.**

   Un menu local affiche différents styles de trait comme pointillé ou triple ligne (voir la Figure 6.12).

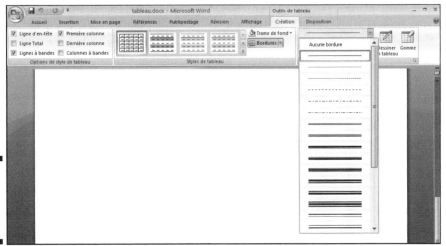

Figure 6.12
La liste Style du stylo affiche différents styles de trait.

6. **Cliquez sur un style de trait.**

7. **Déroulez la liste Epaisseur du stylo.**

   Différentes épaisseurs de trait vous sont proposées comme ½ ou 2 ¼. Ces valeurs sont exprimées en points, comme le montre la Figure 6.13.

8. **Cliquez sur une valeur d'épaisseur de trait.**

9. **Cliquez sur le bouton Bordures.**

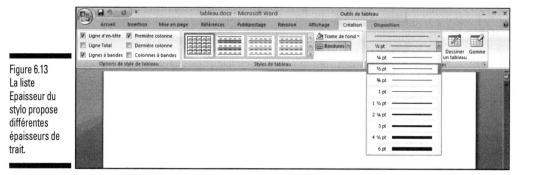

Figure 6.13
La liste
Epaisseur du
stylo propose
différentes
épaisseurs de
trait.

Un menu local apparaît, comme à la Figure 6.14.

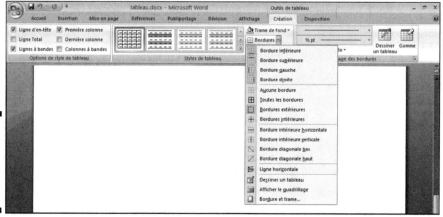

Figure 6.14
Le menu
Bordures liste
les différents
types de bordure
disponibles.

10. **Cliquez sur une bordure comme Toutes les bordures ou Bordure droite.**

Word affiche la bordure dans la couleur et l'épaisseur choisies.

Appliquer un style de tableau

En appliquant de la couleur aux lignes et aux colonnes et en ajoutant des bordures, vous personnalisez l'aspect de vos tableaux. Toutefois, il existe une méthode plus rapide consistant à modifier l'apparence d'un tableau en lui appliquant un style prédéfini. Ce style formate le texte, applique une couleur aux lignes et ajoute des bordures, sans que vous ayez à faire quoi que ce soit.

Pour appliquer un style de tableau :

1. **Placez le point d'insertion dans le tableau à modifier.**

2. **Dans les Outils de tableau, cliquez sur l'onglet Création.**

3. **(Facultatif) Dans le groupe Options de style de tableau, cochez ou décochez les éléments auxquels va s'appliquer le style sélectionné.**

4. **Cliquez sur le bouton Autres du groupe Styles de tableau.**

   Une galerie de tous les styles disponibles apparaît, comme le montre la Figure 6.15. Lorsque vous placez le pointeur de la souris sur un style, un aperçu instantané en montre l'effet immédiat sur votre tableau.

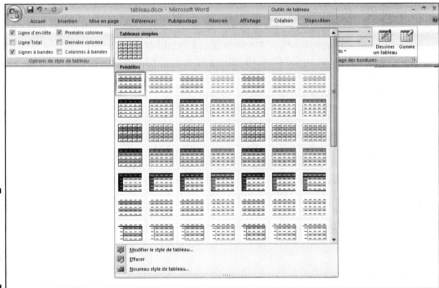

Figure 6.15
Le groupe Styles
de tableau
propose
différentes mises
en forme.

5. **Cliquez sur un style de tableau.**

   Word met en forme le tableau en fonction du style choisi.

Redimensionner les colonnes et les lignes

Vous aurez besoin d'augmenter ou de réduire la taille des colonnes et/ou des lignes d'un tableau pour aérer la présentation de ses informations. Ce redimensionnement se fait à la souris ou en spécifiant la hauteur des lignes et la largeur des colonnes.

Pour redimensionner une ligne ou une colonne avec la souris :

1. **Placez le pointeur de la souris sur la bordure d'une ligne ou d'une colonne à redimensionner.**

   Le pointeur prend la forme d'une flèche à deux têtes.

2. **Maintenez enfoncé le bouton gauche de la souris et faites-la glisser pour redimensionner la ligne ou la colonne.**

3. **Lorsque la taille de la ligne ou de la colonne vous convient, relâchez le bouton de la souris.**

Utiliser la souris pour redimensionner les lignes et les colonnes d'un tableau est une méthode aussi rapide qu'intuitive. Toutefois, dans certains cas, vous aurez besoin de plus de précision. Voici donc comment spécifier une hauteur et une largeur :

1. **Sélectionnez la ligne, la colonne ou le tableau à modifier. (Si vous sélectionnez tout le tableau, vous en ajustez la hauteur de toutes les lignes et la largeur de toutes les colonnes.)**

2. **Dans les Outils de tableau, cliquez sur l'onglet Disposition (voir la Figure 6.10).**

   Si vous souhaitez définir une hauteur et une largeur égales pour plusieurs colonnes et lignes, cliquez sur les boutons Distribuer les colonnes et Distribuer les lignes.

3. **Pour définir avec précision la largeur des colonnes, saisissez une valeur dans le champ Tableau Largeur de colonne (ou cliquez sur les petites flèches haut et bas, les fameuses *tournettes*).**

4. **Pour définir avec précision la hauteur des lignes, saisissez une valeur dans le champ Tableau Hauteur de ligne (ou cliquez sur les petites flèches haut et bas, les *tournettes*).**

5. **(Facultatif) Cliquez sur Ajustement automatique et choisissez une des options suivantes :**

- *Ajustement automatique du contenu :* Dimensionne vos lignes et vos colonnes en se basant sur la cellule la plus grande.

- *Ajustement automatique de la fenêtre :* Redimensionne le tableau de manière que sa largeur occupe entièrement celle de la fenêtre du document Word.

Définir les marges des cellules

Définir l'espace entre le texte et le bord des cellules est un autre moyen de modifier l'apparence du tableau. Les *marges des cellules* sont des espaces vides qui éloignent plus ou moins le texte de leur bordure. Voici comment définir ces espaces :

1. **Placez le point d'insertion dans une cellule du tableau.**

2. **Dans les Outils de tableau, cliquez sur l'onglet Disposition.**

3. **Cliquez sur le bouton Marges de la cellule du groupe Alignement.**

    La boîte de dialogue Options du tableau apparaît, comme à la Figure 6.16.

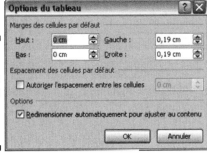

Figure 6.16
La boîte de dialogue Options du tableau définit les marges intérieures des cellules.

4. **Saisissez une valeur dans les champs Haut, Bas, Gauche et Droite (ou cliquez sur les tournettes).**

5. **Cliquez sur OK.**

Word affiche les données du tableau éloignées des bordures des cellules, comme à la Figure 6.17.

	Janvier	Février	Mars	Avril
Assurance	23,7	120,8	34,81	8,24
Informatique	75,4	79,03	46,77	93,02
Chats	34,71	56,3	33,91	48,28
Chiens	28,1	40,51	67,33	71,29

Figure 6.17
Les marges des cellules facilitent la lecture du texte d'un tableau.

Définir l'espacement entre les cellules

L'espacement entre les cellules éloigne les cellules les unes des autres, comme à la Figure 6.18.

	Janvier	Février	Mars	Avril
Assurance	23,7	120,8	34,81	8,24
Informatique	75,4	79,03	46,77	93,02
Chats	34,71	56,3	33,91	48,28
Chiens	28,1	40,51	67,33	71,29

Figure 6.18
L'espacement entre les cellules sépare les cellules du tableau.

Pour définir l'espacement entre les cellules :

1. **Placez le point d'insertion dans n'importe quelle cellule du tableau à modifier.**

2. **Dans les Outils de tableau, cliquez sur l'onglet Disposition.**

3. **Dans le groupe Alignement, cliquez sur le bouton Marges de la cellule.**

   La boîte de dialogue Options du tableau apparaît (Figure 6.16).

4. **Cochez la case Autoriser l'espacement entre les cellules, et tapez-y une valeur. (Vous pouvez également cliquer sur les petites flèches – les tournettes.)**

5. **Cliquez sur OK.**

   Word affiche votre tableau en espaçant les cellules.

Fractionner (et fusionner) les cellules

Fractionner les cellules consiste à les diviser en une ou plusieurs lignes et/ou colonnes. *Fusionner* des cellules combine deux ou plusieurs cellules pour en créer une seule. Le fractionnement et la fusion créent des tableaux complètement farfelus, comme celui de la Figure 6.19.

Article I Les hommes naissent et demeurent libres et égaux en droits. Les distinctions sociales ne peuvent être fondées que sur l'utilité commune.		
Article II		Le but de toute association politique est la conservation des droits naturels et imprescriptibles de
l'homme. Ces droits sont la liberté, la propriété, la sûreté, et la résistance à l'oppression.		
Article III Le principe de toute souveraineté réside essentiellement dans la nation. Nul corps, nul individu ne peut exercer d'autorité qui n'en émane expressément.		
Article IV La liberté consiste à faire tout ce qui ne nuit pas à autrui: ainsi l'exercice des droits naturels de chaque homme n'a de bornes que celles qui assurent aux autres membres de la société la jouissance de ces mêmes droits. Ces bornes ne peuvent être déterminées que par la loi.		

Figure 6.19 Fusionner et fractionner des cellules peut créer des tableaux inattendus.

Cellule fusionnée

Cellule fractionnée

Pour fractionner une cellule :

1. **Placez le point d'insertion dans la cellule à diviser en deux.**

2. **Dans les Outils de tableau, cliquez sur l'onglet Disposition.**

3. **Dans le groupe Fusionner, cliquez sur Fractionner les cellules.**

   La boîte de dialogue Fractionner des cellules apparaît, comme le montre la Figure 6.20.

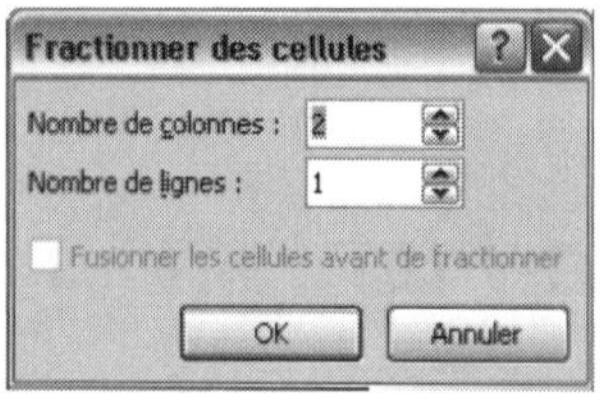

Figure 6.20
La boîte de
dialogue
Fractionner des
cellules.

4. **Dans le champ Nombre de colonnes, saisissez une valeur (ou cliquez sur les petites flèches).**

5. **Faites de même dans le champ Nombre de lignes.**

6. **Cliquez sur OK.**

   Word fractionne les cellules selon les valeurs ainsi spécifiées.

Pour fusionner des cellules :

1. **Sélectionnez les cellules adjacentes que vous souhaitez fusionner en une seule.**

2. **Dans les Outils de tableau, cliquez sur l'onglet Disposition.**

3. **Dans le groupe Fusionner, cliquez sur Fusionner les cellules.**

   Word fusionne les cellules sélectionnées en une seule grosse cellule.

Trier un tableau

Les tableaux peuvent organiser des données, mais aussi les trier alphabétiquement. Le tri se fait en désignant la colonne à trier. Lorsque Word trie les données d'une colonne, il trie automatiquement chaque ligne du tableau, comme à la Figure 6.21.

Tableau non trié

N° de client	Nom	Surnom
462	Mathieu	Evangile
123	Joseph	Charpentier
9	Melchior	Roi Mage

Figure 6.21
Trier le contenu d'une colonne réorganise les données des lignes du tableau.

Tableau trié

N° de client	Nom	Surnom
9	Melchior	Roi Mage
123	Joseph	Charpentier
462	Mathieu	Evangile

Pour trier un tableau :

1. **Sélectionnez la colonne contenant les données à trier.**

2. **Dans l'onglet Outils de tableau, cliquez sur Disposition.**

3. **Dans le groupe Données, cliquez sur Trier.**

   La boîte de dialogue éponyme apparaît, comme à la Figure 6.22.

4. **Dans la liste Type, choisissez le type de données à trier : Texte, Numérique, Date.**

5. **Activez le bouton radio Croissant ou Décroissant.**

6. **Cliquez sur OK.**

   Word trie votre tableau en fonction des données de la colonne sélectionnée.

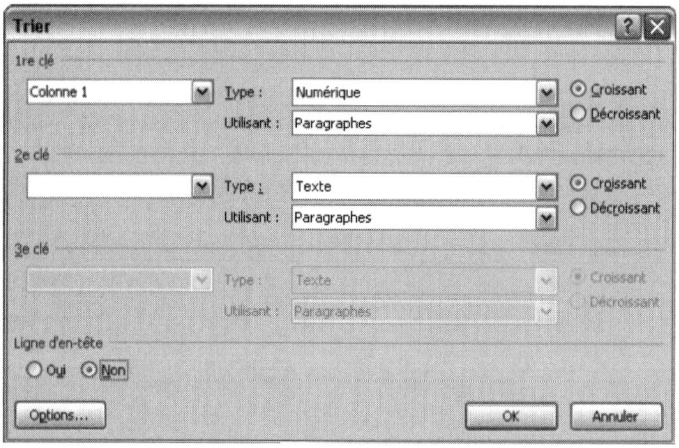

Figure 6.22
La boîte de
dialogue Trier
permet de
spécifier un tri
croissant ou
décroissant.

Supprimer des tableaux

Une fois qu'un tableau est créé, vous pouvez le supprimer entièrement, ou bien n'effacer que certaines lignes et colonnes, voire vous limiter à des cellules de données spécifiques.

Supprimer un tableau complet

Vous pouvez supprimer la totalité d'un tableau de deux manières. Tout d'abord, en effaçant ses données, laissant ainsi un tableau vide dans votre document. Ensuite, en supprimant les données en même temps que le tableau lui-même.

Pour ne supprimer que les données :

1. **Sélectionnez chaque ligne et colonne du tableau.**

2. **Appuyez sur la touche Suppr.**

   Word efface les données et laisse un tableau vide.

Pour supprimer données et tableau :

1. **Placez le point d'insertion dans le tableau à supprimer.**

2. **Dans les Outils de tableau, cliquez sur l'onglet Disposition.**

3. **Cliquez sur le bouton Supprimer du groupe Lignes et colonnes.**

    Un menu local se déroule, comme à la Figure 6.23.

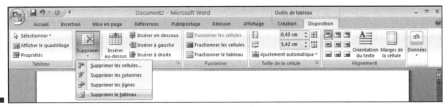

4. **Cliquez sur Supprimer le tableau.**

    Word efface la structure et les données du tableau.

Supprimer des lignes et des colonnes

Il est également possible de limiter la suppression à certaines lignes et colonnes. Quand vous effacez une ligne ou une colonne, vous effacez de facto les données qu'elle contient. Voici comment procéder :

1. **Placez le point d'insertion dans la ligne ou la colonne à supprimer.**

2. **Dans les Outils de tableau, cliquez sur l'onglet Disposition.**

3. **Cliquez sur le bouton Supprimer.**

    Un menu local apparaît, comme à la Figure 6.23.

4. **Exécutez la commande Supprimer les lignes ou Supprimer les colonnes.**

    Word efface la ligne ou la colonne choisie.

Supprimer des cellules

Vous pouvez supprimer les données d'une cellule en sélectionnant son contenu et en appuyant sur la touche Suppr. Pour effacer la cellule et son contenu :

✔ **Supprimez une cellule et décalez les lignes et les colonnes adjacentes.** Vous obtenez un tableau dont la structure est déséquilibrée.

✔ **Supprimez les données et les bordures de la cellule.** Le tableau reste alors symétrique, mais fusionne très souvent les cellules.

Pour supprimer une cellule et altérer la structure du tableau :

1. **Sélectionnez la ou les cellules à supprimer.**

2. **Cliquez sur l'onglet Disposition des Outils de tableau.**

3. **Cliquez sur le bouton Supprimer.**

   Vous déroulez le menu local de la Figure 6.23.

4. **Choisissez Supprimer les cellules.**

   La boîte de dialogue du même nom apparaît.

5. **Activez le bouton radio Décaler les cellules vers la gauche ou Décaler les cellules vers le haut.**

6. **Cliquez sur OK.**

   Word supprime les cellules choisies et décale les autres cellules en conséquence, créant un bien étrange tableau comme le montre la Figure 6.24.

Supprimer des bordures de cellule

Word permet de supprimer des bordures de cellule en utilisant la souris. Cette suppression entraîne la fusion des cellules adjacentes.

Pour effacer des bordures avec cette technique :

1. **Placez le point d'insertion dans le tableau à modifier.**

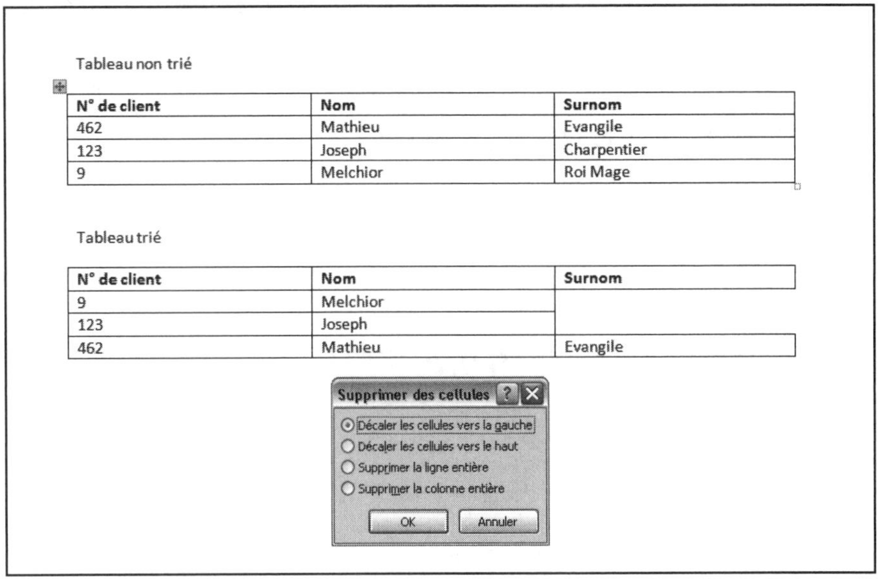

Tableau non trié

N° de client	Nom	Surnom
462	Mathieu	Evangile
123	Joseph	Charpentier
9	Melchior	Roi Mage

Tableau trié

N° de client	Nom	Surnom
9	Melchior	
123	Joseph	
462	Mathieu	Evangile

Supprimer des cellules

- Décaler les cellules vers la gauche
- Décaler les cellules vers le haut
- Supprimer la ligne entière
- Supprimer la colonne entière

[OK]   [Annuler]

Figure 6.24
Lorsque vous supprimez une cellule, Word décale les autres vers la gauche ou le haut.

2. **Cliquez sur l'onglet Création des Outils de tableau.**

3. **Dans le groupe Traçage des bordures, cliquez sur le bouton Gomme.**

   Le pointeur de la souris prend la forme d'une gomme.

4. **Accomplissez une des actions suivantes :**

   - *Cliquez sur une bordure pour l'effacer.*

   Ou :

   a. Placez le pointeur de la souris à côté d'une bordure à supprimer. Maintenez le bouton gauche de la souris enfoncé et faites-la glisser sur les bordures à supprimer.

   Word place en surbrillance les bordures à effacer.

   b. Relâchez le bouton de la souris.

   Word efface les bordures sélectionnées ainsi que les données des cellules concernées.

5. **Appuyez sur Echap ou double-cliquez pour désactiver la gomme et retrouver un pointeur de souris classique.**

Créer du texte artistique

Pour pimenter vos documents et améliorer leur apparence, vous pouvez enrichir votre texte de plusieurs manières : en insérant des lettrines, des zones de texte, ou encore en créant ou en transformant un texte existant avec la fonction WordArt.

Créer des lettrines

Voici comment créer une lettrine :

1. **Cliquez sur l'onglet Insertion.**

2. **Placez le point d'insertion dans le paragraphe où vous désirez créer une lettrine.**

3. **Cliquez sur Lettrine.**

Un menu local apparaît, comme à la Figure 6.25.

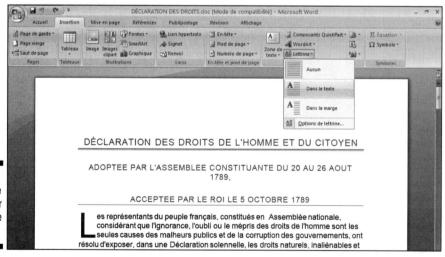

Figure 6.25
Le menu Lettrine permet de définir le type de lettrine à utiliser.

4. **Placez le pointeur de la souris sur le style de lettrine à employer.**

Un aperçu instantané montre l'aspect que revêtira la lettrine.

5. **Cliquez sur le style de lettrine à appliquer.**

Créer un objet WordArt

WordArt est une fonction fantaisiste de Microsoft Word qui permet de donner un aspect graphique à du texte à saisir ou déjà existant.

Voici comment créer un objet WordArt :

1. **(Facultatif) Sélectionnez le texte à convertir en objet WordArt. (Si vous passez cette étape, vous saisirez le texte ultérieurement.)**

2. **Cliquez sur l'onglet Insertion.**

3. **Cliquez sur WordArt.**

La galerie WordArt apparaît, comme à la Figure 6.26.

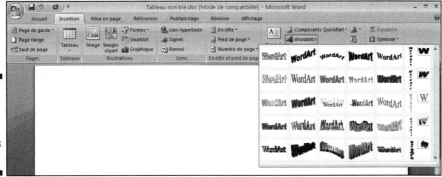

Figure 6.26
La galerie
WordArt affiche
des styles de
texte graphiques
très différents.

4. **Cliquez sur un style WordArt.**

La boîte de dialogue Modification du texte WordArt apparaît, comme à la Figure 6.27.

5. **Tapez ou modifiez le texte, puis cliquez sur OK.**

Figure 6.27
La boîte de
dialogue
Modification du
texte WordArt
permet de saisir
le texte qui
prendra la forme
graphique
sélectionnée.

Word affiche le texte sous forme d'un objet WordArt.

6. **(Facultatif) Placez le pointeur de la souris sur une poignée de l'objet WordArt (sur un bord ou un angle). Maintenez le bouton gauche de la souris enfoncé et faites-la glisser pour redimensionner le texte WordArt.**

Pour modifier un texte WordArt, effectuez un clic-droit dessus. Dans le menu contextuel, choisissez Modifier le texte. La boîte de dialogue Modification du texte WordArt apparaît. Vous pouvez y saisir un autre texte ou corriger celui qui y est affiché.

Pour supprimer un texte WordArt, cliquez dessus pour le sélectionner et appuyez sur la touche Suppr.

Répartir un texte sur plusieurs colonnes

Lorsque vous saisissez du texte, Word l'affiche de telle sorte qu'il remplisse bien l'espace vide de la page situé entre la marge de gauche et celle de droite. Il est toutefois possible de présenter le texte sur deux ou trois colonnes. Cette disposition est très pratique pour vos lettres d'information ou tout autre document prenant l'aspect d'un petit journal.

Pour diviser un document en colonnes :

1. **Cliquez sur l'onglet Mise en page.**

2. **Sélectionnez le texte à répartir sur plusieurs colonnes. (Appuyez sur Ctrl+A pour sélectionner la totalité du document.)**

3. **Cliquez sur le bouton Colonnes.**

   Un menu déroulant apparaît. Il liste les différents types de colonne disponibles, comme à la Figure 6.28.

Figure 6.28
Le menu
Colonnes liste
différents types
de répartition du
texte sur
plusieurs
colonnes.

4. **Cliquez sur un style de colonne.**

   Word affiche le texte sur le nombre de colonnes choisi.

Modifier des colonnes

Après avoir créé deux ou trois colonnes dans votre document, vous souhaiterez peut-être en modifier la largeur, l'espacement, et souhaiterez parfois séparer les colonnes avec un trait vertical. Voici comment modifier des colonnes :

1. **Placez le point d'insertion dans le texte disposé en colonnes.**

2. **Cliquez sur l'onglet Mise en page.**

3. **Cliquez sur le bouton Colonnes.**

Le menu illustré à la Figure 6.28 apparaît.

4. Cliquez sur Autres colonnes.

La boîte de dialogue Colonnes s'ouvre, comme le montre la Figure 6.29.

Figure 6.29
La boîte de dialogue Colonnes permet de personnaliser la disposition d'un texte en colonnes.

5. (Facultatif) Dans le champ Nombre de colonnes, spécifiez le nombre de colonnes sur lequel le texte doit se répartir, ou bien cliquez sur les tournettes pour modifier la valeur correspondant au colonnage actuel. (Ce nombre peut aller de 1 à 9.)

6. (Facultatif) Dans le champ Largeur, saisissez une valeur ou cliquez sur les tournettes pour définir la largeur de la colonne 1.

7. (Facultatif) Dans le champ Espacement, spécifiez la valeur qui va espacer le bord droit de la colonne 1.

8. (Facultatif) Répétez les étapes 6 et 7 pour chaque colonne à modifier.

9. (Facultatif) Activez l'option Ligne séparatrice si vous désirez qu'un trait vertical sépare bien chaque colonne.

10. (Facultatif) Dans la liste Appliquer à, choisissez A tout le document ou A partir de ce point, pour définir l'aspect des colonnes sur tout le document ou à partir de l'emplacement où se situe le point d'insertion et jusqu'à la fin du document.

11. **Cliquez sur OK.**

Word applique les modifications aux colonnes.

Supprimer les colonnes

Si vous ne souhaitez plus présenter votre texte sous forme de colonnes, vous pouvez les supprimer dans tout le document ou à partir du point d'insertion, et ce jusqu'à la fin du document.

Voici comment annuler la présentation du texte en colonnes :

1. **Placez le point d'insertion sur la page où vous désirez supprimer des colonnes jusqu'à la fin du document.**

2. **Cliquez sur l'onglet Mise en page.**

3. **Cliquez sur le bouton Colonnes.**

   Le menu apparaît, comme à la Figure 6.28.

4. **Cliquez sur Un.**

   Word supprime la présentation du texte en colonnes depuis la position du point d'insertion jusqu'à la fin du document.

Aperçu avant impression

Avant d'imprimer un document, il est conseillé d'en afficher un aperçu pour éviter de gâcher de l'encre et du papier. L'aperçu avant impression permet d'apprécier le document tel qu'il sera imprimé. Si cet aperçu vous donne entière satisfaction, il n'y a plus à hésiter : imprimez le texte !

Définir la taille et l'orientation de la page

Tous les documents ne s'impriment pas sur le même format de papier. Bien entendu, la plupart du temps vous utiliserez des feuilles A4. En fonction de la taille choisie, le document n'aura pas du tout le même aspect.

Pour définir la taille de la page :

1. **Cliquez sur l'onglet Mise en page.**

2. **Dans le groupe Mise en page, cliquez sur Taille.**

   Un menu local affiche les formats disponibles, comme le montre la Figure 6.30.

Figure 6.30
La liste Taille
propose une
grande variété
de formats.

3. **Cliquez sur le format que vous utilisez.**

   Attention ! Ce format doit correspondre exactement à celui du papier chargé dans votre imprimante, sinon gare aux mauvaises surprises !

   Word affiche le document en fonction du format choisi.

Par défaut, Word suppose que vous imprimez en mode *portrait*, c'est-à-dire que la hauteur de la page est plus importante que sa largeur. Si vous désirez présenter un document en orientation *paysage*, soit une orientation où la largeur de la feuille est plus importante que sa hauteur, voici comment procéder :

1. **Cliquez sur l'onglet Mise en page.**

2. **Cliquez sur le bouton Orientation du groupe Mise en page.**

Un menu local s'affiche, comme à la Figure 6.31.

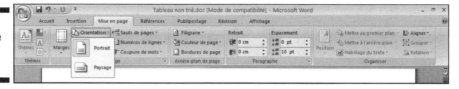

Figure 6.31
Choisissez une
orientation de
page.

3. **Choisissez le mode Portrait ou Paysage.**

   Word oriente le document en fonction du mode choisi.

Utiliser l'aperçu avant impression

L'Aperçu avant impression permet de parcourir votre document pour voir l'aspect qu'il aura une fois imprimé sur une feuille de papier. Voici comment invoquer cette commande :

1. **Cliquez sur le bouton Office, et pointez sur Imprimer.**

   Le menu Imprimer apparaît, comme à la Figure 6.32.

2. **Cliquez sur Aperçu avant impression.**

   La fenêtre Aperçu avant impression apparaît. Le pointeur de la souris prend la forme d'une loupe, comme le montre la Figure 6.33.

3. **(Facultatif) Cliquez sur Page suivante/Page précédente, ou faites glisser la barre de défilement vertical pour afficher chaque page du document.**

Si vous cochez la case Loupe, il suffit de cliquer sur la page pour réaliser un zoom avant ou un zoom arrière afin d'examiner certains détails de la page ou bien afficher la page dans son intégralité.

4. **Cliquez sur Fermer l'aperçu avant impression pour revenir à votre document, ou bien cliquez sur Imprimer pour lancer l'impression.**

Figure 6.32
Le menu
Imprimer
contient la
commande
Aperçu avant
impression.

Imprimer

Dès que l'aspect de votre document vous convient, imprimez-le ! Voici comment procéder :

1. **Choisissez une des méthodes suivantes :**

   • Cliquez sur le bouton Office, puis sur Imprimer.

   • Appuyez sur Ctrl+P.

   • Depuis la fenêtre Aperçu avant impression, cliquez sur le bouton Imprimer.

   La boîte de dialogue Imprimer apparaît, comme à la Figure 6.34.

2. **Dans la liste Nom, choisissez l'imprimante à utiliser.**

3. **Dans la section Etendue de page, activez une des options suivantes :**

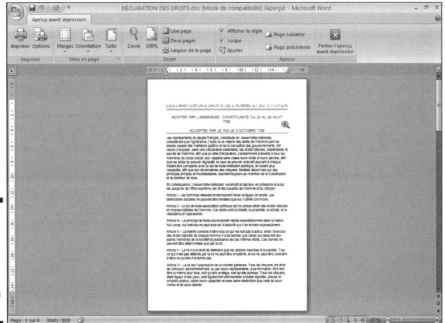

Figure 6.33
L'aperçu avant
impression
montre votre
page
exactement
comme elle sera
imprimée.

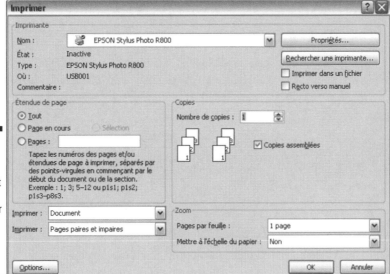

Figure 6.34
La boîte de
dialogue
Imprimer permet
de définir les
pages à imprimer
et de
sélectionner
l'imprimante à
utiliser.

- *Tout* : Imprime tout le document.

- *Page en cours* : Imprime la page où se situe le point d'insertion.

- *Sélection* : N'imprime que le texte sélectionné.

- *Pages* : Permet de spécifier les pages à imprimer (comme 4, 35, 89) ou une plage de pages (comme 3-9).

4. **Cliquez sur OK.**

Word imprime votre document.

Troisième partie
Jongler avec les chiffres grâce à Excel

"Non, ce n'est pas un raccourci vers Excel mais vers Excuse, une base de données qui regroupe toutes les mauvaises raisons justifiant ton refus d'utiliser les autres programmes Office."

Dans cette partie...

Si ajouter, soustraire, multiplier ou diviser de longues listes de chiffres vous effraient, détendez-vous ! Dans sa suite bureautique Office 2007, Microsoft fournit le plus grand tableur de tous les temps : Microsoft Excel. Ce logiciel permet de créer des budgets, d'assurer le suivi d'un inventaire, de calculer vos pertes et vos profits, et de représenter les données sous forme de graphiques pour vous aider à interpréter plus facilement l'ensemble de ces chiffres.

Envisagez Excel comme une supercalculette capable de gérer des éléments aussi simples que vos finances personnelles, et aussi complexes qu'un état annuel des pertes et profits d'une grande société.

En suivant vos données financières, vos chiffres, vos stocks ou vos mesures, vous pouvez facilement anticiper vos bilans, et dégager les tendances à venir de votre entreprise, quelle qu'en soit la nature. Entrez le salaire de vos employés et découvrez instantanément les charges sociales que vous aurez à payer. Ou bien découvrez en un clin d'œil la région de France ou du monde qui achète le moins vos produits. Sachez tout de suite combien vous paierez de TVA si vous augmentez vos prix de 50 %.

En conclusion : Si vous avez besoin de torturer des données chiffrées, cette partie du livre explique comment tirer parti d'Excel en la matière.

Chapitre 7

Introduction aux feuilles de calcul : chiffres, étiquettes et formules

- -

Dans ce chapitre :

▶ Entrer et mettre en forme des données.

▶ Parcourir une feuille de calcul.

▶ Rechercher dans une feuille de calcul.

▶ Modifier une feuille de calcul.

▶ Imprimer.

- -

Tout le monde, un jour ou l'autre, doit effectuer des calculs. Dans le monde des affaires, les dirigeants d'entreprises ont besoin de suivre avec une grande précision les différents budgets alloués aux départements de leurs sociétés. De même, vous et moi avons davantage besoin de suivre nos comptes bancaires pour éviter des désillusions financières. Autrefois, l'on consignait ces informations dans des cahiers où l'on créait manuellement des colonnes dont on additionnait, soustrayait, multipliait ou divisait les chiffres.

Pour éviter les erreurs et ces tâches fastidieuses, je recommande d'employer le logiciel Excel. Grâce à lui, la saisie de vos chiffres se déroule dans une feuille de calcul informatique. Vous n'avez plus aucun calcul à effectuer, car le programme s'en charge automatiquement. Fondamentalement, Excel facilite la

saisie et la modification des données tout en actualisant les calculs en conséquence, et surtout sans commettre d'erreur.

Présentation des feuilles de calcul

Excel organise les chiffres dans des lignes et des colonnes. Une page entière de
lignes et de colonnes se nomme une *feuille de calcul* ou un *classeur*. (Petite
précision : le *classeur* est plutôt un document Excel composé de plusieurs
feuilles de calcul.) Chaque ligne est identifiée par un chiffre comme 1 ou 249 ;
et chaque colonne par une lettre ou une combinaison de lettres telles que A, G
ou BF. L'intersection d'une ligne et d'une colonne donne naissance à une
cellule. La cellule peut contenir trois éléments :

- Des chiffres.

- Du texte (des étiquettes).

- Des formules.

Les *chiffres* sont les données de la feuille de calcul. A côté de cela, vous devez
développer des *formules* qui calculent l'ensemble de ces données afin de
produire un résultat. Bien entendu, l'affichage d'un grand nombre de chiffres
sur un écran d'ordinateur peut prêter à confusion si vous ne comprenez pas
bien la signification de toutes ces données. Pour vous aider à identifier les
données chiffrées d'une feuille de calcul, vous pouvez insérer des *étiquettes*,
comme à la Figure 7.1.

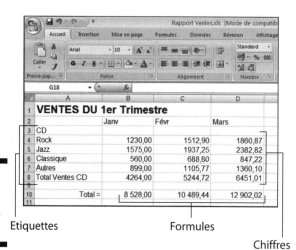

Figure 7.1
Les parties
traditionnelles
d'une feuille de
calcul.

Etiquettes   Formules

Chiffres

Le résultat des formules apparaît le plus souvent sous la forme de chiffres. Ainsi, il peut être difficile de distinguer une donnée du résultat du calcul effectué par une formule prenant en compte cette donnée.

La puissance des feuilles de calcul est de pouvoir apporter une réponse immédiate à une question du type : "Que se passe-t-il si je ?" Par exemple : "Que se passe-t-il si j'augmente mon salaire de 20 euros de l'heure tout en baissant celui de mes employés de 25 % ? Combien ma société va-t-elle économiser d'argent mensuellement ?" Comme les feuilles de calcul sont capables de calculer rapidement de nouveaux résultats, tout vous encourage à tester différents chiffres pour vous amener à autant de déductions qu'en imposent vos multiples tests.

Stocker des données dans une feuille de calcul

Chaque cellule peut contenir un nombre, une étiquette ou une formule. Pour entrer des données dans une feuille de calcul, vous devez d'abord sélectionner la cellule de destination puis saisir le nombre ou le texte.

Entrer des données dans une cellule

Voici comment entrer des données dans une cellule :

1. **Utilisez une des techniques suivantes pour sélectionner une seule cellule :**

   Cliquez dans une cellule.

   Appuyez sur les flèches haut/bas/droite/gauche pour afficher le curseur de sélection sur une cellule (la bordure noire épaisse).

2. **Tapez un nombre (comme 34,29 ou 198), une étiquette (comme TVA) ou une formule.**

   La création des formules est expliquée au Chapitre 8.

Entrer des données dans plusieurs cellules

Lorsque vous avez saisi des données dans une cellule, vous pouvez appuyer sur différentes touches de votre clavier pour sélectionner une autre cellule :

- ✔ **Entrée :** Sélectionne la cellule située en dessous du sélecteur dans la même colonne.

- ✔ **Tabulation :** Sélectionne la cellule située juste à droite sur la même ligne.

- ✔ **Maj+Entrée :** Sélectionne la cellule située au-dessus dans la même colonne.

- ✔ **Maj+Tab :** Sélectionne la cellule située juste à gauche sur la même ligne.

Si vous entrez des données dans la cellule A1 et appuyez sur Entrée, Excel sélectionne la cellule placée juste en dessous, c'est-à-dire A2. Si vous entrez des données dans la cellule A2 et appuyez sur Tab, Excel sélectionne la cellule de droite, c'est-à-dire B2.

Que faire si après avoir saisi des données dans la cellule A1 vous désirez qu'Excel sélectionne la cellule de droite B1 ? Ou bien, si vous tapez des données dans les cellules A1 et A2, comment aller directement saisir des données dans les cellules B1 et B2 ?

Pour faciliter cette navigation de cellule en cellule, Excel permet de sélectionner des plages de cellules. Cette action indique ceci au programme : "Tu vois les cellules sélectionnées ? Je veux saisir des données uniquement dans ces cellules." Une fois que vous avez sélectionné plusieurs cellules, tapez vos données et appuyez sur Entrée. Excel sélectionne la cellule suivante située dans la même colonne. Lorsque Excel atteint la dernière cellule de la colonne, il sélectionne la cellule située en haut de la colonne placée immédiatement à droite.

Voici comment sélectionner plusieurs cellules pour y saisir des données :

1. **Sélectionnez plusieurs cellules en utilisant une des techniques suivantes :**

   Placez le pointeur de la souris sur une cellule. Maintenez enfoncé le bouton gauche de la souris, et faites glisser la souris pour sélectionner les cellules sur lesquelles vous faites passer le pointeur. Relâchez le bouton gauche de la souris quand vous avez fini de sélectionner les cellules qui vous intéressent.

   Maintenez la touche Maj enfoncée et appuyez sur les touches fléchées du pavé directionnel pour sélectionner plusieurs cellules. Relâchez la touche Maj lorsque vous avez sélectionné les cellules qui vous intéressent.

   Excel "active" la cellule par laquelle vous avez débuté la sélection.

2. **Saisissez un chiffre, une étiquette ou une formule.**

3. **Appuyez sur Entrée.**

   Excel sélectionne la cellule située juste en dessous de celle où vous venez d'entrer une donnée. Si cette cellule est la dernière de la colonne du groupe de cellules sélectionné, Excel sélectionne la première cellule de la deuxième colonne du groupe de cellules sélectionné.

4. **Répétez les étapes 2 et 3 jusqu'à ce que toutes les cellules soient remplies de données.**

5. **Cliquez en dehors des cellules sélectionnées ou appuyez sur une touche du pavé directionnel pour indiquer à Excel de ne plus activer des cellules du groupe sélectionné.**

Entrer des séquences avec la Recopie incrémentée

Si vous devez saisir une série de données comme les mois de l'année ou les jours de la semaine, Excel met à votre disposition une fonction qui va automatiquement entrer ces données à votre place. Commencez par saisir manuellement le premier mois, par exemple. Ensuite, placez le pointeur de la souris au niveau du carré noir du sélecteur de cellule. Cliquez et, sans relâcher le bouton de la souris, étirez ce sélecteur sur l'ensemble des cellules à remplir. Les noms des mois correspondants apparaissent automatiquement.

Voici comment utiliser cette fonction géniale :

1. **Cliquez dans une cellule pour la sélectionner et saisissez le nom d'un mois de l'année (comme Janvier) ou bien un jour de la semaine (comme Lundi).**

   La poignée de recopie (carré noir situé dans le coin inférieur droit du curseur de sélection de la cellule) apparaît.

   Vous pouvez également entrer une séquence de chiffres à l'étape 1. Ainsi, si vous tapez 2, 4 et 6 dans trois cellules adjacentes, sélectionnez-les. Cliquez sur la poignée de recopie est faites-la glisser sur les cellules vides situées à droite de celle contenant le 6. Excel est intelligent. Dans les cellules suivantes il va entrer 8, 10, 12, etc.

2. **Placez le pointeur de la souris sur la poignée de recopie. Le pointeur prend la forme d'une croix noire.**

3. **Maintenez enfoncé le bouton gauche de la souris, et faites glisser la souris sur la hauteur d'une colonne ou la largeur d'une ligne.**

Excel entre automatiquement les noms des mois correspondants, comme le montre la Figure 7.2.

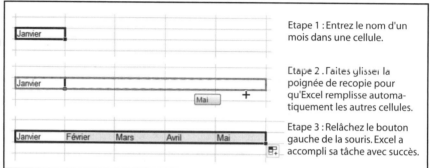

Figure 7.2
En faisant glisser la poignée de recopie, Excel entre automatiquement les noms des mois.

Etape 1 : Entrez le nom d'un mois dans une cellule.

Etape 2 : Faites glisser la poignée de recopie pour qu'Excel remplisse automatiquement les autres cellules.

Etape 3 : Relâchez le bouton gauche de la souris. Excel a accompli sa tâche avec succès.

Mettre en forme des nombres et des étiquettes

Lorsque vous créez une feuille de calcul, les nombres et les étiquettes s'affichent en texte normal. Cela peut rendre le contenu très difficile à lire, notamment quand vous saisissez des valeurs monétaires ou des pourcentages.

Pour améliorer la lisibilité des étiquettes et des chiffres, vous devez les mettre en forme après les avoir saisis.

Vous pouvez mettre en forme une cellule ou une plage de cellules contenant des données, ou bien avant d'entrer les vôtres. Dans ce dernier cas, la mise en forme s'applique aux données quand vous les saisissez.

Mettre en forme des nombres

Pour formater des nombres :

1. **Sélectionnez une ou plusieurs cellules avec la souris ou le clavier.**

Pour sélectionner plusieurs cellules, faites glisser la souris ou bien appuyez sur Maj et sur les flèches du pavé directionnel.

2. **Cliquez sur l'onglet Accueil.**

3. **Dans le groupe Nombre, cliquez sur la liste Format de nombre (qui affiche l'indication Standard).**

   Un menu local apparaît, comme à la Figure 7.3.

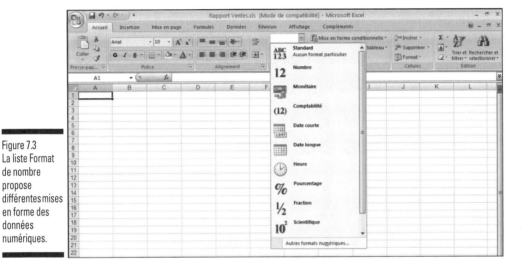

Figure 7.3
La liste Format de nombre propose différentes mises en forme des données numériques.

Le groupe Nombre affiche trois boutons qui définissent respectivement la mise en forme monétaire, des pourcentages et des séparateurs, comme le montre la Figure 7.4. Par défaut, vous avez le choix entre € et $. Si vous avez besoin d'un autre format de nombre comptable, cliquez sur Autres formats de comptabilité.

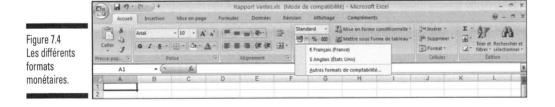

Figure 7.4
Les différents formats monétaires.

4. **Choisissez un style de nombre comme Pourcentage ou Scientifique.**

Excel affiche vos nombres dans le format choisi.

Afficher des valeurs négatives

De nombreuses personnes utilisent des feuilles de calcul dans la gestion de leurs affaires, et veulent que les nombres négatifs attirent bien l'attention. Excel peut les afficher entre parenthèses, comme (-23), ou en rouge pour être certain de ne pas passer à côté.

Pour définir l'apparence des nombres négatifs dans votre feuille de calcul :

1. **Sélectionnez la cellule ou la plage de cellules à modifier.**

2. **Cliquez sur l'onglet Accueil.**

3. **Dans le groupe Cellules, cliquez sur le bouton Format.**

   Un menu apparaît, comme à la Figure 7.5.

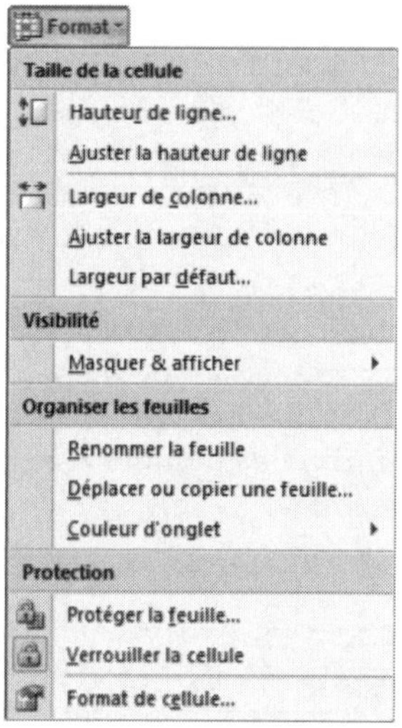

Figure 7.5
Le bouton Format permet de définir l'aspect des lignes, des colonnes et des cellules.

4. **Choisissez Format de cellule.**

   La boîte de dialogue éponyme apparaît, comme à la Figure 7.6.

5. **Dans la liste Catégorie, choisissez Monétaire ou Nombre.**

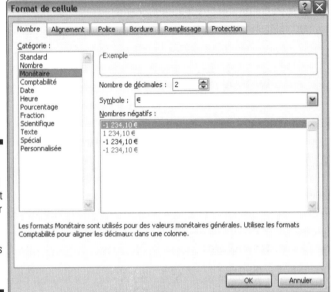

Figure 7.6
La boîte de dialogue Format de cellule permet de personnaliser l'aspect des nombres affichés dans les cellules sélectionnées.

Vous ne pouvez choisir la couleur des nombres négatifs que si vous utilisez le style Nombre ou Monétaire.

6. **Cliquez sur un format de nombre négatif, puis sur OK.**

Si certains nombres sélectionnés à l'étape 1 deviennent négatifs, Excel affiche automatiquement ces nombres dans le format sélectionné.

Mettre en forme des nombres décimaux

La mise en forme de nombres décimaux comme 23,09 ou 23,09185 nécessite de définir la position du séparateur décimal :

1. **Sélectionnez la ou les cellules contenant les nombres à mettre en forme.**

2. **Cliquez sur l'onglet Accueil.**

3. **Dans la liste Format de nombre (Figure 7.3), choisissez un format qui prend en charge le séparateur décimal comme Nombre ou Pourcentage.**

Excel formate les nombres des cellules sélectionnées.

Dans le groupe Nombre, vous pouvez cliquer sur Ajouter une décimale ou Réduire les décimales illustrés (Figure 7.7).

Figure 7.7
Cliquez pour augmenter ou diminuer le nombre de chiffres affichés après la virgule.

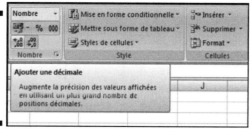

Mettre en forme des cellules

Pour que vos données soient agréables à consulter, mettez en forme les cellules elles-mêmes. Pour cela, modifiez la police de caractères, la couleur de fond (arrière-plan), la couleur du texte ou la taille de la police.

Excel propose deux méthodes pour formater les cellules : en utilisant les mises en forme prédéfinies d'Excel ou bien en appliquant des styles d'enrichissement individuels incluant :

- La police et sa taille.
- Les styles d'enrichissement (souligné, italique et gras).
- La couleur du texte et de la trame de fond.
- Les bordures.
- L'alignement.
- L'habillage et l'orientation du texte.

Mise en forme des cellules avec des styles prédéfinis

Excel fournit une grande diversité de styles que vous appliquez à une ou plusieurs cellules. Voici comment faire :

1. **Sélectionnez la ou les cellules à mettre en forme avec un style prédéfini.**

2. **Cliquez sur l'onglet Accueil.**

3. **Dans le groupe Style, cliquez sur le bouton Styles de cellules.**

   Vous accédez à un menu local, sorte de galerie de styles illustrée à la Figure 7.8.

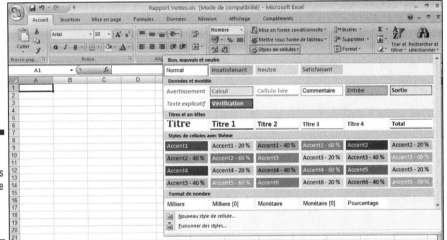

Figure 7.8
La galerie des styles de cellules permet de mettre rapidement en forme vos cellules.

4. **Placez le pointeur de la souris sur un style.**

   Un aperçu instantané montre l'aspect que prendra la cellule si vous appliquez ce style.

5. **Cliquez sur le style de votre choix.**

   Excel applique le style choisi aux cellules sélectionnées.

Mettre en forme des polices et des styles de texte

L'utilisation de différentes polices permet de mettre en évidence des sections de votre feuille de calcul. Par exemple, vous emploierez une police pour les étiquettes des colonnes et des lignes, et une autre (ou la même avec une taille différente). Les enrichissements ou styles de texte que sont le gras, l'italique et le souligné peuvent aussi mettre en évidence des données particulières affichées dans la même police et/ou la même taille que les autres éléments moins importants.

Pour altérer une police dans une ou plusieurs cellules :

1. **Sélectionnez la ou les cellules dont vous voulez modifier la police et sa taille.**

2. **Cliquez sur l'onglet Accueil.**

3. **Déroulez la liste Police.**

4. **Cliquez sur le nom de la police à utiliser.**

5. **Modifiez la taille de la police en appliquant une des méthodes suivantes :**

   - Cliquez sur la liste Taille de police, et choisissez une valeur exprimée en points comme 12 ou 16.

   - Cliquez dans le champ (liste) Taille de police et saisissez directement la valeur exprimée en points comme 7 ou 15.

   - Cliquez sur les boutons Augmenter la taille de police et Réduire la taille de police jusqu'à ce que les données affichées aient l'apparence que vous souhaitez.

6. **Cliquez sur un ou plusieurs boutons d'enrichissement Gras, Italique ou Souligné.**

Mettre en forme avec de la couleur

Chaque cellule affiche des données dans une couleur de police et de fond spécifique. La *couleur de police* définit celle des chiffres et des lettres (rien à voir avec une célèbre émission de télé). La couleur de *fond* ou d'arrière-plan, ou encore de trame, voire de remplissage, remplit le fond des cellules qui, par défaut, est blanc.

Pour changer les couleurs de police et de trame des cellules :

1. **Sélectionnez la ou les cellules à coloriser.**

2. **Cliquez sur l'onglet Accueil.**

3. **Cliquez sur la flèche située à droite du bouton Couleur de police.**

   Une palette apparaît, comme à la Figure 7.9.

4. **Cliquez sur la couleur que vous désirez appliquer au texte.**

Bouton Couleur de remplissage

Bouton Couleur de police

Figure 7.9
Vous pouvez
afficher les
données et le
fond des cellules
en couleur.

La couleur choisie apparaît sur le bouton lui-même, c'est-à-dire sous le A de son icône. Donc, la prochaine fois que vous cliquerez sur ce bouton, vous appliquerez la couleur choisie à l'étape 4. Inutile de repasser par la palette.

5. **Cliquez sur la flèche du bouton Couleur de remplissage.**

Une palette apparaît.

6. **Cliquez sur la couleur à appliquer au fond de la cellule.**

La couleur choisie apparaît sur le bouton lui-même, c'est-à-dire sous le pot de peinture de son icône. Donc, la prochaine fois que vous cliquerez sur ce bouton, vous appliquerez la couleur choisie à l'étape 5. Inutile de repasser par la palette.

Ajouter des bordures

Pour mieux distinguer les cellules les unes des autres, ajoutez des *bordures*. Les bordures peuvent encadrer complètement la cellule ou simplement le haut, le bas, la gauche, la droite, voire une combinaison de ces possibilités. Voici comment ajouter une bordure :

1. **Sélectionnez une ou plusieurs cellules.**

2. **Cliquez sur l'onglet Accueil.**

3. **Cliquez sur la flèche située à droite du bouton Bordure.**

Un menu local apparaît, comme à la Figure 7.10.

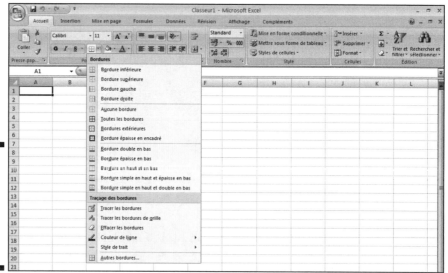

Figure 7.10
Ce menu
contient
différents
éléments qui
permettent de
personnaliser
votre bordure.

4. Cliquez sur un style de bordure.

Excel affiche les bordures autour des cellules sélectionnées à l'étape 1.

Parcourir une feuille de calcul

Lorsque vous travaillez dans une grande feuille de calcul, l'écran de votre ordinateur risque de ne pas être assez grand pour en afficher toutes les données. Pour vous aider à afficher et à sélectionner différentes parties de votre feuille de calcul, Excel met à votre disposition plusieurs méthodes de navigation qui mettent la souris et/ou le clavier à contribution.

Parcourir une feuille de calcul avec la souris

Pour naviguer dans une feuille de calcul à l'aide de la souris, cliquez sur les différentes barres de défilement de votre classeur Excel. Vous pouvez bien entendu utiliser la molette de votre souris. L'emploi des barres de défilement se fait de trois manières différentes :

✔ **Cliquez sur les flèches haut/bas ou droite/gauche des barres de défilement verticale et horizontale.**

Cette action déplace le contenu de la feuille de calcul d'une ligne (vers le haut ou le bas) ou d'une colonne (vers la gauche ou la droite) à la fois.

✔ **Faites glisser le curseur de défilement d'une des barres.**

✔ **Cliquez sur la partie vide de la barre de défilement (au-dessus ou en dessous du curseur de défilement vertical, et à gauche ou à droite du curseur de défilement horizontal).**

Cette action déplace le contenu de la feuille de calcul d'un écran vers le haut ou le bas, la droite ou la gauche.

Si votre souris est équipée d'une molette, utilisez-la pour naviguer dans vos feuilles de calcul :

✔ Faites tourner la molette vers le haut ou le bas pour réaliser un défilement vertical.

✔ Appuyez sur la molette pour afficher une flèche à quatre têtes, puis déplacez la souris vers le haut, le bas, la gauche ou la droite.

Attention ! La réussite de cette méthode dépend entièrement de la fonction assignée à la molette par le pilote de la souris. En effet, le programme de configuration des souris à molette permet de choisir l'action produite quand on appuie dessus.

Parcourir une feuille de calcul avec le clavier

La navigation à la souris est souvent bien plus rapide qu'au clavier, mais aussi plus frustrante. Pour plus de précision, vous préférerez le clavier en vous reportant aux raccourcis du Tableau 7.1.

Tableau 7.1 : Parcourir une feuille de calcul avec le clavier.

Touche(s)	Action
Flèche haut (↑)	Déplacement d'une ligne vers le haut.
Flèche bas (↓)	Déplacement d'une ligne vers le bas.
Flèche gauche (←)	Déplacement d'une colonne vers la gauche.
Flèche droite (→)	Déplacement d'une colonne vers la droite.

Tableau 7.1 : Parcourir une feuille de calcul avec le clavier. (*suite*)

Touche(s)	Action
Ctrl+↑	Atteint la première cellule de la colonne où se trouve le curseur de sélection.
Ctrl+↓	Atteint la dernière cellule de la colonne où se trouve le curseur de sélection.
Ctrl+←	Atteint la première cellule de la ligne où se trouve le curseur de sélection.
Ctrl+→	Atteint la dernière cellule de la ligne où se trouve le curseur de sélection.
Page Haut	Déplace la feuille de calcul d'un écran vers le haut.
Page Bas	Déplace la feuille de calcul d'un écran vers le bas.
Ctrl+Page Haut	Affiche la feuille de calcul précédente.
Ctrl+Page Bas	Affiche la feuille de calcul suivante.
Début	Place le curseur de sélection dans la colonne A de la ligne où il se trouve.
Ctrl+Début	Atteint la cellule A1.
Ctrl+Fin	Atteint la dernière cellule contenant des données.

Si vous connaissez les coordonnées de la cellule à atteindre, utilisez la commande Atteindre :

1. **Cliquez sur l'onglet Accueil.**

2. **Dans le groupe Edition, cliquez sur Rechercher et sélectionner.**

3. **Dans le menu local, choisissez Atteindre.**

   La boîte de dialogue éponyme s'affiche, comme à la Figure 7.11.

   Pour invoquer la commande Atteindre, appuyez sur Ctrl+T.

4. **Dans le champ Référence, tapez l'adresse de la cellule à atteindre comme C13 ou F4.**

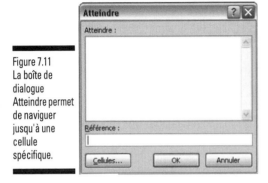

Figure 7.11
La boîte de
dialogue
Atteindre permet
de naviguer
jusqu'à une
cellule
spécifique.

5. **Cliquez sur OK.**

Excel sélectionne ladite cellule.

Nommer des cellules

Un des gros handicaps de la commande Atteindre est que la plupart des utilisateurs ne connaissent pas les références de la cellule contenant les données qu'ils souhaitent afficher. Par exemple, pour afficher la cellule contenant le montant total des taxes à payer, vous ne vous souviendrez sans doute pas qu'elle se situe à l'adresse G68, d'autant que si vous enrichissez votre feuille de calcul de lignes et/ou de colonnes cette référence va changer.

Pour aider à l'identification de cellules clés, Excel vous permet de les nommer. Voici comment faire :

1. **Sélectionnez la ou les cellules à nommer.**

2. **Cliquez dans le champ Zone Nom, c'est-à-dire celui qui affiche la référence de la cellule, comme à la Figure 7.12.**

3. **Tapez un nom évocateur du contenu de la cellule et appuyez sur Entrée.**

Une fois les cellules nommées, il est facile de les atteindre :

1. **Cliquez sur la flèche de la Zone Nom.**

2. **Cliquez sur le nom de la cellule à atteindre.**

Zone Nom

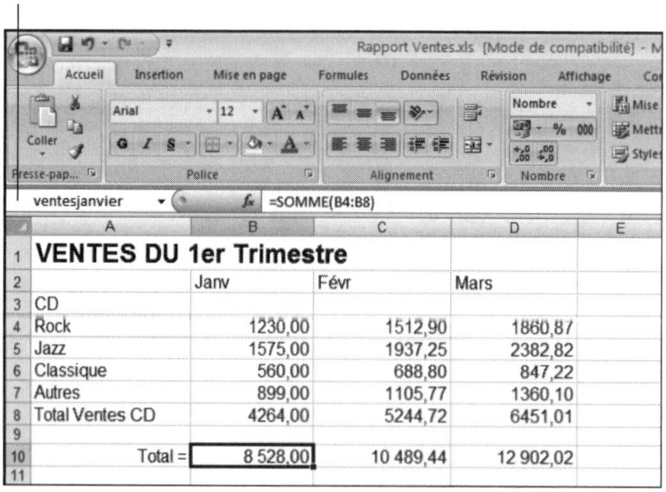

VENTES DU 1er Trimestre

	A	B	C	D	E
1	VENTES DU 1er Trimestre				
2		Janv	Févr	Mars	
3	CD				
4	Rock	1230,00	1512,90	1860,87	
5	Jazz	1575,00	1937,25	2382,82	
6	Classique	560,00	688,80	847,22	
7	Autres	899,00	1105,77	1360,10	
8	Total Ventes CD	4264,00	5244,72	6451,01	
9					
10	Total =	8 528,00	10 489,44	12 902,02	
11					

Figure 7.12
Entrez un nom de cellule descriptif dans le champ Zone Nom.

Excel sélectionne la cellule en question.

Vous aurez parfois besoin de modifier ou de supprimer un nom de cellule. Voici comment procéder :

1. **Cliquez sur l'onglet Formules.**

2. **Cliquez sur le bouton Gestionnaire de noms.**

   La boîte de dialogue du même nom apparaît, comme à la Figure 7.13.

3. **Modifiez un nom ou supprimez-le ainsi :**

   Pour le changer, cliquez sur le nom de la cellule, puis sur le bouton Modifier. Dans la boîte de dialogue Modifier le nom, changez ce nom et/ou les références de la cellule.

   Pour l'effacer, cliquez sur le nom de la cellule concernée, puis sur le bouton Supprimer.

4. **Cliquez sur Fermer.**

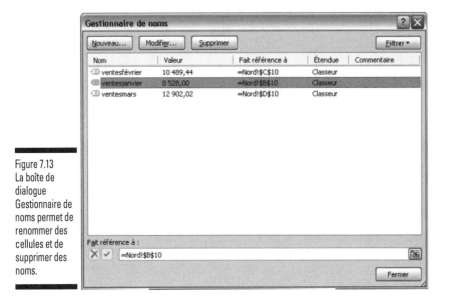

Figure 7.13
La boîte de dialogue Gestionnaire de noms permet de renommer des cellules et de supprimer des noms.

Rechercher dans une feuille de calcul

Au lieu de chercher une cellule particulière, vous pouvez rechercher une étiquette ou une valeur numérique spécifique. Voici ce qu'Excel permet de chercher :

- ✔ Des nombres ou du texte.

- ✔ Les cellules qui contiennent des formules.

- ✔ Les cellules qui contiennent des mises en forme.

Chercher du texte

Vous pouvez chercher un texte particulier comme celui d'une étiquette ou d'un nombre. Voici la procédure :

1. **Cliquez sur l'onglet Accueil.**

2. **Dans le groupe Edition, cliquez sur le bouton Rechercher et sélectionner.**

3. **Dans le menu local, cliquez sur Rechercher.**

   La boîte de dialogue Rechercher et remplacer apparaît, comme à la Figure 7.14.

Figure 7.14
La boîte de dialogue Rechercher et remplacer permet de lancer une recherche dans une feuille de calcul.

Si vous cliquez sur l'onglet Remplacer, vous spécifiez un texte ou un nombre à chercher et à remplacer par un autre.

4. **Dans le champ Rechercher, tapez le texte ou le nombre à localiser.**

Si vous cliquez sur le bouton Options, vous accédez à des paramètres supplémentaires qui permettent d'affiner votre recherche comme y procéder dans une feuille de calcul ou dans tout le classeur (c'est-à-dire toutes les feuilles de calcul qu'il contient).

5. **Cliquez sur un des boutons suivants :**

   Suivant : Cherche et sélectionne la première cellule contenant le texte ou le nombre spécifié, en partant de la cellule où se trouve le curseur de sélection.

   Rechercher tout : Cherche et liste toutes les cellules contenant le texte saisi à l'étape 4, comme le montre la Figure 7.15.

6. **Cliquez sur Fermer pour quitter la boîte de dialogue.**

Rechercher des formules

Les formules sont comme des nombres. Pour vous aider à trouver les cellules qui contiennent des formules, Excel offre deux possibilités :

Figure 7.15
Le bouton
Rechercher tout
dresse la liste de
toutes les
cellules
contenant le
texte ou le
nombre objet de
votre recherche.

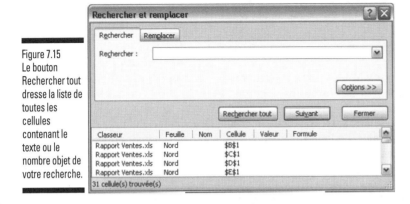

✔ Afficher des formules dans vos cellules (à la place des nombres).

✔ Sélectionner les cellules contenant des formules.

Pour afficher des formules dans une feuille de calcul, appuyez sur Ctrl+". La Figure 7.16 montre l'apparence des cellules contenant des formules.

Figure 7.16
En affichant des
formules dans
des cellules,
vous identifiez
facilement celles
qui exécutent
des opérations.

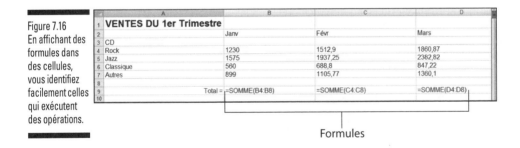

Formules

Pour sélectionner des cellules contenant des formules :

1. **Cliquez sur l'onglet Accueil.**

2. **Dans le groupe Edition, cliquez sur le bouton Rechercher et sélectionner.**

3. **Dans le menu local, cliquez sur Formules.**

Excel sélectionne la première formule qu'il rencontre dans la feuille de calcul.

Modifier une feuille de calcul

Les feuilles de calcul sont éditables de deux manières :

- En modifiant les données elles-mêmes, comme des étiquettes, des nombres et des formules qui constituent la feuille de calcul.

- En modifiant la structure de la feuille de calcul, c'est-à-dire par ajout ou suppression de lignes et de colonnes, par redimensionnement des cellules, etc.

Modifier les données d'une cellule

Pour modifier les données d'une cellule :

1. **Double-cliquez dans la cellule contenant les données à modifier.**

   Excel affiche le curseur de sélection autour de la cellule.

2. **Modifiez vos données en utilisant la touche Retour arrière ou Suppr, ou en saisissant de nouvelles informations.**

Si vous cliquez sur une cellule, Excel en affiche le contenu dans la barre de formule. Vous pouvez alors y modifier directement la formule. Cette option est très pratique quand vous devez modifier une grande quantité de données.

Modifier la taille des lignes et des colonnes avec la souris

La souris est un périphérique permettant de modifier très vite les dimensions des lignes et des colonnes. Voici comment procéder :

1. **Placez le pointeur de la souris sur le trait inférieur de l'en-tête d'une ligne, comme la ligne 2. (Ou bien placez-le sur le bord gauche ou droit d'un en-tête de colonne comme A ou D.)**

   Le pointeur prend la forme d'une double flèche.

2. **Maintenez le bouton gauche de la souris enfoncé et déplacez-la.**

   Excel redimensionne la ligne ou la colonne.

3. **Relâchez le bouton gauche de la souris dès que la taille de la ligne ou de la colonne vous convient.**

Entrer la taille des lignes et des colonnes

Si le redimensionnement des lignes et des colonnes exige une grande précision, entrez vos valeurs dans la boîte de dialogue Hauteur de ligne ou Largeur de colonne :

1. **Cliquez sur l'onglet Accueil.**

2. **Cliquez sur l'en-tête de ligne ou de colonne à redimensionner.**

   Excel sélectionne toute la ligne ou la colonne.

3. **Dans le groupe Cellules, cliquez sur le bouton Format.**

4. **Dans ce menu local, cliquez sur Hauteur de ligne ou Largeur de colonne, selon ce que vous avez sélectionné dans la feuille de calcul.**

   La boîte de dialogue correspondante apparaît, comme à la Figure 7.17.

Figure 7.17
Entrez une
largeur de
colonne.

5. **Saisissez une valeur et cliquez sur OK.**

   Excel redimensionne votre ligne ou votre colonne.

L'unité de mesure de la largeur des colonnes est le *caractère*. Ainsi, une cellule de 1 caractère ne peut afficher qu'une seule lettre ou un seul chiffre. L'unité de mesure de hauteur des lignes est le *point*. 1 point équivaut à 0,035 cm, soit 1/72 pouce.

Ajouter et supprimer des lignes et des colonnes

Voici l'hypothèse : Vous venez de saisir des étiquettes, des nombres et des formules, et réalisez soudainement que vous avez besoin de lignes ou de colonnes supplémentaires, ou bien au contraire que vous devez en supprimer. Pour ajouter une ligne ou une colonne :

1. **Cliquez sur l'onglet Accueil.**

2. **Cliquez sur l'en-tête de ligne ou de colonne où vous désirez ajouter une autre ligne ou colonne.**

3. **Dans le groupe Cellules, cliquez sur Insérer.**

   Vous ajoutez une ligne au-dessus de celle que vous avez sélectionnée, décalant les autres vers le bas. Si vous insérez une colonne, elle apparaît à gauche de celle que vous avez sélectionnée, décalant ainsi les autres vers la droite.

Pour supprimer lignes et colonnes :

1. **Cliquez sur l'onglet Accueil.**

2. **Cliquez sur l'en-tête de la ligne ou de la colonne à supprimer.**

3. **Dans le groupe Cellules, cliquez sur Supprimer.**

Supprimer une ligne ou une colonne en efface également toutes les données.

Ajouter des feuilles

Excel permet de créer des classeurs composés de plusieurs feuilles de calcul. Par défaut, chaque nouveau classeur contient 3 feuilles. Il est cependant très facile d'en ajouter. Voici la procédure à suivre :

- ✔ **Cliquez sur le bouton Insérer une feuille de calcul, situé dans la partie inférieure droite de l'interface d'Excel.**

- ✔ **Cliquez sur l'onglet Accueil. Dans le groupe Cellules, cliquez sur la flèche du bouton Insérer. Dans le menu local qui s'affiche, choisissez Insérer une feuille, comme le montre la Figure 7.18.**

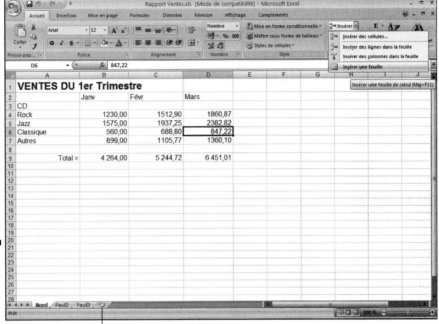

Figure 7.18
Les deux
méthodes
d'insertion d'une
feuille de calcul
dans Excel.

Icône Insérer une feuille de calcul

Renommer des feuilles de calcul

Par défaut, les noms des feuilles de calcul ne sont pas très évocateurs, puisqu'ils se limitent à Feuil1, Feuil2 et Feuil3. Voici comment modifier ces noms :

1. Choisissez une des techniques suivantes :

Double-cliquez sur l'onglet de la feuille de calcul à renommer.

Excel sélectionne la totalité du nom.

Cliquez sur l'onglet de la feuille de calcul à renommer. Ensuite, cliquez sur l'onglet Accueil. Dans le groupe Cellules, cliquez sur le bouton Format, et choisissez Renommer la feuille.

Faites un clic-droit sur le nom de la feuille à renommer. Dans le menu contextuel, choisissez Renommer.

2. Tapez un nouveau nom, et validez-le en appuyant sur Entrée.

Le nom apparaît sur l'onglet de la feuille.

Réorganiser les feuilles

Vous pouvez modifier l'ordre des feuilles de calcul dans votre classeur. Voici comment procéder :

1. **Placez le pointeur de la souris sur l'onglet de la feuille à déplacer.**

2. **Maintenez le bouton gauche de la souris enfoncé et faites-la glisser.**

   Un petit triangle noir montre le déplacement de la feuille.

3. **Relâchez le bouton gauche de la souris pour changer la feuille d'emplacement.**

Supprimer une feuille

L'utilisation de plusieurs feuilles est un luxe qui peut, à un certain moment, devenir très embarrassant. N'hésitez pas alors à effacer les feuilles dont vous n'avez plus besoin.

La suppression d'une feuille de calcul entraîne celle des données qu'elle contient.

Pour supprimer une feuille de calcul :

1. **Utilisez une des techniques suivantes :**

   Faites un clic-droit sur l'onglet de la feuille de calcul à supprimer. Dans le menu contextuel, choisissez Supprimer.

   Cliquez sur l'onglet Accueil. Dans le groupe Cellules, cliquez sur la flèche du bouton Supprimer, et choisissez Supprimer une feuille.

2. **Cliquez sur le bouton Supprimer.**

   Excel supprime la feuille et ses données.

Effacer des données

La vie d'une feuille de calcul passe aussi par la suppression de données, de formules ou, plus simplement, par la mise en forme des informations qui définit l'aspect desdites données. Pour effacer les données d'une ou plusieurs cellules, la mise en forme, ou bien les deux, suivez ces étapes :

1. **Cliquez sur l'onglet Accueil.**

2. **Sélectionnez la ou les cellules contenant les données à effacer.**

3. **Dans le groupe Edition, cliquez sur le bouton Effacer (icône d'une gomme).**

   Un menu local apparaît, comme le montre la Figure 7.19.

Figure 7.19
Le menu local
Gomme propose
plusieurs types
de suppression.

4. **Choisissez une des commandes suivantes :**

   Effacer tout : Supprime à la fois les données et les mises en forme.

   Effacer les formats : Laisse en place les données mais supprime la mise en forme des cellules.

   Effacer le contenu : Garde la mise en forme des cellules mais en supprime les données.

   Effacer les commentaires : Conserve données et mises en forme, mais supprime les commentaires ajoutés aux cellules.

Imprimer votre classeur

Après avoir créé une feuille de calcul, vous pouvez l'imprimer. L'impression n'est pas toujours simple à réaliser dans Excel, car l'étendue des données dépasse souvent le format du papier utilisé. Dans ce cas, le contenu des classeurs est imprimé sur plusieurs feuilles.

Il arrive aussi que toutes les lignes d'un classeur, sauf la dernière, s'impriment sur une feuille. Cette dernière ligne se retrouve alors isolée sur une autre feuille de papier. Cela peut entraîner une confusion dans la lecture et l'interprétation des données ainsi imprimées. Lorsque vous envisagez d'imprimer une feuille de calcul, prenez soin d'aligner ses données, afin de les présenter correctement et logiquement sur chaque feuille de papier.

Utiliser le mode Mise en page

Excel sait afficher vos feuilles de calcul de deux manières : Normal et Mode Mise en page. L'affichage Normal est la présentation par défaut du contenu de vos classeurs. Les feuilles de calcul remplissent la totalité de l'écran avec leurs lignes, leurs colonnes, leurs cellules et, bien entendu, leurs données. Le nombre de lignes et de colonnes visibles simultanément dépend de la résolution d'affichage de votre moniteur.

Le mode Mise en page montre les feuilles de calcul telles qu'elles seront imprimées. Vous voyez où les données seront scindées en plusieurs parties, et vous pourrez ajouter des en-têtes en haut de votre feuille de calcul.

Pour passer du mode Normal au mode Mise en page :

1. **Cliquez sur l'onglet Affichage.**

2. **Dans le groupe Affichages classeur, cliquez sur le bouton Normal ou Mode Mise en page, illustré à la Figure 7.20.**

Vous pouvez aussi cliquer sur les icônes Normal et Mode Mise en page situées dans la partie inférieure droite de l'interface d'Excel.

Ajouter un en-tête (ou un pied de page)

Les en-têtes et les pieds de page sont utiles quand vous imprimez vos feuilles de calcul. Un en-tête peut expliquer les informations d'une feuille de calcul en indiquant par exemple *TVA 2007*. De son côté, un pied de page peut afficher un

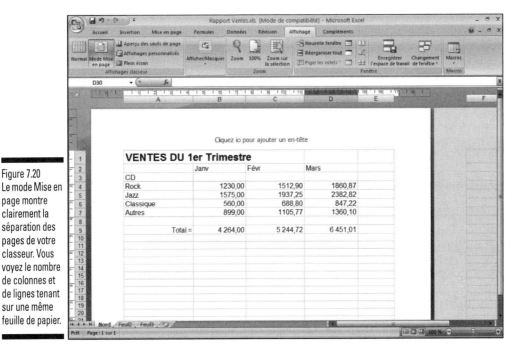

Figure 7.20
Le mode Mise en page montre clairement la séparation des pages de votre classeur. Vous voyez le nombre de colonnes et de lignes tenant sur une même feuille de papier.

numéro de page assurant que le lecteur de la feuille de calcul ne mélange pas les pages imprimées, et donc interprète justement les données imprimées. Pour créer en-tête et pied de page :

1. **Cliquez sur l'onglet Insertion.**

2. **Dans le groupe Texte, cliquez sur le bouton En-tête et pied de page.**

   Excel affiche les Outils des en-têtes et pieds de page contenant l'onglet Création, comme vous le voyez à la Figure 7.21.

3. **Dans la zone de texte d'en-tête, saisissez votre en-tête.**

4. **Dans le groupe Navigation, cliquez sur le bouton Atteindre le pied de page.**

   Excel affiche la zone de texte du pied de page.

5. **Tapez votre pied de page dans la zone de texte proposée.**

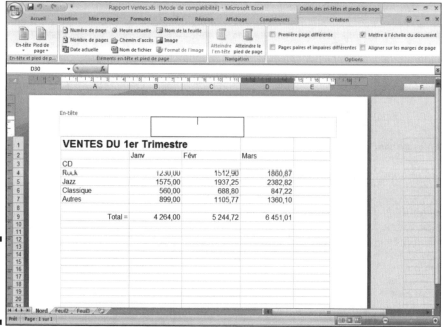

Figure 7.21
Les outils de
création des en-
têtes et des
pieds de page.

Imprimer le quadrillage

Le quadrillage permet de distinguer nettement les chiffres, les étiquettes et les formules, car il aide à les aligner visuellement. Si vous devez imprimer une très grande feuille de calcul, imprimer le quadrillage peut s'avérer être une décision très judicieuse. Voici comment la mettre en pratique :

1. **Cliquez sur l'onglet Mise en page.**

2. **(Facultatif) Dans le groupe Options de la feuille de calcul, cochez la case Imprimer de la catégorie Quadrillage.**

3. **(Facultatif) Cochez la case Imprimer de la catégorie Titres.**

Spécifier une zone d'impression

Parfois vous n'aurez pas besoin d'imprimer toute la feuille de calcul. Vous en définirez une partie appelée *zone d'impression*. Pour la définir :

1. **Sélectionnez les cellules à imprimer.**

2. **Cliquez sur l'onglet Mise en page.**

3. **Dans le groupe Mise en page, cliquez sur le bouton Zone d'impression.**

   Un menu local s'affiche, comme à la Figure 7.22.

Figure 7.22
Le menu Zone d'impression permet de définir ou d'annuler une zone d'impression.

4. **Cliquez sur Définir.**

   Excel encadre les cellules sélectionnées avec des traits en pointillé.

5. **Cliquez sur le bouton Office et pointez sur Imprimer.**

   Les options d'impression s'affichent.

6. **Choisissez Impression rapide (pour imprimer tout de suite) ou Aperçu avant impression (pour apprécier l'apparence de la feuille de calcul avant de l'imprimer).**

Après avoir défini une zone d'impression, vous n'êtes pas obligé d'en lancer immédiatement l'impression. Si vous poursuivez votre travail, sachez qu'à tout moment vous pouvez afficher cette zone en cliquant sur la flèche du champ Zone Nom qui affiche les références des cellules. Là, choisissez Zone_d_impression.

Bien qu'une zone d'impression soit définie, vous pouvez toujours lui ajouter d'autres cellules :

1. **Sélectionnez des cellules adjacentes à la zone d'impression que vous désirez lui ajouter.**

2. **Cliquez sur l'onglet Mise en page.**

3. **Dans le groupe Mise en page, cliquez sur le bouton Zone d'impression.**

4. **Dans le menu local, cliquez sur Ajouter à la zone d'impression.**

   Excel trace un cadre en pointillé autour de ces nouvelles cellules.

Si la zone d'impression ne vous est plus d'aucune utilité :

1. **Cliquez sur l'onglet Mise en page.**

2. **Cliquez sur le bouton Zone d'impression.**

3. **Choisissez Annuler.**

Insérer (et supprimer) des sauts de page

Le problème posé par les grandes feuilles de calcul est que leur impression risque de fractionner les données d'une manière qui ne convient pas du tout à leur analyse. Pour éviter cela, indiquez à Excel où procéder à ce fractionnement. Il suffit d'insérer des sauts de page comme ceci :

1. **Placez le sélecteur sur la cellule où vous souhaitez insérer le saut de page.**

2. **Cliquez sur l'onglet Mise en page.**

3. **Dans le groupe Mise en page, cliquez sur le bouton Sauts de page.**

   Un menu local apparaît, comme à la Figure 7.23.

4. **Cliquez sur Insérer un saut de page.**

   Excel insère une page sous la cellule sélectionnée, et une autre à sa droite.

Pour supprimer un saut de page :

1. **Utilisez une des techniques suivantes :**

   Pour supprimer un saut de page horizontal : Cliquez dans n'importe quelle cellule située sous ce saut de page.

   Pour supprimer un saut de page vertical : Cliquez dans n'importe quelle cellule située directement à droite du saut de page horizontal.

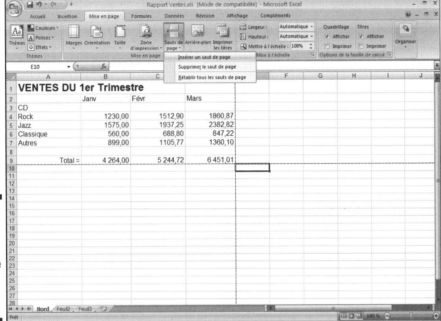

Figure 7.23
Le menu Sauts de page permet de fractionner intelligemment le contenu de vos feuilles de calcul.

Pour supprimer ces deux types de sauts de page : Cliquez dans une cellule située à droite du saut de page vertical et directement sous le saut de page horizontal.

2. **Cliquez sur l'onglet Mise en page.**

3. **Dans le groupe Mise en page, cliquez sur le bouton Sauts de page.**

4. **Dans le menu local, cliquez sur Supprimer le saut de page.**

Excel fait disparaître le saut de page correspondant à la cellule sélectionnée.

Imprimer des en-têtes de ligne et de colonne

Si votre feuille de calcul remplit plusieurs pages, Excel peut imprimer vos données sur des pages séparées. Bien que votre première page affiche les étiquettes qui identifient chaque ligne et chaque colonne, les autres pages en sont totalement dépourvues. De ce fait, la lecture des données s'avère très compliquée, car l'utilisateur peut se perdre dans les informations qui lui sont soumises en l'absence de ces repères.

Pour éviter ce problème, demandez à Excel d'imprimer les étiquettes sur toutes les pages :

1. **Cliquez sur l'onglet Mise en page.**

2. **Dans le groupe Mise en page, cliquez sur le bouton Imprimer les titres.**

   Vous accédez à la boîte de dialogue illustrée à la Figure 7.24.

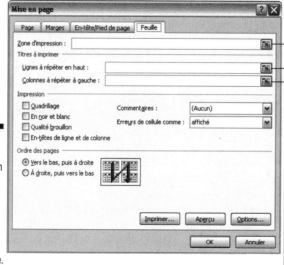

Figure 7.24
La boîte de
dialogue Mise en
page permet
d'indiquer les
titres des lignes
et des colonnes
qui
s'imprimeront
sur chaque page.

Boutons Développer/Réduire

3. **Cliquez sur le bouton Développer/Réduire situé à droite du champ Lignes à répéter en haut.**

   La boîte de dialogue se réduit.

4. **Cliquez sur la ligne contenant les étiquettes à imprimer en haut de chaque page.**

5. **Cliquez de nouveau sur le bouton Développer/Réduire.**

La boîte de dialogue se développe une nouvelle fois.

6. **Cliquez sur le bouton Développer/Réduire situé à droite du champ Colonnes à répéter à gauche.**

La boîte de dialogue se réduit.

7. **Cliquez sur la colonne contenant les étiquettes à imprimer à gauche de chaque page.**

8. **Cliquez de nouveau sur le bouton Développer/Réduire.**

La boîte de dialogue se développe une nouvelle fois.

9. **Cliquez sur OK.**

Définir les marges d'impression

Pour réduire ou développer votre feuille de calcul afin qu'elle remplisse la page imprimée, vous pouvez définir des marges :

1. **Cliquez sur l'onglet Mise en page.**

2. **Dans le groupe Mise en page, cliquez sur le bouton Marges.**

Un menu local apparaît, comme à la Figure 7.25.

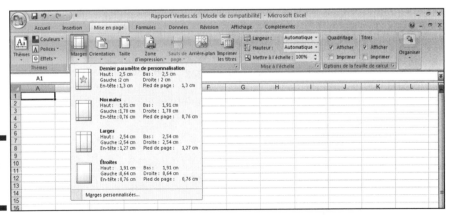

Figure 7.25
Choisissez une
marge
prédéfinie.

3. Choisissez un style de marge à appliquer.

Si, à l'étape 3, vous choisissez Marges personnalisées, vous pouvez définir vos propres marges d'impression.

Choisir la taille et l'orientation du papier

L'*orientation* du papier est de type *paysage* (le papier est plus large que haut) ou de type *portrait* (le papier est plus haut que large). La *taille* spécifie la dimension physique de la page, c'est-à-dire son format comme le standard A4.

Pour modifier l'orientation et la taille du papier :

1. Cliquez sur l'onglet Mise en page.

2. Dans le groupe Mise en page, cliquez sur le bouton Orientation.

Vous ouvrez le menu local représenté à la Figure 7.26.

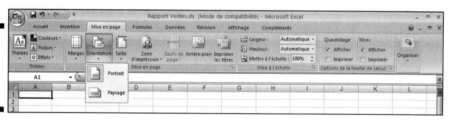

Figure 7.26
Choisissez une orientation Portrait ou Paysage.

3. Choisissez Portrait ou Paysage.

4. Dans le groupe Mise en page, cliquez sur le bouton Taille.

Une galerie de formats prédéfinis apparaît, comme à la Figure 7.27.

5. Choisissez un format.

Imprimer dans Excel

Lorsque vous avez terminé le paramétrage de la feuille de calcul à imprimer, vous pouvez soit lancer directement l'impression, soit passer par l'aperçu avant impression pour vous assurer que tout est en ordre.

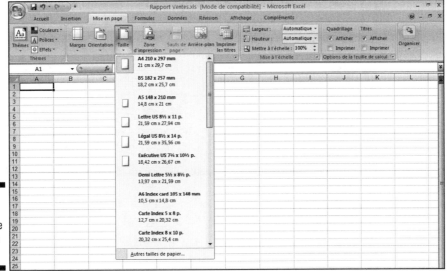

Figure 7.27
La galerie des
formats propose
plusieurs tailles
de papier.

Pour lancer immédiatement l'impression, cliquez sur le bouton Office et pointez sur Imprimer. Dans le sous-menu qui s'affiche, cliquez sur Impression rapide.

Pour effectuer un aperçu avant impression :

1. **Cliquez sur le bouton Office et pointez sur Imprimer.**

2. **Cliquez sur Aperçu avant impression.**

   L'onglet éponyme apparaît, comme à la Figure 7.28.

   Si vous cochez Afficher les marges, elles apparaissent sur l'aperçu sous la forme de traits en pointillé. Vous pouvez alors les glisser à la souris pour redéfinir les marges de la page avant d'en lancer l'impression.

3. **Pour quitter cette fenêtre, cliquez sur Fermer l'aperçu avant impression ou sur le bouton Imprimer.**

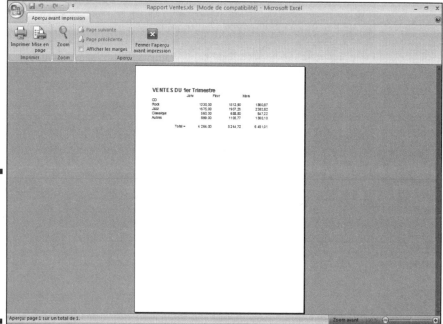

Figure 7.28
L'aperçu avant
impression
permet de voir
l'aspect qu'aura
votre feuille de
calcul quand
vous
l'imprimerez sur
papier.

Chapitre 8
Le sens de la formule

Dans ce chapitre :

▶ Créer des formules.

▶ Utiliser des fonctions.

▶ Modifier des formules.

▶ Manipuler des données avec Valeur cible.

▶ Créer des scénarios.

▶ Audit de formules.

▶ Valider des données.

Grâce aux formules, Excel sait manipuler vos données. Une formule peut être aussi simple qu'une addition, ou aussi complexe que la détermination d'une équation différentielle du second ordre.

Les formules utilisent des données stockées dans les cellules pour calculer un résultat qui s'affiche dans une autre cellule. Des feuilles de calcul complexes peuvent aussi utiliser des données contenues dans d'autres feuilles de calcul d'un même classeur, et même des données provenant d'autres formules.

Créer une formule

Les formules se composent de trois éléments cruciaux :

✔ Un signe d'égalité (=).

✔ Une ou plusieurs références à des cellules.

✔ Le type d'opération à réaliser sur les données (addition, soustraction, etc.).

Nous savons qu'une cellule est l'intersection d'une ligne et d'une colonne. Cette intersection lui assigne une adresse composée d'une lettre (la colonne) et d'un chiffre (la ligne). Une adresse type est donc A4 ou D9. Les quatre opérations les plus utilisées sont l'addition (+), la soustraction (-), la multiplication (*) et la division (/). Le Tableau 8.1 dresse la liste des opérateurs mathématiques que vous pouvez utiliser dans vos formules.

Tableau 8.1 : Les opérateurs mathématiques utilisés dans les formules.

Opérateur	Fonction	Exemple	Résultat
+	Addition	=5+3,4	8,4
-	Soustraction	=54,2-2,1	52,1
*	Multiplication	=1,2*4	4,8
/	Division	=25/5	5
%	Pourcentage	=42%	0,42
^	Puissance	=4^3	64
=	Egal	=6=7	Faux
>	Supérieur	=7>2	Vrai
<	Inférieur	=9<8	Faux
>=	Supérieur ou égal	=45>=3	Vrai
<=	Inférieur ou égal	=40<=2	Faux
<>	Différent de	=5<>7	Vrai
&	Concaténation d'une chaîne de texte	="Loupiot" & "le chat"	Loupiot le chat

Une formule simple utilise un seul opérateur mathématique et les références de deux cellules comme ceci :

```
=A4+C7
```

Cette formule est constituée de trois parties :

 - ✔ **Le signe = :** Il identifie la formule. Si vous ne tapez que **A4+C7**, Excel affiche un texte standard.

 - ✔ **La référence à deux cellules :** Dans cet exemple, les cellules A4 et C7.

 - ✔ **L'opérateur mathématique de l'addition (+).**

Pour entrer une formule dans une cellule :

1. **Cliquez dans la cellule devant stocker la formule.**

   Vous pouvez sélectionner cette cellule via les touches du pavé directionnel. Excel affiche le sélecteur de cellule autour de cette cellule.

2. **Tapez le signe (=) sans les parenthèses.**

   Ce signe indique clairement à Excel que vous créez une formule.

3. **Saisissez la formule qui contient une ou plusieurs références à des cellules stockant des données comme A4 ou E8.**

   Par exemple, pour ajouter les nombres contenus dans les cellules A4 et E8, tapez **=A4+E8**.

4. **Appuyez sur Entrée.**

Entrer l'adresse des cellules peut s'avérer fastidieux, car il faut repérer l'en-tête de la colonne et le numéro de la ligne. Aucune erreur n'est permise, sinon vous risquez de fausser le résultat des opérations. Pour plus de rapidité et de sécurité, utilisez la souris. Cliquez dans une cellule contenant des données. Excel affiche automatiquement cette adresse dans la formule.

Pour sélectionner plusieurs cellules à la souris quand vous créez des formules :

1. **Cliquez dans la cellule où vous désirez stocker la formule.**

   Excel y affiche le sélecteur (ou curseur) de cellule, c'est-à-dire un cadre noir.

2. **Entrez le signe (=) sans les parenthèses.**

   Ce signe indique à Excel que la cellule contiendra une formule et pas des nombres ou du texte.

3. **Cliquez sur la cellule contenant les données à calculer comme A4 ou E8, puis tapez un opérateur mathématique.**

   Pour créer la formule =A4+E8 :

   a. *Tapez =.*

      Cela indique à Excel que vous créez une formule.

   b. *Cliquez dans la cellule A4.*

      Excel entre automatiquement A4 dans la formule.

   c. *Tapez +.*

   d. *Cliquez dans la cellule E8.*

      Excel ajoute l'adresse E8 à la formule.

4. **Appuyez sur Entrée.**

Une fois la formule créée, tapez les données dans les cellules ainsi référencées. La formule calculera un résultat.

Créer des formules avec des parenthèses

Nous savons qu'une formule peut être une simple opération comme une multiplication du type =D3*E4. Cependant, rien ne vous empêche d'employer plusieurs opérateurs dans une formule comme :

```
=A4+A5*C7/F4+D9
```

L'utilisation de plusieurs opérateurs pose deux problèmes. Le premier est qu'elle rend la formule très difficile à lire et à comprendre. La seconde est qu'Excel va effectuer bêtement un calcul allant de gauche à droite. Le résultat obtenu ne sera pas du tout celui que vous escomptez.

Sachez toutefois qu'Excel respecte certaines *priorités* des opérateurs listées dans le Tableau 8.2. Les priorités sont les opérations qu'Excel effectue avant d'autres. Si vous avez la formule suivante :

```
=A3+A4*B4+B5
```

Excel calcule d'abord la multiplication A4*B4, et en ajoute le résultat aux cellules A3 et B5.

Tableau 8.2 : Priorité des opérateurs.

Opérateur	Description
: (deux-points)	
(espace)	
, (virgule)	Opérateurs de référence
-	Négatif
%	Pourcentage
^	Exposant
*	
/	Multiplication et division
+	
-	Addition et soustraction
&	Concaténation de deux chaînes de texte
=<><=>=<>	Comparaison

Lorsque vous incluez des parenthèses dans vos formules, vous indiquez à Excel l'ordre des calculs. Dans l'exemple =A3+A4*B4+B5, Excel commence par multiplier A4 et B4. Le résultat obtenu est ajouté à A3 et B5. Si vous désirez qu'Excel calcule d'abord A3+A4, puis B4+B5, et termine par multiplier le résultat de ces deux additions, voici la formule que vous devez écrire :

```
=(A3+A4)*(B4+B5)
```

Copier des formules

Dans de nombreuses feuilles de calcul, vous utiliserez souvent le même type de formules. Par exemple, vous aurez une série de colonnes dont la dernière cellule devra systématiquement afficher le résultat de l'addition de toutes celles situées au-dessus.

Bien entendu, vous pourriez saisir la formule dans chacune des cellules, mais ce serait fastidieux et source d'erreurs. La méthode la plus simple, la plus rapide et la plus sûre consiste à copier et à coller la formule d'une cellule dans une autre cellule, comme à la Figure 8.1.

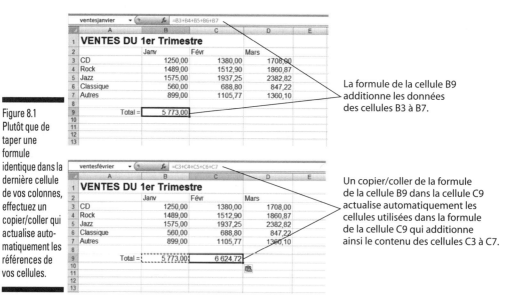

Figure 8.1
Plutôt que de taper une formule identique dans la dernière cellule de vos colonnes, effectuez un copier/coller qui actualise auto- matiquement les références de vos cellules.

La formule de la cellule B9 additionne les données des cellules B3 à B7.

Un copier/coller de la formule de la cellule B9 dans la cellule C9 actualise automatiquement les cellules utilisées dans la formule de la cellule C9 qui additionne ainsi le contenu des cellules C3 à C7.

Sur la Figure 8.1, vous constatez que la cellule B9 contient une formule addi- tionnant des cellules : =B3+B4+B5+B6+B7. Il s'agit des cinq cellules de données situées au-dessus d'elle. Si vous copiez cette formule dans la cellule C9, Excel va prendre en considération les cellules de données situées au-dessus de celle- ci et actualiser la formule pour donner : =C3+C4+C5+C6+C7.

Pour copier et coller une formule qui actualise automatiquement les références des cellules :

1. **Sélectionnez la cellule qui contient la formule à copier.**

2. **Appuyez sur Ctrl+C (ou cliquez sur le bouton Copier de l'onglet Accueil).**

   Excel affiche un cadre en pointillé autour de la cellule copiée.

3. **Sélectionnez la ou les cellules où vous désirez coller la formule.**

Si vous sélectionnez plusieurs cellules, Excel colle la formule dans chacune d'elles.

4. Appuyez sur Ctrl+V (ou cliquez sur l'icône Coller de l'onglet Accueil).

Excel colle la formule et actualise automatiquement les références des cellules utilisées dans le calcul.

5. Appuyez sur Echap ou double-cliquez en dehors de la cellule encadrée de pointillés pour quitter le mode de copie.

Utiliser des fonctions

La création de formules complexes est très difficile. Pour vous faciliter la tâche, Excel propose un certain nombre de formules prédéfinies appelées *fonctions*. La Tableau 8.3 en liste quelques-unes.

Tableau 8.3 : Les fonctions communes d'Excel.

Fonction	Son action
MOYENNE	Calcule la valeur moyenne des nombres stockés dans plusieurs cellules.
NB	Compte combien de cellules contiennent des chiffres et non pas des étiquettes (texte).
MAX	Trouve le plus grand nombre stocké dans plusieurs cellules.
MIN	Trouve le plus petit nombre stocké dans plusieurs cellules.
ARRONDI	Arrondit un nombre décimal au nombre de chiffres indiqués.
RACINE	Donne la racine carrée d'un nombre.
SOMME	Additionne les valeurs stockées dans plusieurs cellules.

Excel propose des centaines de fonctions utilisables en l'état ou que vous incluez dans des formules. Une fonction utilise les références d'une ou plusieurs cellules :

✔ **Références d'une seule cellule,** comme =ARRONDI(C4,2), qui a pour effet d'arrondir le contenu de la cellule C4 à deux chiffres après la virgule.

✔ **Plage de cellules contiguës,** comme =SOMME(A4:A9), qui additionne les nombres des cellules A4 à A9 (donc A4, A5, A6, A7, A8 et A9).

✔ **Plage de cellules non contiguës,** comme =SOMME(A4,B7,C11), qui additionne les nombres des cellules A4, B7 et C11.

Pour utiliser une fonction :

1. **Cliquez dans la cellule où vous désirez créer une formule qui implémente une fonction.**

2. **Cliquez sur l'onglet Formules.**

3. **Dans le groupe Bibliothèque de fonctions, cliquez sur l'un des boutons suivants :**

   Financier : Calcule des équations commerciales comme le montant des intérêts sur une période donnée.

   Logique : Propose des opérateurs logiques qui manipulent les valeurs VRAI et FAUX (également connus sous le nom de *Booléenne*).

   Texte : Cherche et manipule du texte.

   Date et heure : Fournit des données sur la date et l'heure.

   Recherche et référence : Fournit des informations sur les cellules, comme leurs en-têtes de ligne.

   Maths et trigonométrie : Propose des équations mathématiques.

   Plus de fonctions : Donne accès à des fonctions statistiques et d'ingénierie.

4. **Cliquez sur une catégorie de fonctions comme Financier ou Maths et trigonométrie.**

   Une liste de fonctions apparaît, comme à la Figure 8.2.

5. **Cliquez sur une fonction.**

   La boîte de dialogue Arguments de la fonction apparaît, comme à la Figure 8.3.

6. **Cliquez sur la ou les cellules à prendre en compte pour la fonction.**

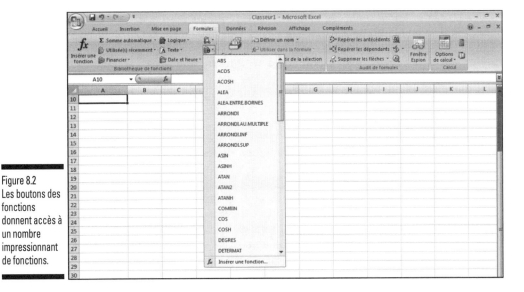

Figure 8.2
Les boutons des
fonctions
donnent accès à
un nombre
impressionnant
de fonctions.

Figure 8.3
Indiquez les
références des
cellules
contenant les
données dont la
fonction doit
renvoyer un
résultat.

7. **Cliquez sur OK.**

Excel affiche le résultat de la fonction dans la cellule sélectionnée à
l'étape 1.

Utiliser la commande Somme automatique

Somme automatique est l'une des commandes les plus utiles d'Excel. Elle
utilise la fonction SOMME pour effectuer l'addition du contenu de plusieurs
cellules. Vous l'emploierez surtout pour effectuer la somme d'une colonne ou
d'une ligne.

Pour additionner les nombres d'une colonne ou d'une ligne avec la fonction Somme automatique :

1. **Créez une colonne ou une ligne de nombres à additionner.**

2. **Cliquez en bas de la colonne ou à droite de la ligne.**

3. **Cliquez sur l'onglet Formules.**

4. **Dans le groupe Bibliothèque de fonctions, cliquez sur le bouton Somme automatique.**

   Excel crée automatiquement une fonction SOMME dans la cellule choisie à l'étape 2. Toutes les cellules utilisées pour le calcul sont sélectionnées par un cadre en pointillé, comme le montre la Figure 8.4. (Si vous cliquez accidentellement sur la flèche du bouton Somme automatique, choisissez SOMME dans le menu local.)

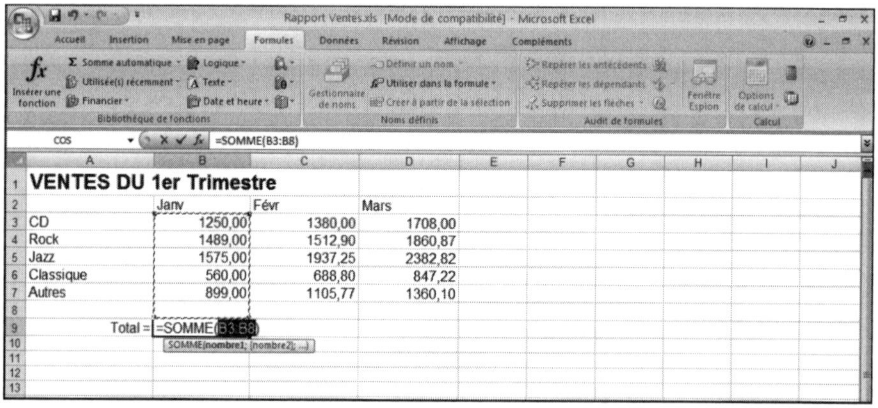

Figure 8.4
La commande Somme automatique crée automatiquement les références des cellules utiles à la fonction SOMME.

	A	B	C	D
1	VENTES DU 1er Trimestre			
2		Janv	Févr	Mars
3	CD	1250,00	1380,00	1708,00
4	Rock	1489,00	1512,90	1860,87
5	Jazz	1575,00	1937,25	2382,82
6	Classique	560,00	688,80	847,22
7	Autres	899,00	1105,77	1360,10
8				
9	Total =	=SOMME(B3:B8)		

5. **Appuyez sur Entrée.**

   Excel calcule le résultat de la fonction.

Le bouton Somme automatique apparaît dans le groupe Edition de l'onglet Accueil.

Utiliser des fonctions récentes

Chercher la bonne fonction parmi des centaines est un véritable pensum. Pour vous faciliter la vie, Excel met à votre disposition le bouton Utilisée(s) récemment qui liste les fonctions que vous employez régulièrement.

Voici comment employer une fonction récemment utilisée :

1. **Cliquez sur la cellule où vous désirez stocker une fonction.**

2. **Cliquez sur l'onglet Formules.**

3. **Dans le groupe Bibliothèque de fonctions, cliquez sur le bouton Utilisée(s) récemment.**

   Un menu local s'affiche, comme à la Figure 8.5.

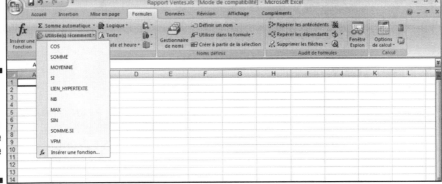

Figure 8.5
Le bouton Utilisée(s) récemment liste les fonctions que vous employez le plus souvent.

4. **Choisissez une fonction.**

Plus vous utilisez de fonctions, plus le contenu de cette liste varie.

Modifier une formule

Après avoir créé une formule, vous pouvez la modifier à votre convenance. Deux emplacements d'Excel vous le permettent :

✔ La Barre de formule.

✔ La cellule elle-même.

Pour modifier une formule dans la Barre de formule :

1. **Sélectionnez la cellule contenant la formule.**

   Excel affiche la formule dans la Barre de formule.

2. **Cliquez dans la Barre de formule, et modifiez-la avec les touches Retour arrière et Suppr.**

Pour modifier une formule dans la cellule qui la contient :

1. **Double-cliquez dans la cellule contenant la formule que vous désirez modifier.**

   Excel affiche la formule dans la cellule et non plus son résultat.

2. **Modifiez la formule avec les touches Retour arrière et Suppr.**

 Comme les formules affichent un résultat dans les cellules qui les contiennent, il est difficile de différencier les cellules des données de celles des formules. Donc, pour afficher rapidement les formules (et pas leur résultat), appuyez sur Ctrl+".

Valeur cible

Généralement, après avoir mis en place une formule, vous pouvez modifier les valeurs des cellules auxquelles elle se réfère afin d'obtenir un autre résultat. La fonction Valeur cible permet d'indiquer à Excel la valeur que vous désirez obtenir. Pour que vous y parveniez, Excel se charge alors de modifier comme il se doit les données de la formule.

Par exemple, vous avez une formule qui calcule l'argent que vous gagnez quand vous vendez un produit, disons des voitures. Modifiez la valeur des voitures, et Excel calcule de nouveau votre commission. Si vous utilisez la fonction Valeur cible, vous indiquez le montant de cette commission, comme 5 000 €, et Excel vous indique alors soit le prix auquel vous devez vendre une voiture, soit le nombre de voitures que vous devez écouler. Vous comprenez que vous avez une valeur à atteindre, et Excel vous indique comment y parvenir.

Pour utiliser une Valeur cible :

1. **Cliquez dans la cellule contenant une formule.**

2. **Cliquez sur l'onglet Données.**

3. **Dans le groupe Outils de données, cliquez sur le bouton Analyse de scénario.**

Un menu s'affiche, comme à la Figure 8.6.

Figure 8.6
Le bouton
Analyse de
scénario
renferme la
commande
Valeur cible.

4. **Cliquez sur Valeur cible.**

La boîte de dialogue éponyme apparaît, comme à la Figure 8.7.

Figure 8.7
Définissez vos
objectifs dans
une cellule
contenant une
formule.

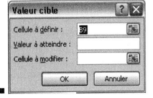

5. **Dans le champ Valeur à atteindre, tapez un nombre qui doit apparaître dans la formule de la cellule sélectionnée à l'étape 1.**

6. **Cliquez dans le champ Cellule à modifier, puis cliquez sur la cellule qui contient les données utilisées dans la formule de la cellule choisie à l'étape 1.**

Excel affiche la référence de cette cellule, par exemple B5.

7. **Cliquez sur OK.**

La boîte de dialogue Etat de la recherche apparaît, indiquant que la modification a été effectuée avec succès, comme le montre la Figure 8.8.

Figure 8.8
La boîte de dialogue Etat de la recherche indique que la valeur cible est atteinte.

8. **Cliquez sur OK pour garder ces modifications ou sur Annuler pour revenir à la valeur d'origine.**

Créer des scénarios

Les feuilles de calcul sont un instantané du passé. Savez-vous que vous pouvez aussi les utiliser pour prédire l'avenir, véritable Mme Irma de vos données chiffrées en tout genre. Vous pouvez ainsi savoir ce qui vous attend dans telle et telle circonstance et réagir en conséquence.

Lorsque la feuille de calcul devient une boule de cristal, vous pouvez imaginer quantité de scénarios. Vous entrez des données qui représentent autant de possibilités. Afin de ne pas perdre vos informations d'origine, Excel permet de créer des scénarios.

Un *scénario* vous donne l'occasion de définir différentes données de plusieurs cellules. Ainsi, dans un scénario, vous utilisez un jeu de données particulier, tout en gardant la possibilité de retrouver les données originellement entrées dans les cellules de la feuille de calcul.

Créer un scénario

Pour pouvoir créer un scénario, il faut disposer d'une feuille de calcul contenant des données et des formules. Ensuite, la création du scénario va permettre de spécifier les données à intégrer dans une ou plusieurs cellules.

Voici comment créer un scénario :

1. **Cliquez sur l'onglet Données.**

2. **Dans le groupe Outils de données, cliquez sur le bouton Analyse de scénario.**

3. **Dans le menu local, cliquez sur Gestionnaire de scénarios.**

   La boîte de dialogue éponyme apparaît.

4. **Cliquez sur Ajouter.**

   La boîte de dialogue Ajouter un scénario s'affiche, comme à la Figure 8.9.

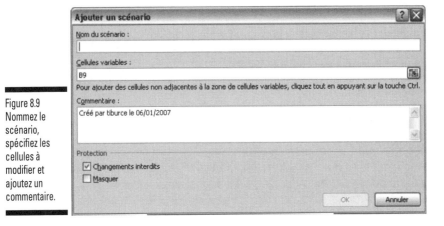

Figure 8.9
Nommez le scénario, spécifiez les cellules à modifier et ajoutez un commentaire.

5. **Dans le champ Nom du scénario, saisissez un nom décrivant la nature de votre scénario comme** *hypothèse pessimiste* **ou** *hypothèse optimiste***.**

6. **Cliquez dans le champ Cellules variables.**

7. **Cliquez dans une cellule de votre feuille de calcul dont vous souhaitez faire varier la donnée. Pour sélectionner plusieurs cellules, maintenez la touche Ctrl enfoncée, et cliquez sur les cellules en question.**

8. **Dans la zone Commentaire, ajoutez quelques explications sur la fonction de ce scénario.**

9. **Cliquez sur OK.**

   La boîte de dialogue Valeurs de scénarios apparaît, comme à la Figure 8.10.

10. **Indiquez une nouvelle valeur pour chaque cellule.**

11. **Cliquez sur OK.**

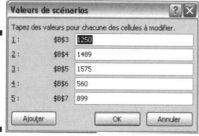

Figure 8.10
Tapez de nouvelles valeurs pour les cellules sélectionnées.

La boîte de dialogue Gestionnaire de scénarios réapparaît dans la configuration représentée à la Figure 8.11.

Figure 8.11
La boîte de dialogue Gestionnaire de scénarios permet d'ajouter, d'afficher, de modifier ou de supprimer des scénarios.

12. Cliquez sur Afficher.

Excel remplace les données initiales des cellules sélectionnées pour le scénario par celles saisies dans la boîte de dialogue Valeurs de scénarios.

13. Cliquez sur Fermer.

Les données du scénario restent dans votre feuille de calcul.

Afficher un scénario

Après avoir créé un ou plusieurs scénarios, vous pouvez choisir celui à afficher dans Excel de manière à appréhender des hypothèses particulières d'évolution de vos données. Pour afficher un scénario :

1. **Cliquez sur l'onglet Données.**

2. **Dans le groupe Outils de données, cliquez sur Analyse de scénario.**

3. **Dans le menu local, choisissez Gestionnaire de scénarios.**

4. **Cliquez sur le nom du scénario à afficher.**

5. **Cliquez sur Afficher.**

6. **Cliquez sur Fermer.**

Modifier un scénario

Après avoir créé un scénario, vous pouvez le modifier comme et quand bon vous semble. Voici la procédure à suivre :

1. **Cliquez sur l'onglet Données.**

2. **Dans le groupe Outils de données, cliquez sur Analyse de scénario.**

3. **Dans le menu local, choisissez Gestionnaire de scénarios.**

4. **Cliquez sur le nom du scénario à modifier, puis sur le bouton Modifier.**

   La boîte de dialogue Modifier un scénario apparaît, comme à la Figure 8.12.

5. **(Facultatif) Changez le nom du scénario.**

6. **Cliquez dans le champ Cellules variables.**

   Excel encadre avec des pointillés les cellules idoines de la feuille de calcul.

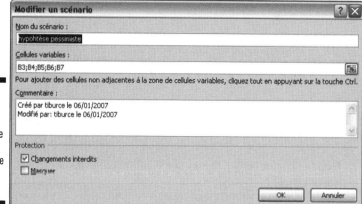

Figure 8.12
Définissez de
nouvelles
cellules et/ou de
nouvelles
données pour ce
scénario
spécifique.

7. **Appuyez sur Retour arrière pour effacer la plage de cellules, ou bien maintenez la touche Ctrl enfoncée et cliquez sur des cellules à ajouter aux cellules préalablement spécifiées.**

8. **Cliquez sur OK.**

   La boîte de dialogue Valeurs de scénarios apparaît.

9. **Attribuez de nouvelles valeurs à vos cellules, et validez par un clic sur OK.**

   Le Gestionnaire de scénarios fait de nouveau son apparition.

10. **Cliquez sur le bouton Afficher pour voir les effets du scénario sur votre feuille de calcul. Vous pouvez cliquer sur Fermer pour quitter cette boîte de dialogue sans appliquer les modifications.**

Afficher une synthèse de scénarios

Si vous avez créé plusieurs scénarios, il peut être fastidieux de passer de l'un à l'autre pour apprécier les effets de chacun. D'ailleurs, procéder de la sorte peut générer une certaine confusion dans l'interprétation des informations. Pour éviter de vous perdre dans les hypothèses des scénarios, Excel permet de créer des synthèses.

Une *synthèse de scénarios* affiche vos données d'origine parallèlement à celles de vos scénarios. L'ensemble de ces informations est regroupé dans un tableau. Ainsi, la comparaison des hypothèses est bien plus simple, comme le montre la Figure 8.13.

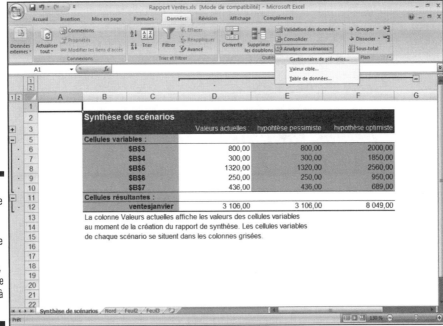

Figure 8.13
Une synthèse de scénarios compare les valeurs d'origine avec celles de vos hypothèses, rendant l'analyse bien plus facile à réaliser.

Pour créer une synthèse :

1. **Cliquez sur l'onglet Données.**

2. **Cliquez sur le bouton Analyse de scénario.**

3. **Dans le menu local, cliquez sur Gestionnaire de scénarios.**

4. **Cliquez sur le bouton Synthèse.**

   La boîte de dialogue Synthèse de scénarios apparaît, comme à la Figure 8.14.

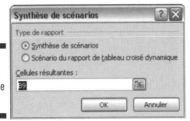

Figure 8.14
Définissez ici le type de synthèse à créer.

5. **Activez le bouton radio Synthèse de scénarios.**

6. **Cliquez dans le champ Cellules résultantes, puis, dans la feuille de calcul, cliquez sur la cellule contenant la formule qui calcule l'ensemble des données des cellules de vos scénarios.**

7. **Cliquez sur OK.**

Audit de vos formules

Les résultats de vos feuilles de calcul ne sont valables que si vous y entrez les bonnes données et que vous créez les formules correctes. Remplir une feuille de calcul de données éculées ne pourra produire qu'un mauvais résultat qui aboutira à une analyse erronée de ces informations. Le pire qui puisse arriver est de fournir les bonnes données, mais de créer de mauvaises formules. Le résultat ne saurait en aucun cas être juste.

Bien qu'Excel donne l'impression d'effectuer les bons calculs, il est conseillé de les vérifier. Voici les erreurs les plus rencontrées dans l'élaboration de formules :

✔ **Données manquantes :** La formule n'utilise pas toutes les données nécessaires au calcul du résultat.

✔ **Données incorrectes :** La formule n'utilise pas les bonnes cellules de données.

✔ **Calculs incorrects :** Votre formule effectue un mauvais calcul.

Si une formule effectue un calcul incorrect, c'est qu'elle est elle-même incorrecte. Par exemple, vous vouliez ajouter deux chiffres, et par erreur vous avez inséré le symbole de multiplication. Pour vérifier une formule, entrez des données dont vous connaissez le résultat. Par exemple, vous saisissez 4 et 7 dans une formule d'addition. Si vous obtenez 28, c'est que vous avez multiplié et non pas additionné ces deux chiffres.

Si votre formule est correcte mais que le résultat ne l'est pas, vous avez probablement sélectionné les mauvaises données c'est-à-dire les mauvaises cellules. Pour vous aider à retrouver les bonnes données, Excel propose des fonctions d'audit qui affichent les cellules fournissant les données à vos formules. Grâce à cela, vous pouvez :

✔ Vous assurer que vos formules utilisent les données des bonnes cellules.

✔ Identifier instantanément si une formule peut être corrigée si vous modifiez une référence de cellule.

Découvrir où une formule collecte ses données

Si une formule collecte ses données dans de mauvaises cellules, elle ne pourra jamais calculer le bon résultat. En surveillant une formule, vous voyez toutes les cellules qu'elle utilise pour collecter ses données.

Toute cellule qui fournit des données à une formule est appelée *antécédent*.

Pour repérer une formule :

1. **Cliquez sur une cellule contenant la formule à vérifier.**

2. **Cliquez sur l'onglet Formules.**

3. **Dans le groupe Audit des formules, cliquez sur Repérer les antécédents.**

   Excel trace des flèches montrant les cellules qui fournissent les données à la formule, comme le montre la Figure 8.15.

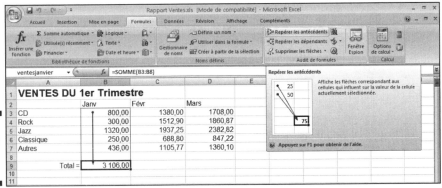

Figure 8.15
Excel montre les antécédents de la formule.

4. **Cliquez sur le bouton Supprimer les flèches pour masquer les flèches d'audit.**

Trouver la formule qu'une cellule peut altérer

Vous serez parfois surpris de voir comme une cellule particulière peut affecter une formule stockée dans votre feuille de calcul. Il est très facile d'identifier les formules qui sont affectées par cette cellule particulière.

Toute formule recevant les données d'une cellule est un *dépendant*.

Voici comment trouver une ou plusieurs formules affectées par une cellule :

1. **Cliquez dans une cellule contenant des données (ne cliquez pas dans la cellule de la formule).**

2. **Cliquez sur l'onglet Formules.**

3. **Cliquez sur Repérer les dépendants.**

   Excel trace une flèche pointant vers la formule qui dépend de cette valeur, comme à la Figure 8.16. Vous en déduisez alors que si vous modifiez la valeur contenue par cette cellule, la formule affichera un tout autre résultat.

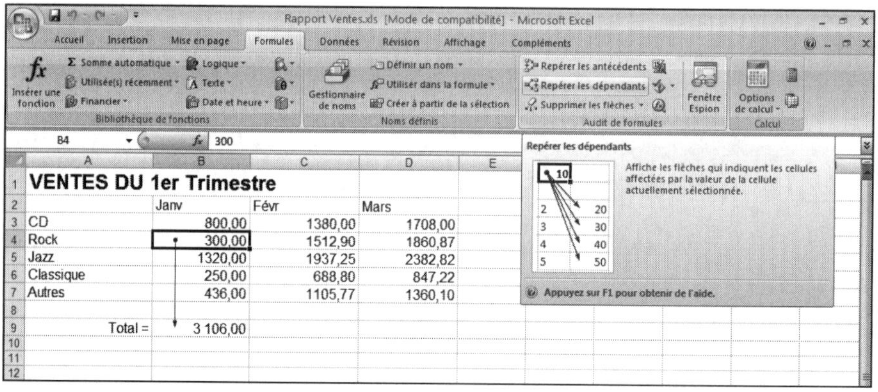

Figure 8.16
Excel peut
identifier les
formules qui
utilisent les
données d'une
ou plusieurs
cellules.

4. **Cliquez sur le bouton Supprimer les flèches pour masquer les flèches d'audit.**

Validation des données

Dans la mesure où les formules tiennent entièrement leur précision des données qu'elles utilisent, il est essentiel que votre feuille de calcul ne contienne que des données valides. L'exemple type de donnée invalide est la valeur négative du prix d'un objet (comme -9), ou un nombre décimal pour la quantité de produits achetés par un client (comme 4,39).

Pour être certain de conserver une cohérence de vos données, vous pouvez définir une cellule qui n'accepte que certains types de données comme des nombres compris entre 30 et 100. Si quelqu'un tente de saisir une donnée ne correspondant pas, Excel délivre un message comme celui de la Figure 8.17.

Figure 8.17
Excel vous
prévient quand
un type de
données invalide
a été entré dans
une cellule.

Pour définir des types de données valides dans une cellule :

1. **Cliquez dans une cellule utilisée par une formule.**

2. **Cliquez sur l'onglet Données.**

3. **Dans le groupe Outils de données, cliquez sur le bouton Validation des données.**

Vous ouvrez la boîte de dialogue éponyme, illustrée à la Figure 8.18.

4. **Dans la liste Autoriser, choisissez une des options suivantes :**

Tout : L'utilisateur peut taper n'importe quoi.

Nombre entier : N'accepte que des nombres entiers comme 47 et 903.

Décimal : Accepte les nombres entiers et décimaux comme 48,01 ou 1,00.

Liste : Permet de définir une liste de données valides.

Figure 8.18
Spécifiez le type
et la plage de
données que la
cellule peut
accepter.

Date : N'accepte que les dates.

Heure : N'accepte que les heures.

Longueur du texte : Définit un nombre maximal et minimal de caractères acceptés.

Personnalisé : Permet de définir une formule qui spécifie des données valides.

En fonction du critère de validation choisi, vous devrez peut-être définir des valeurs Minimum et Maximum, égales à un certain chiffre, inférieures ou encore supérieures.

5. **Cliquez sur l'onglet Message de saisie, comme à la Figure 8.19.**

6. **Cliquez dans le champ Titre, et donnez un titre.**

7. **Dans le champ Message de saisie, tapez le message qui s'affichera lorsque quelqu'un sélectionnera cette cellule particulière.**

8. **Cliquez sur l'onglet Alerte d'erreur, comme à la Figure 8.20.**

9. **Dans la liste Style, choisissez l'icône d'alerte qui doit s'afficher, comme Arrêt ou Avertissement.**

10. **Dans le champ Titre, donnez un titre à votre message d'alerte.**

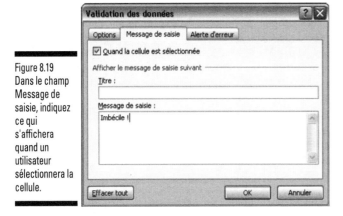

Figure 8.19
Dans le champ
Message de
saisie, indiquez
ce qui
s'affichera
quand un
utilisateur
sélectionnera la
cellule.

Figure 8.20
Définissez le
message devant
s'afficher quand
un utilisateur
entre des
données
invalides dans la
cellule.

11. **Dans la zone Message d'erreur, saisissez le message que lira l'utilisateur quand il entrera des données invalides.**

12. **Cliquez sur OK.**

Une fois que vous avez défini une validation de données pour une cellule, il est possible de supprimer cette règle. Voici comment procéder :

1. **Cliquez dans la cellule qui contient la règle de validation des données.**

2. **Cliquez sur l'onglet Données.**

3. **Cliquez sur le bouton Validation des données.**

4. **Dans la boîte de dialogue éponyme, cliquez sur le bouton Effacer tout.**

   Excel supprime toute règle de validation des données de la cellule concernée.

Chapitre 9

Graphique et analyse des données

S i vous travaillez depuis longtemps sur une feuille de calcul Excel, vous vous poserez inévitablement cette question : "Que signifient tous ces chiffres ?"

Pour vous aider à analyser et à comprendre la signification des lignes et des colonnes, Excel permet de représenter les données sous plusieurs formes, et notamment des graphiques. Ils peuvent prendre des aspects aussi divers que variés en fonction des données que vous manipulez et souhaitez interpréter. La représentation graphique de vos données permet d'en comprendre les tendances en un clin d'œil.

Comprendre les composants d'un graphique

Pour créer un graphique permettant de bien analyser vos données, il est impératif d'en comprendre les différents composants comme à la Figure 9.1 :

✔ **Séries de données :** Les données numériques utilisées par Excel pour créer le graphique.

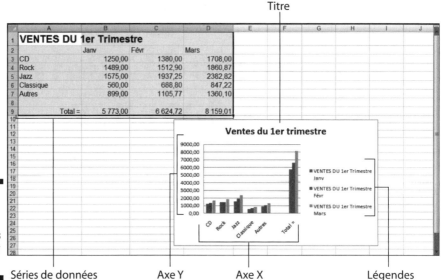

Figure 9.1
Chaque partie
d'un graphique
Excel donne des
informations sur
vos données.

En règle générale, les graphiques utilisent deux séries de données. Par exemple, une série peut correspondre au prix total des ventes mensuelles de produits et une autre au nom des produits.

  ✔ **Axe X :** Définit la largeur du graphique.

  ✔ **Axe Y :** Définit la hauteur du graphique.

  ✔ **Légende :** Texte identifiant chaque partie du graphique.

  ✔ **Titre :** Spécifie la finalité du graphique.

En règle générale, les graphiques utilisent deux séries de données. Par exemple, une série peut correspondre au prix total des ventes mensuelles de produits et une autre au nom des produits.

Dans un tel graphique, l'axe Y indique le total des montants, et l'axe X présente le nom des produits. Chaque mois est alors représenté sur le graphique sous la forme d'une couleur particulière : par exemple, bleu pour janvier, rouge pour février et vert pour mars. Ainsi, en un coup d'œil, vous savez combien a rapporté la vente de tel produit sur tel mois, et même quel est le montant total des ventes de ce produit sur un certain nombre de mois.

Si vous regardez le graphique de la Figure 9.1, vous identifiez facilement :

  ✔ Le montant des ventes sur les trois premiers mois de l'année.

  ✔ Les types de produits concernés.

> ☑ ✔ La tendance des ventes par mois et par produit.

Sans cette représentation graphique, l'analyse du contenu de la feuille de calcul est bien plus complexe à faire. Il serait dommage de se priver des graphiques quand on sait qu'ils sont tellement simples à mettre en place.

Le graphique de la Figure 9.1 est appelé *histogramme*. Excel propose de nombreux autres types de graphiques, comme le montre la Figure 9.2.

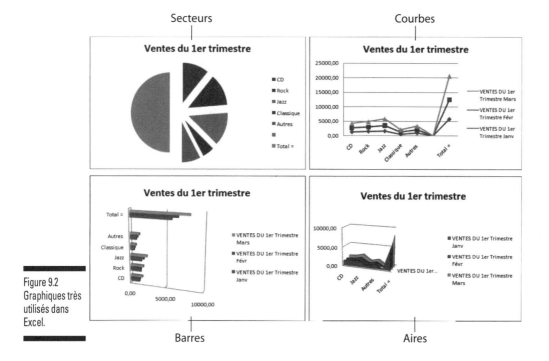

Figure 9.2
Graphiques très
utilisés dans
Excel.

Excel peut créer des graphiques 2D ou 3D. Un graphique 3D peut paraître fort sympathique. Toutefois, dans bien des cas, il complexifie l'analyse des données. En représentation 2D, les données sont bien plus claires.

Créer un graphique

Avant de créer un graphique, vous devez entrer des nombres et des étiquettes d'identification de vos données. Sinon, Excel sera incapable de générer un graphique cohérent facile à analyser.

Voici comment créer un graphique :

1. **Sélectionnez les nombres et les étiquettes que vous souhaitez utiliser pour créer un graphique.**

2. **Cliquez sur l'onglet Insertion.**

3. **Dans le groupe Graphiques, cliquez sur le type de graphique à créer comme Colonne.**

   Une galerie de graphiques apparaît, comme à la Figure 9.3.

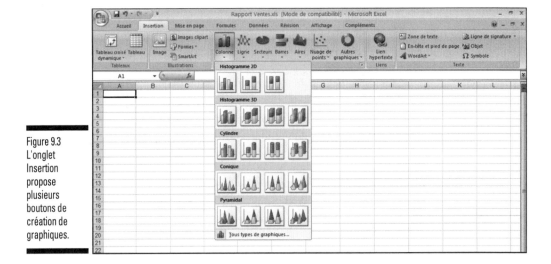

Figure 9.3
L'onglet
Insertion
propose
plusieurs
boutons de
création de
graphiques.

4. **Cliquez sur un type de graphique.**

   Comme vous le voyez à la Figure 9.4, Excel affiche les Outils de graphique.

Modifier un graphique

Un graphique n'a pas une existence figée. Vous serez amené à le modifier. Cette modification peut consister en un déplacement du graphique sur la feuille de calcul, en la modification des données source, à celle des parties qui le composent (en choisissant un autre type de représentation), ou en modifiant du texte (comme le titre ou les légendes).

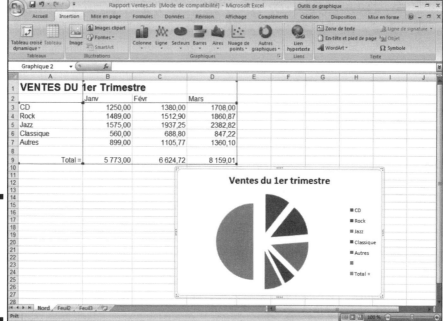

Figure 9.4
Les Outils de graphique proposent de nombreuses commandes de modification de vos graphiques.

Déplacer un graphique sur la feuille de calcul

Lorsque vous créez un graphique, Excel l'affiche dans la partie droite de la feuille de calcul. Cet emplacement ne vous conviendra peut-être pas. Il est très facile de bouger un graphique. Contentez-vous de suivre ces étapes :

1. **Placez le pointeur de la souris sur le bord du graphique jusqu'à ce qu'il prenne la forme d'une flèche à quatre têtes.**

2. **Maintenez enfoncé le bouton gauche de la souris et faites-la glisser.**

   Le graphique suit docilement le déplacement de votre souris.

3. **Placez le graphique où vous le souhaitez, puis relâchez le bouton gauche de la souris.**

Déplacer un graphique vers une nouvelle feuille de calcul

Pour faciliter la lecture d'une feuille de calcul, vous pouvez parfaitement bien placer un graphique sur une autre feuille. Le graphique se retrouve ainsi isolé des données qui en ont permis la conception.

Voici comment procéder :

1. **Cliquez sur le graphique à placer dans une autre feuille de calcul.**

   Les Outils de graphique apparaissent.

2. **Cliquez sur l'onglet Création.**

3. **Dans le groupe Emplacement, cliquez sur le bouton Déplacer le graphique.**

   La boîte de dialogue Déplacer le graphique apparaît, comme à la Figure 9.5.

Figure 9.5
Choisissez la feuille de calcul où vous désirez placer le graphique.

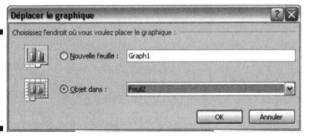

Une alternative consiste à cliquer sur le graphique avec le bouton droit de la souris. Dans le menu contextuel, choisissez Déplacer le graphique.

4. **Activez un des boutons radio suivants :**

   - *Nouvelle feuille :* Crée une nouvelle feuille de calcul pour l'occasion. Donnez-lui un nom.

   - *Objet dans :* Permet de sélectionner le nom d'une feuille de calcul existante.

5. **Cliquez sur OK.**

Excel déplace votre graphique.

Redimensionner un graphique

En fonction de l'emplacement où il s'affiche, le graphique sera trop grand ou trop petit. Comme il est rare qu'un graphique soit à la bonne taille, redimensionnez-le de la manière suivante :

1. **Placez le pointeur de la souris sur un des angles du graphique. Il prend la forme d'une flèche diagonale à deux têtes.**

2. **Maintenez enfoncé le bouton gauche de la souris et faites-la glisser vers l'intérieur pour réduire la taille du graphique, ou vers l'extérieur pour l'augmenter.**

3. **Dès que la taille vous convient, relâchez le bouton de la souris.**

Utiliser les Outils de graphique

Dès que vous créez un graphique ou cliquez sur un graphique existant, Excel affiche les onglets des Outils de graphique. Ils sont répartis en quatre catégories :

- ✔ **Type :** Permet de changer le type de graphique.

- ✔ **Données :** Permet de sélectionner de nouvelles données source ou de permuter les données affichées sur les axes X et Y.

- ✔ **Dispositions du graphique :** Permet de modifier les parties individuelles d'un graphique comme son titre, les étiquettes des axes X et Y ou la position des légendes.

- ✔ **Styles du graphique :** Propose différentes manières de modifier l'aspect de votre graphique.

Changer de type de graphique

Une fois que vous avez créé un graphique, vous pouvez tester différentes façons de représenter vos données. Par exemple, vous passerez sans problème d'un graphique à secteurs à un graphique à barres. Voici comment changer de type de graphique :

1. **Cliquez sur le graphique dont vous désirez modifier le type.**

   Les Outils de graphique apparaissent.

2. **Cliquez sur l'onglet Création.**

3. **Dans le groupe Type, cliquez sur Modifier le type de graphique.**

   La boîte de dialogue éponyme apparaît, comme à la Figure 9.6.

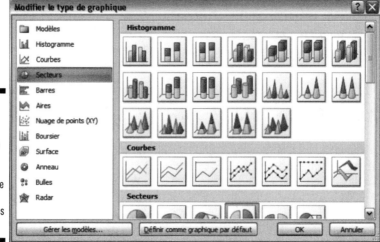

Figure 9.6
La boîte de dialogue Modifier le type de graphique permet de choisir une autre représentation graphique de vos données.

4. **Cliquez sur un type de graphique comme Secteurs ou Histogramme.**

   La partie droite de la boîte de dialogue affiche des variantes du type de graphique sélectionné.

5. **Cliquez sur le type de graphique à appliquer.**

6. **Cliquez sur OK.**

   Excel affiche le nouveau graphique.

Si vous n'aimez pas votre graphique, appuyez immédiatement sur Ctrl+Z pour retrouver le graphique initial.

Modifier les données source

L'autre manière de modifier l'apparence d'un graphique consiste à changer ses *données source*, c'est-à-dire les cellules qui contiennent les valeurs utilisées lors de la création du graphique. Voici comment procéder :

1. **Cliquez sur le graphique à modifier.**

   Les Outils de graphique apparaissent.

2. **Cliquez sur l'onglet Création.**

3. **Dans le groupe Données, cliquez sur Sélectionner les données.**

   La boîte de dialogue Sélectionner la source de données apparaît, comme à la Figure 9.7.

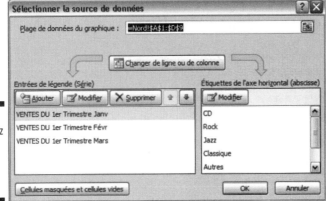

Figure 9.7
Ajoutez, modifiez ou supprimez des données pour créer le graphique.

4. **(Facultatif) Cliquez sur le bouton Développer/Réduire de la boîte de dialogue pour la réduire et ainsi afficher davantage de données de votre feuille de calcul.**

5. **Sélectionnez les cellules contenant les données qui serviront à créer le graphique, y compris celles contenant des étiquettes, des nombres et des formules.**

6. **Cliquez sur OK.**

Excel affiche votre graphique en utilisant les données sélectionnées à l'étape 5.

Intervertir les lignes et les colonnes

Lorsque Excel crée un graphique, il affiche les étiquettes des données sur les axes X et Y. Il est toutefois possible de les inverser. Voici comment procéder :

1. **Cliquez sur le graphique à modifier.**

   Les Outils de graphique apparaissent.

2. **Cliquez sur l'onglet Création.**

3. **Dans le groupe Données, cliquez sur Intervertir les lignes/colonnes.**

   Excel permute les données des axes X et Y.

Modifier les éléments d'un graphiques

Pour rendre un graphique plus informatif, vous pouvez lui ajouter du texte comme :

✔ Un titre.

✔ Une légende.

✔ Des étiquettes de données.

✔ Des étiquettes d'axes.

✔ Des axes.

✔ Un quadrillage

Excel peut masquer tout ou partie des éléments d'un graphique. Pour les modifier, voici la démarche à suivre :

1. **Cliquez sur le graphique à modifier.**

   Les Outils de graphique apparaissent.

2. **Cliquez sur l'onglet Disposition.**

3. **Cliquez sur le bouton identifiant la partie du graphique que vous désirez modifier comme Titres des axes, Titre du graphique ou encore Légende.**

Un menu local s'affiche, comme à la Figure 9.8.

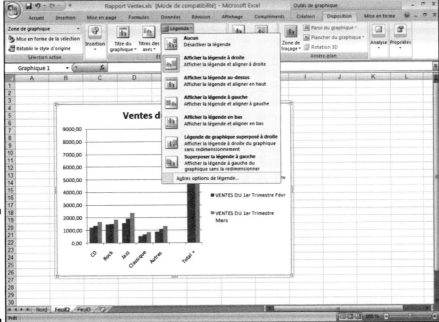

Figure 9.8
Le menu
Légende permet
d'en placer dans
différentes
parties de votre
graphique.

4. **Choisissez une option comme Aucun.**

Excel modifie le graphique en conséquence.

Organiser la disposition d'un graphique

Bien que vous puissiez ajouter et modifier des parties individuelles d'un graphique, comme l'emplacement du titre ou des légendes, il est bien plus facile d'appliquer un style prédéfini. Voici comment procéder :

1. **Cliquez sur le graphique à modifier.**

Les Outils de graphique s'affichent.

2. **Cliquez sur l'onglet Création.**

3. **Dans le groupe Dispositions du graphique, cliquez sur le bouton
   Disposition rapide.**

   Une galerie apparaît, comme à la Figure 9.9.

Figure 9.9
Disposition
rapide permet
d'appliquer
facilement un
type de
disposition aux
éléments de
votre graphique.

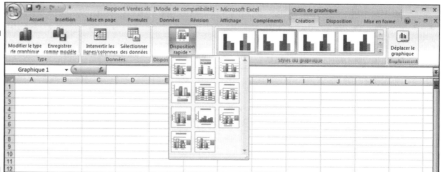

4. **Cliquez sur une disposition.**

   Excel change le graphique.

Supprimer un graphique

Bien qu'ils soient magnifiques, vous aurez peut-être besoin de supprimer vos
graphiques :

1. **Cliquez sur le graphique à supprimer.**

2. **Appuyez sur la touche Suppr.**

Vous pouvez également faire un clic-droit sur le graphique et choisir Couper
dans le menu contextuel.

Organiser des listes dans des tableaux croisés dynamiques

Une feuille de calcul ordinaire permet de comparer deux jeux de données comme des ventes et des périodes de temps, ou des produits et des vendeurs. Dans ce cas, comment savoir qui a vendu quoi sur une période bien définie ?

Comme cela est complexe à réaliser avec des feuilles de calcul traditionnelles, Excel a mis en place les tableaux croisés dynamiques. Ils permettent de collecter des données de votre feuille de calcul et de les organiser à votre convenance dans un tableau. Cette réorganisation de lignes et de colonnes permet aux tableaux croisés dynamiques de dégager une tendance bien plus facilement qu'avec une feuille de calcul standard.

Créer un tableau croisé dynamique

Les tableaux croisés dynamiques utilisent les en-têtes de colonnes d'une feuille de calcul pour organiser les données dans un tableau. Idéalement, chaque colonne de la feuille de calcul devrait identifier un type spécifique de données comme le nom des vendeurs, leur couverture géographique et le nombre total des ventes réalisées, comme à la Figure 9.10.

Une fois votre feuille de calcul créée avec des colonnes de données, voici comment concevoir un tableau croisé dynamique :

1. **Sélectionnez les cellules (y compris les étiquettes de colonnes) à inclure dans le tableau croisé dynamique.**

2. **Cliquez sur l'onglet Insertion.**

3. **Dans le groupe Tableaux, cliquez sur Tableau croisé dynamique.**

   La boîte de dialogue Créer un tableau croisé dynamique apparaît, comme à la Figure 9.11.

4. **(Facultatif) Sélectionnez les cellules contenant les données à utiliser dans votre tableau croisé dynamique.**

   N'effectuez cette action que si vous n'avez pas sélectionné de cellules à l'étape 1, ou que vous vous êtes trompé de cellules.

5. **Activez un des boutons radio suivants :**

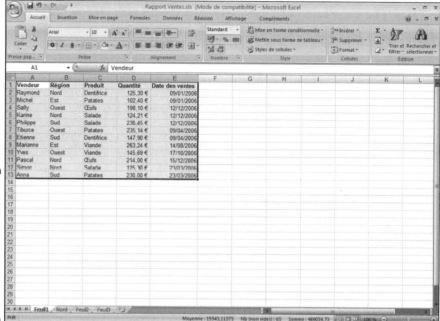

Figure 9.10
Avant de créer
un tableau croisé
dynamique, vous
devez structurer
une feuille de
calcul dont les
colonnes
identifient les
données.

Figure 9.11
Spécifiez les
cellules à utiliser
et choisissez un
emplacement
pour afficher
votre tableau
croisé
dynamique.

- *Nouvelle feuille de calcul :* Place le tableau croisé dynamique dans une nouvelle feuille de calcul.

- *Feuille de calcul existante :* Affiche le tableau croisé dynamique dans la feuille de calcul en cours.

6. Cliquez sur OK.

A l'instar de la Figure 9.12, Excel affiche la Liste de champs de tableau croisé dynamique.

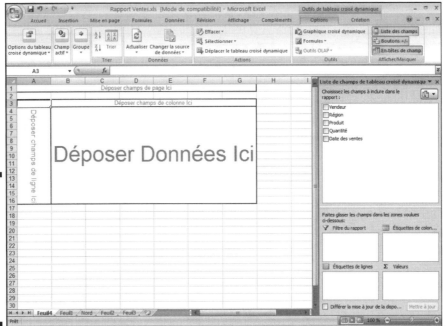

Figure 9.12
La Liste de champs de tableau croisé dynamique permet de sélectionner les données qui seront affichées dans le tableau.

7. Cochez les cases des champs à inclure dans le tableau croisé dynamique.

Chaque fois que vous cochez une case, Excel modifie l'affichage des données dans le tableau, comme le montre la Figure 9.13.

Réorganiser les étiquettes d'un tableau croisé dynamique

Un tableau croisé dynamique réorganise les données selon les en-têtes de colonnes de votre feuille de calcul. Dans le tableau croisé dynamique, ces en-têtes deviennent des étiquettes de lignes. Le tableau de la Figure 9.13 présente les ventes de produits par personne et par région.

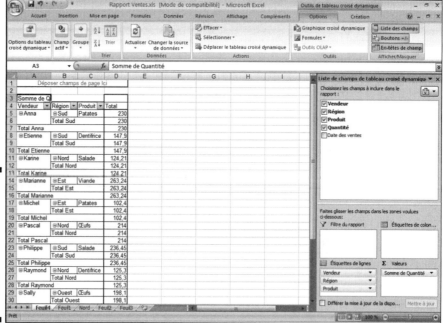

Figure 9.13
L'ajout d'en-têtes de colonnes augmente le nombre de données présentées dans le tableau croisé dynamique.

Il peut être intéressant de présenter les ventes selon les régions. Il vous faut alors modifier l'en-tête de colonne adéquat de manière que le tableau croisé dynamique utilise bien les régions pour organiser les données. Voici comment procéder :

1. **Cliquez sur le tableau croisé dynamique que vous souhaitez réorganiser.**

   Le volet Liste de champs de tableau croisé dynamique apparaît.

2. **Dans la liste des étiquettes de lignes, cliquez sur la flèche de celle à déplacer dans le tableau.**

   Un menu local apparaît, comme à la Figure 9.14.

Sélectionnez une des options suivantes :

✔ *Monter :* Déplace l'étiquette d'un niveau vers le haut.

✔ *Descendre :* Déplace l'étiquette d'un niveau vers le bas.

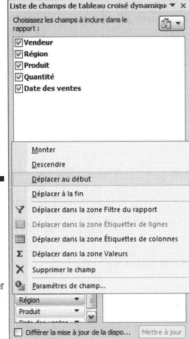

Figure 9.14
La réorganisation des étiquettes d'un tableau croisé dynamique permet d'afficher vos données de différentes manières.

✔ *Déplacer au début :* Fait de l'étiquette le critère dominant du tri des données.

✔ *Déplacer à la fin :* Fait de l'étiquette le dernier critère de tri des données.

La Figure 9.15 montre deux manières d'organiser les mêmes données dans un tableau croisé dynamique.

Modifier un tableau croisé dynamique

Les étiquettes de lignes permettent d'organiser les données selon différents critères comme les ventes par région, puis par produit. Pour plus de souplesse dans l'analyse de vos données, vous pouvez convertir une étiquette de ligne en en-tête de colonne. La Figure 9.16 montre un tableau croisé dynamique où les étiquettes de lignes sont empilées en haut de chaque colonne, puis le même tableau où une étiquette de ligne (Produit) est devenue un en-tête de colonne.

Lorsque l'étiquette Produit apparaît au début,
le tableau croisé dynamique affiche les ventes
de chaque produit comme Dentifrice et Œufs.

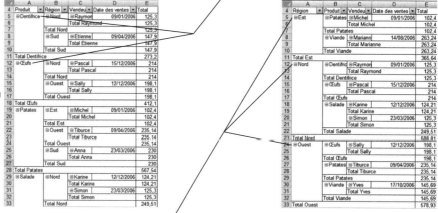

Figure 9.15
Déplacer les
étiquettes vers le
haut ou le bas
détermine
l'organisation
des données
dans le tableau
croisé
dynamique.

Quand l'étiquette Région apparaît au début,
le tableau croisé dynamique affiche les ventes
des produits par région.

Pour convertir des étiquettes de lignes en en-têtes de colonnes (ou vice versa) :

1. Cliquez sur le tableau dynamique à modifier.

Le volet Liste de champs de tableau croisé dynamique apparaît.

2. Cliquez sur un en-tête.

Un menu local s'affiche.

3. Choisissez Déplacer dans la zone Etiquettes de colonnes (ou Etiquettes de lignes si vous cliquez sur un en-tête de colonne).

Filtrer un tableau croisé dynamique

Plus un tableau croisé dynamique contient d'informations, plus son analyse est complexe. Pour vous faciliter la tâche, Excel vous aide à filtrer les données de manière à n'accéder qu'à certaines informations comme les ventes réalisées par une personne ou le total des ventes d'une région. Voici comment filtrer un tableau croisé dynamique :

1. Cliquez sur le tableau croisé dynamique à filtrer.

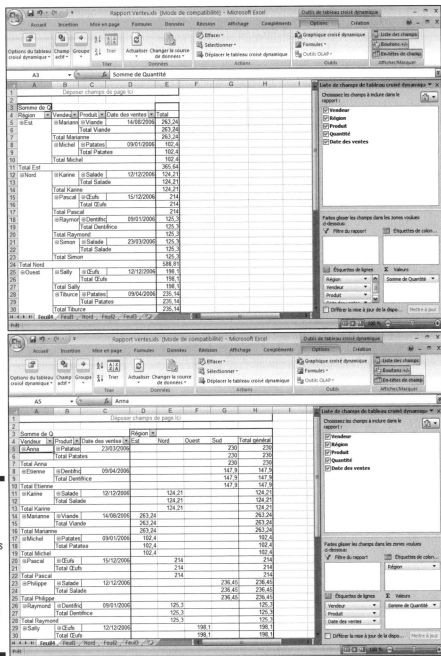

Figure 9.16
Afficher des
étiquettes de
lignes sous
forme d'en-têtes
de colonnes
permet de
comparer les
données d'une
feuille de calcul
de bien des
manières.

Le volet Liste de champs de tableau croisé dynamique apparaît.

2. **Dans la section Etiquettes de lignes ou Etiquettes de colonnes du volet Liste de champs de tableau croisé dynamique, cliquez sur un en-tête.**

3. **Dans le menu local, choisissez Déplacer dans la zone Filtre du rapport.**

   Excel déplace l'étiquette dans la zone précitée du volet Liste de champs de tableau croisé dynamique, comme à la Figure 19.17.

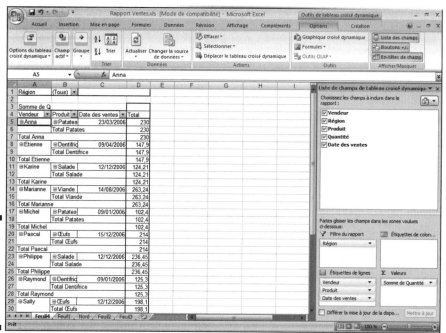

Figure 9.17
Un filtre définit les informations qui seront masquées dans le tableau croisé dynamique.

4. **En haut du tableau, cliquez sur la liste située à droite du nom de l'étiquette.**

   Une liste affiche les éléments que vous pouvez choisir d'afficher, comme le montre la Figure 9.18.

5. **Cliquez sur un élément à filtrer.**

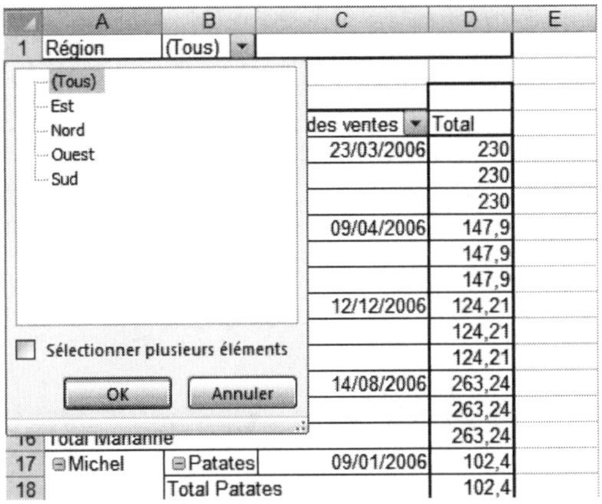

Figure 9.18
La liste du filtre permet de choisir ce qui sera ou non affiché dans le tableau croisé dynamique.

Si vous cochez la case Sélectionner plusieurs éléments, vous pourrez filtrer le tableau avec plusieurs données.

6. **Cliquez sur OK.**

Excel affiche votre tableau croisé dynamique filtré, comme à la Figure 9.19.

Calculer un tableau croisé dynamique

Un tableau croisé dynamique contient des informations, mais il est aussi capable de calculer des occurrences de ces informations comme le nombre de ventes par région. Pour afficher un calcul de données, vous devez déplacer un en-tête dans la section Valeurs du volet Liste de champs de tableau croisé dynamique :

1. **Cliquez sur le tableau croisé dynamique à modifier.**

   Le volet Liste de champs de tableau croisé dynamique apparaît.

2. **Dans ce volet, cliquez sur un en-tête que vous souhaitez calculer.**

3. **Dans le menu local, cliquez sur Déplacer dans la zone Valeurs.**

   Excel place l'en-tête choisi dans la section Valeurs du volet Liste de champs de tableau croisé dynamique. Le compte des éléments apparaît sous l'en-tête, comme à la Figure 9.20.

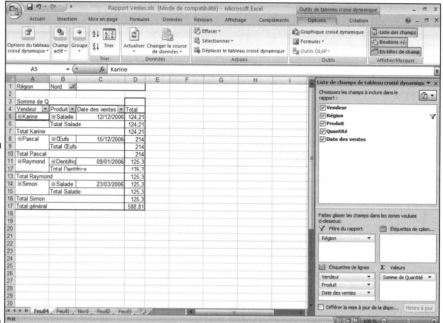

Figure 9.19
Un tableau croisé dynamique filtré affiche uniquement les informations dont vous avez besoin, comme ici le résultat des ventes de la région Nord.

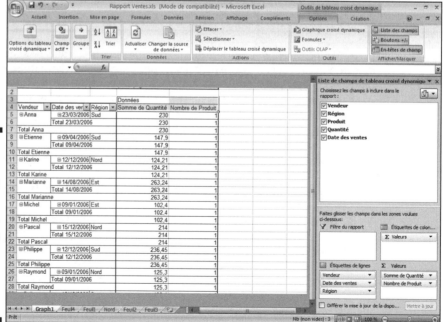

Figure 9.20
Un tableau croisé dynamique peut calculer les occurrences de certaines données comme le nombre des différentes ventes de produits par vendeur.

Quatrième partie

Créer des présentations PowerPoint

"Vous connaissez les gosses – pour eux, les diapositives ne font pas
"in", et si vous leur en montrez, vous êtes complètement "out"."

Dans cette partie...

La peur de prendre la parole en public est l'angoisse numéro un de la plupart des gens. Bien que Microsoft Office 2007 ne puisse pas guérir de cette phobie, il peut vous aider à la surmonter, et de surcroît avec brio. Il suffit d'utiliser le programme de présentation Microsoft PowerPoint. Ce logiciel permet d'organiser et de concevoir des présentations si attractives que l'auditoire ne pensera même pas à jeter un œil sur vous.

L'utilisation de PowerPoint évite bien des paroles et des gesticulations. Finies les explications compliquées, terminés les grands gestes montrant telle ou telle partie d'un diagramme que vous aurez maladroitement dessiné sur un tableau blanc ou un paperboard. Avec PowerPoint, vous présentez un texte consistant, des graphiques, des images, et soutenez l'ensemble avec des sons. Vous rendez votre prestation publique inoubliable.

Dès que vous envisagerez de vous dresser droit comme un i devant un auditoire, lisez cette partie pour apprendre et comprendre comment Power-Point, grâce à des diapositives évoluées, permet de clarifier un propos et de distraire le public tout en l'informant.

Chapitre 10

Créer une présentation PowerPoint

*P*owerPoint agit comme une sorte d'assistant visuel pour donner forme à vos présentations. Jusqu'à présent, vous présentiez vos informations à un large public à grand renfort de transparents disposés sur un projecteur très encombrant. Désormais, vous présentez vos arguments, vos exposés, vos rapports, etc., en utilisant un ordinateur. Sur cet ordinateur se trouve Power-Point, logiciel qui va afficher vos données sous forme de textes et de graphiques.

En plus d'afficher des diapositives, PowerPoint vous permet d'ajouter des notes dont vous seul prendrez connaissance. De même, PowerPoint permet de transformer un diaporama en un document imprimable que vous pourrez donner à votre auditoire pour qu'il suive encore mieux la présentation diffusée par votre ordinateur. Vous concluez de tout ceci que la prochaine fois qu'il vous faudra convaincre un parterre de décideurs, PowerPoint se présentera comme un allié incontournable.

Définir l'objectif de votre présentation

PowerPoint peut créer et délivrer très facilement des présentations. Mais, avant de créer vos fantaisies visuelles avec moult images et couleurs, éloignez-vous de votre ordinateur. En effet, PowerPoint est fait pour mettre en forme vos idées et non pas pour les définir. Il est donc essentiel de coucher sur une feuille de papier les tenants et les aboutissants de votre présentation en pensant à ce qui suit :

- ✔ **Quel est votre but ?** Définissez l'idée maîtresse de votre présentation.

- ✔ **Quel est votre auditoire ?** Une présentation destinée à des ingénieurs et des scientifiques n'aura rien à voir avec celle prevue pour des marchands de frites ou encore des responsables financiers.

- ✔ **Que souhaitez-vous obtenir du public ?** Un orateur expose ses idées pour obtenir quelque chose de ceux qui l'écoutent. Par exemple, un homme politique cherche à obtenir des intentions de votes.

Dès que vous avez bien cerné la raison d'être de votre présentation, le public à qui elle est destinée, et les résultats que vous en attendez, vous êtes prêt à passer aux différentes étapes de sa conception.

Créer une présentation PowerPoint

Une *présentation* PowerPoint consiste en une série de diapositives affichant du texte et des graphiques. *Créer une présentation* signifie ajouter des diapos, taper du texte et insérer des images (ou des représentations graphiques de données comme celles créées avec Excel).

Au premier démarrage de PowerPoint, le programme charge une présentation vierge que vous pouvez modifier à votre convenance.

Si vous avez déjà travaillé dans une présentation et que vous désirez en commencer une nouvelle, suivez ces étapes :

1. **Cliquez sur le bouton Office et choisissez Nouveau.**

   La boîte de dialogue Nouvelle présentation apparaît.

2. **Cliquez sur Nouvelle présentation, puis sur Créer.**

   PowerPoint affiche une diapositive vide avec deux zones de texte, comme à la Figure 10.1.

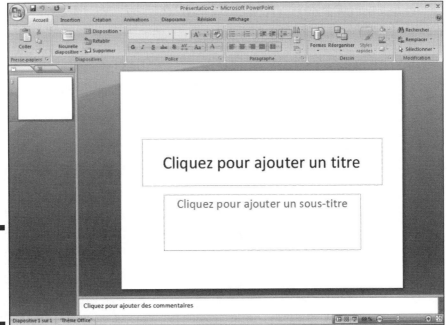

Figure 10.1
Une nouvelle
présentation
commence par
une diapositive
vierge.

Cette diapositive doit être alimentée par un contenu, c'est-à-dire du texte et des graphiques. PowerPoint permet d'y procéder de deux manières :

- ✔ En mode Diapositives.

- ✔ En mode Plan.

Ces deux modes d'affichage permettent d'ajouter, de supprimer, d'organiser et de modifier les diapositives. Ce qui les différencie, c'est qu'en mode _Diapositives_ vous pouvez insérer des images et modifier l'apparence de la diapo. De son côté, le mode _Plan_ montre la structure du diaporama avec les titres et les sous-titres. Ce mode facilite la réorganisation des diapos de votre présentation, mais ne permet pas d'intervenir sur leur aspect visuel.

Il est tout à fait possible de créer une présentation sans utiliser le mode Plan. Je répète que ce mode est spécialisé dans la réorganisation des éléments de la présentation. Le mode Diapositives de son côté montre l'apparence graphique d'une ou plusieurs diapos.

Concevoir une présentation en mode Diapositives

Le mode Diapositives affiche les vignettes des diapos dans le volet gauche, tandis que le volet droit montre le contenu de la diapositive sélectionnée dans le volet gauche, comme à la Figure 10.2.

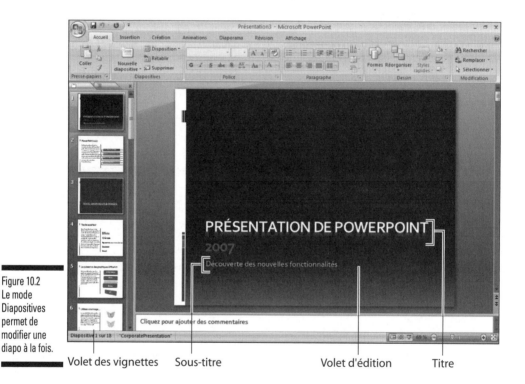

Figure 10.2
Le mode
Diapositives
permet de
modifier une
diapo à la fois.

Volet des vignettes   Sous-titre   Volet d'édition   Titre

Créer une nouvelle diapositive

Pour créer une nouvelle diapositive en mode Diapositives :

1. **Dans le volet des vignettes, cliquez sur une diapo pour la sélectionner.**

2. **Cliquez sur l'onglet Accueil.**

3. **Dans le groupe Diapositives, cliquez sur Nouvelle diapositive.**

PowerPoint insère cette nouvelle diapo après celle sélectionnée à l'étape 1.

Réorganiser des diapositives

Vous pouvez réordonner vos diapositives de la manière suivante :

1. **Dans le volet des vignettes, cliquez sur la diapo à déplacer.**

2. **Maintenez le bouton gauche de la souris enfoncé et faites-la glisser vers le haut ou le bas.**

   PowerPoint affiche une barre horizontale symbolisant l'emplacement qu'occupera la diapo si vous relâchez le bouton gauche de la souris. Plus vous montez ou plus vous descendez dans la hiérarchie des diapos, plus PowerPoint fait défiler le contenu de la présentation.

3. **Relâchez le bouton gauche de la souris dès que la position de la diapo vous convient.**

Masquer et supprimer une diapositive

Si vous n'avez plus besoin d'une diapositive dans votre présentation, vous pouvez la masquer ou la supprimer. Masquer une diapo ne l'élimine pas de la présentation. Elle n'est tout simplement pas affichée. Parfois, vous masquerez une diapo que vous révélerez plus tard dans la présentation, ou bien vous utiliserez une telle diapositive pour y stocker des informations dont vous seul aurez connaissance.

Pour masquer une diapo :

1. **Dans le volet des vignettes, cliquez sur la diapositive à masquer.**

2. **Cliquez sur l'onglet Diaporama.**

3. **Dans le groupe Configurer, cliquez sur le bouton Masquer la diapositive.**

   PowerPoint "grise" la diapo, et sélectionne le bouton Masquer la diapositive quand vous cliquez sur cette diapo masquée.

Pour révéler une diapositive masquée, répétez ces étapes.

Si vous êtes certain ne plus avoir besoin d'une diapositive, supprimez-la. Voici comment procéder :

1. **Cliquez sur la vignette de la diapo à supprimer.**

2. **Cliquez sur l'onglet Accueil.**

3. **Dans le groupe Diapositives, cliquez sur Supprimer.**

   PowerPoint enlève la diapo de la présentation.

Si vous appuyez sur Ctrl+Z ou sur le bouton Annuler de la barre d'outils Accès rapide, vous restaurez la diapo supprimée.

Concevoir une présentation en mode Plan

Le mode Plan affiche le texte des titres et des sous-titres de chaque diapo dans le volet gauche. La diapo correspondante apparaît pleinement dans le volet droit, comme le montre la Figure 10.3.

Le gros intérêt du mode Plan est de permettre la réorganisation des diapositives en fonction de leur contenu. Pour passer du mode Diapositives au mode Plan, cliquez sur l'onglet Plan. Pour revenir au mode Diapositives, cliquez sur l'onglet Diapositives.

Créer une nouvelle diapositive

En mode Plan, chaque en-tête identifie un titre de diapo. Le texte situé juste en dessous correspond à un sous-titre. Pour créer une diapositive en mode Plan :

1. **Cliquez sur l'onglet Plan.**

2. **Dans le volet Plan, cliquez sur un titre de diapositive.**

3. **Effectuez une des actions suivantes :**

   - *Appuyez sur Début pour placer le curseur devant le titre.* La diapositive créée apparaîtra avant.

   - *Appuyez sur Fin pour placer le curseur à la fin du titre.* La diapositive créée apparaîtra après

4. **Appuyez sur Entrée.**

Titre

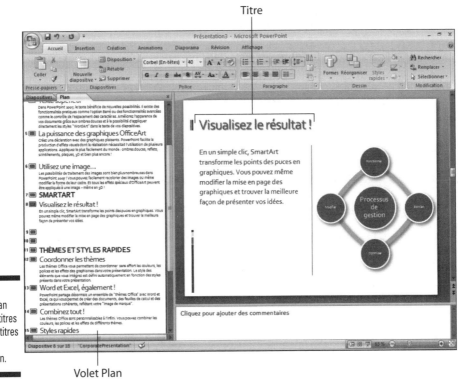

Figure 10.3
Le mode Plan
montre les titres
et les sous-titres
de votre
présentation.

Volet Plan

PowerPoint ajoute une nouvelle diapo vide.

Créer des sous-titres sur une diapositive

Le mode Plan permet de créer des diapositives et de leur ajouter des sous-titres :

1. **Cliquez sur l'onglet Plan pour afficher ce mode.**

2. **Cliquez sur un titre de diapo et appuyez sur la touche Fin pour placer le point d'insertion à la fin de ce titre.**

3. **Appuyez sur Entrée.**

   PowerPoint crée une diapo vide, mais ne nous inquiétez pas.

4. **Appuyez sur la touche Tab.**

PowerPoint revient à la diapo de l'étape 2 et y affiche une zone de saisie de sous-titre. Tapez votre texte.

Réduire et développer des sous-titres

Une grosse présentation se compose de plusieurs dizaines de diapositives dont les sous-titres peuvent s'avérer difficiles à lire. Pour simplifier l'aspect du plan, réduisez ou développez les titres. Voici comment procéder :

1. **Cliquez sur l'onglet Plan pour afficher ce mode.**

2. **Double-cliquez sur l'icône de la diapositive située à gauche du titre.**

   PowerPoint réduit l'affichage du contenu de la diapo en masquant le sous-titre. Une ligne ondulée grise indique que ce titre contient un sous-titre, comme le montre la Figure 10.4.

Titre développé

Figure 10.4
Le mode Plan permet de réduire ou de développer le texte des diapos.

Titre réduit

Pour développer un titre réduit, double-cliquez sur l'icône située à sa gauche.

Réorganiser les diapositives

Le mode Plan facilite la réorganisation des diapos par simple déplacement de leur titre vers le haut ou le bas :

1. **Placez le pointeur de la souris sur l'icône de la diapo située à gauche du titre.**

Le pointeur de la souris prend la forme d'une flèche à quatre têtes.

2. **Maintenez le bouton gauche de la souris enfoncé et faites-la glisser vers le haut ou le bas.**

PowerPoint affiche une barre horizontale grise qui permet de bien distinguer la position virtuelle de la diapo dans la présentation.

3. **Pour positionner la diapo, relâchez le bouton gauche de la souris.**

PowerPoint affiche le titre à sa nouvelle position dans le plan, donc dans la présentation.

Supprimer une diapositive

Pour supprimer une diapo en mode Plan :

1. **Cliquez sur l'icône de la diapositive affichée à gauche du titre.**

2. **Appuyez sur Suppr.**

Travailler avec du texte

La plupart des diapositives contiennent un titre et une zone de texte destinée au sous-titre. Le titre indique généralement le contenu de la diapo, tandis que le sous-titre distille les informations, c'est-à-dire le contenu en question.

Lorsque vous créez une nouvelle diapo, les deux zones de texte, c'est-à-dire titre et sous-titre, sont vides. Elles affichent ce simple message : `Cliquez pour ajouter un titre` et `Cliquez pour ajouter un sous-titre`.

Si vous supprimez tout le texte saisi dans un titre ou un sous-titre, le texte par défaut réapparaît.

Pour ajouter un titre ou un sous-titre :

1. **Cliquez dans la zone de titre ou de sous-titre directement sur la diapo.**

PowerPoint affiche un point d'insertion dans la zone de texte.

2. **Tapez votre texte.**

Vous pouvez également créer du texte de titre et de sous-titre en mode Plan, comme expliqué dans la section ci-avant "Concevoir une présentation en mode Plan".

Pour créer et placer une zone de texte sur une diapositive :

1. **Cliquez sur l'onglet Insertion.**

2. **Dans le groupe Texte, cliquez sur le bouton Zone de texte.**

    Le pointeur de la souris prend la forme d'une croix inversée.

3. **Placez le pointeur de la souris sur la partie de la diapositive où vous désirez créer une zone de texte.**

4. **Maintenez le bouton gauche de la souris enfoncé, et faites-la glisser pour définir la largeur et la hauteur de la zone de texte.**

5. **Relâchez le bouton de la souris.**

    PowerPoint affiche la zone, comme à la Figure 10.5.

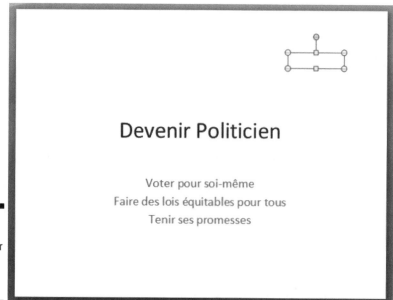

Figure 10.5
PowerPoint
permet de tracer
des zones de
texte sur vos
diapositives.

Tout texte que vous tapez dans une zone n'apparaît pas dans le plan.

Mettre en forme du texte

Une fois que le texte est saisi dans la zone de texte, vous pouvez le mettre en forme en appliquant une police, une taille et de la couleur. Voici comment modifier l'apparence d'un texte :

1. **Cliquez sur l'onglet Accueil.**

2. **Cliquez dans une zone de texte, et sélectionnez le texte à mettre en forme.**

3. **Cliquez sur un des outils suivants, illustrés à la Figure 10.6 :**

Figure 10.6
L'onglet Accueil
contient divers
outils de mise en
forme du texte.

- Liste Police.

- Liste Taille de police.

- Augmenter la taille de police.

- Réduire la taille de police.

- Modifier la casse.

- Gras.

- Italique.

- Souligné.

- Ombre du texte.

- Barré.

- Espacement des caractères.

- Couleur de police.

Aligner du texte

Dans les zones de texte, PowerPoint peut aligner du texte horizontalement et verticalement :

1. **Cliquez sur l'onglet Accueil.**

2. **Cliquez dans une zone de texte et sélectionnez celui que vous désirez aligner.**

3. **Cliquez sur un des outils d'alignement du groupe Paragraphe :**

   - Aligner le texte à gauche.

   - Centrer.

   - Aligner le texte à droite.

   - Justifier.

   - Aligner le texte (en haut, au milieu, en bas, centré par le haut, centré par le milieu et centré par le bas).

4. **Dans le groupe Paragraphe, cliquez sur le bouton Aligner le texte.**

   Un menu local s'affiche, comme à la Figure 10.7.

5. **Choisissez une des options d'alignement vertical comme Haut ou Milieu.**

Ajuster l'interligne

L'*interligne* définit l'espace entre chaque ligne d'une zone de texte. Voici comment le régler :

1. **Cliquez dans la zone de texte contenant le texte à ajuster.**

2. **Cliquez sur l'onglet Accueil.**

3. **Dans le groupe Paragraphe, cliquez sur le bouton Interligne.**

   Un menu local apparaît, comme à la Figure 10.8.

4. **Sélectionnez une valeur d'espacement des lignes comme 1,5 ou 2.**

   PowerPoint ajuste l'interligne en conséquence.

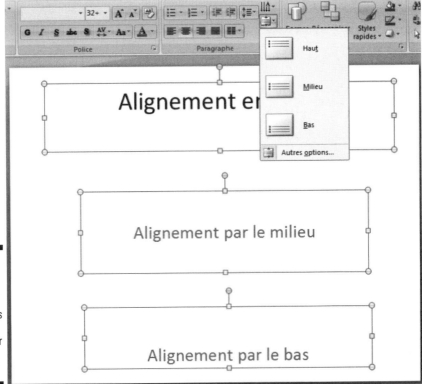

Figure 10.7
Le bouton
Aligner le texte
propose
plusieurs options
d'alignement du
texte à l'intérieur
des zones de
texte.

Figure 10.8
Le bouton
Interligne
propose
plusieurs valeurs
d'espacement
des lignes.

Créer des listes numérotées et à puces

PowerPoint a la capacité d'afficher du texte sous forme de listes à puces ou numérotées. Le choix de la création des listes peut se faire avant ou après la saisie du texte.

Pour créer une liste à puces ou numérotée :

1. **Cliquez dans une zone de texte.**

2. **Cliquez sur l'onglet Accueil.**

3. **Dans le groupe Paragraphe, cliquez sur le bouton Puces ou Numérotation.**

   Un menu local s'affiche, comme à la Figure 10.9.

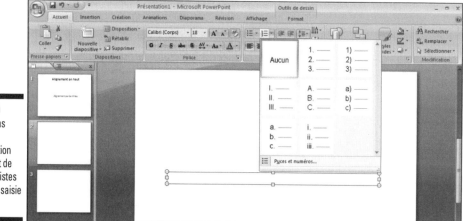

Figure 10.9
Les boutons
Puces et
Numérotation
permettent de
créer des listes
pendant la saisie
du texte.

4. **Choisissez une option de numérotation ou de puce.**

   La zone de texte affiche alors une puce ou un chiffre.

5. **Tapez votre texte et appuyez sur Entrée.**

   Dès que vous appuyez sur Entrée, PowerPoint crée une nouvelle puce ou un nouveau numéro.

Si vous disposez déjà d'un texte, convertissez-le en liste à puces ou numérotée. Voici la procédure à suivre :

1. **Cliquez dans la zone de texte contenant le texte à convertir en liste.**

2. **Sélectionnez le texte à convertir.**

3. **Cliquez sur l'onglet Accueil.**

4. **Dans le groupe Paragraphe, cliquez sur le bouton Puces ou Numérotation.**

PowerPoint convertit votre texte en liste.

PowerPoint affiche chaque paragraphe sous la forme d'une puce ou d'un numéro. Un *paragraphe* représente tout texte se terminant par une marque de paragraphe (¶), caractère invisible par défaut que vous créez chaque fois que vous appuyez sur la touche Entrée.

Créer des colonnes

Dans une zone de texte, le texte peut être réparti sur plusieurs colonnes. C'est très utile quand vous devez présenter de longues énumérations sur une seule diapositive. Voici comment effectuer cette répartition :

1. **Cliquez sur la zone de texte que vous souhaitez diviser en colonnes.**

2. **Cliquez sur l'onglet Accueil.**

3. **Dans le groupe Paragraphe, cliquez sur le bouton Colonnes.**

Comme vous le voyez à la Figure 10.10, un menu local apparaît.

Figure 10.10
N'importe quelle zone de texte peut être divisée en colonnes.

4. **Cliquez sur une option de colonne, comme deux ou trois.**

PowerPoint répartit le texte sur le nombre de colonnes choisi.

Déplacer et redimensionner une zone de texte

PowerPoint permet de déplacer les zones de texte n'importe où sur la diapositive. Voici comment procéder :

1. **Placez le pointeur de la souris sur un des bords de la zone de texte à déplacer.**

   Le pointeur prend la forme d'une flèche à quatre têtes.

2. **Maintenez enfoncé le bouton gauche de la souris et faites glisser le pointeur pour déplacer la zone de texte.**

3. **Dès que la zone est en bonne position, relâchez le bouton de la souris.**

Pour redimensionner une zone de texte :

1. **Cliquez sur la zone de texte à redimensionner.**

   PowerPoint affiche des poignées autour de la zone de texte, comme à la Figure 10.11.

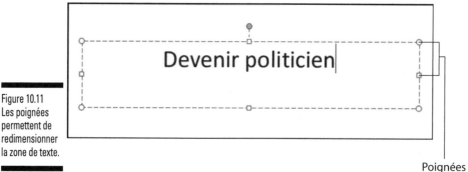

Figure 10.11
Les poignées
permettent de
redimensionner
la zone de texte.

Poignées

2. **Placez le pointeur de la souris sur une poignée.**

   Il prend la forme d'une flèche diagonale à deux têtes.

3. **Maintenez enfoncé le bouton gauche de la souris, et faites glisser le pointeur.**

Vous augmentez la taille de la zone quand vous tirez la poignée vers l'extérieur, et vous la réduisez lorsque vous la tirez vers l'intérieur.

4. **Relâchez le bouton de la souris dès que la taille vous convient.**

Pivoter une zone de texte

N'importe quelle zone de texte peut pivoter sans problème. Voici la marche à suivre :

1. **Cliquez sur la zone de texte à faire pivoter.**

   PowerPoint affiche une poignée de rotation verte, comme identifiée sur la Figure 10.12.

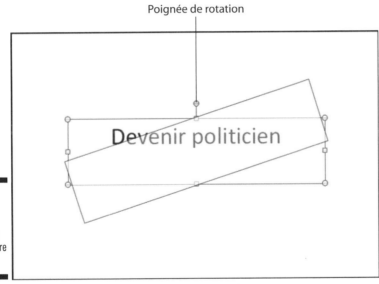

Poignée de rotation

Figure 10.12
La poignée de rotation fait tourner la zone de texte sur votre diapositive.

2. **Placez le pointeur de la souris sur la poignée de rotation.**

   Le pointeur prend la forme d'une flèche circulaire.

3. **Maintenez enfoncé le bouton gauche de la souris et faites glisser le pointeur pour pivoter la zone de texte.**

Si vous maintenez enfoncée la touche Maj pendant que vous bougez le pointeur, vous faites pivoter la zone de texte par paliers de 15 degrés.

4. **Relâchez le bouton gauche de la souris dès que vous êtes satisfait de la position de la zone de texte.**

Bien que de travers, le contenu de la zone de texte peut être modifié

Chapitre 11

Ajouter de la couleur et des images à une présentation

....

Dans ce chapitre :

▷ Utiliser des thèmes.

▷ Modifier un arrière-plan.

▷ Ajouter des graphiques.

▷ Afficher des vidéos sur une diapositive.

▷ Sonoriser une présentation.

....

*P*our obtenir une présentation visuellement plus séduisante, PowerPoint permet d'ajouter de la couleur et des images à vos diapositives. Bien entendu, si votre présentation est vide de sens, ne comptez pas sur la couleur et les images pour lui en donner. En revanche, une présentation riche en informations peut tirer profit des couleurs et des images pour en rendre la diffusion plus agréable.

Appliquer un thème

Par défaut, PowerPoint affiche chaque diapositive sur un fond blanc. Bien qu'il soit possible de modifier la couleur sur chaque diapo, vous gagnerez du temps en utilisant les *thèmes*. Un *thème* fournit un ensemble de couleurs prédéfinies et une structure qui s'appliquent à chacune des diapos de manière à donner à la présentation un aspect graphique cohérent et très professionnel.

Pour définir un thème :

1. **Cliquez sur l'onglet Création.**

2. **Dans le groupe Thèmes, cliquez sur le bouton Autres.**

   Un menu s'affiche, comme à la Figure 11.1.

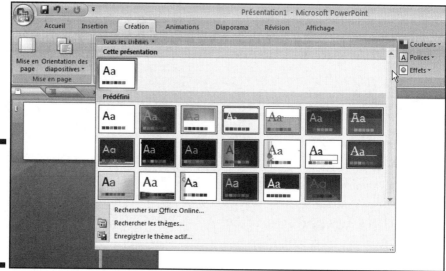

Figure 11.1
Les thèmes
proposent des
arrière-plans
prédéfinis que
vous appliquez
à vos présen-
tations.

Si vous placez le pointeur de la souris sur un thème, PowerPoint affiche un aperçu instantané.

3. **Cliquez sur un thème.**

   PowerPoint applique ce thème sur vos diapos.

4. **Dans le groupe Thèmes, cliquez sur le bouton Couleurs.**

   Une palette apparaît. Choisissez la couleur à appliquer à votre présentation, comme à la Figure 11.2.

5. **Cliquez sur une couleur.**

   PowerPoint applique cette nouvelle couleur au thème choisi.

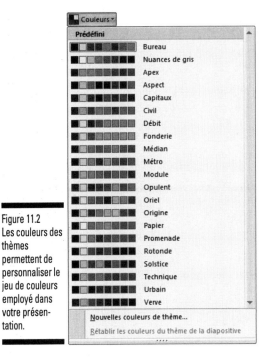

Figure 11.2
Les couleurs des thèmes permettent de personnaliser le jeu de couleurs employé dans votre présentation.

6. **Cliquez sur le bouton Polices du groupe Thèmes.**

   Un menu liste les polices que vous pouvez appliquer par défaut à votre présentation, comme le montre la Figure 11.3.

7. **Cliquez sur une police.**

8. **Dans le groupe Thèmes, cliquez sur le bouton Effets.**

   Un menu local liste les différents effets que vous pouvez appliquer à la présentation, comme Capitaux ou Métro.

Modifier l'arrière-plan

Une autre manière de modifier l'apparence de votre présentation consiste à choisir un autre arrière-plan pour vos diapositives. Vous pouvez choisir parmi des thèmes en suivant les étapes ci-dessous :

1. **Cliquez sur l'onglet Création.**

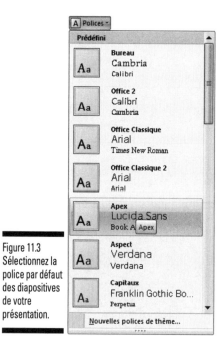

Figure 11.3
Sélectionnez la police par défaut des diapositives de votre présentation.

2. Dans le groupe Arrière-plan, cliquez sur Styles d'arrière-plan.

Une galerie s'affiche, comme à la Figure 11.4.

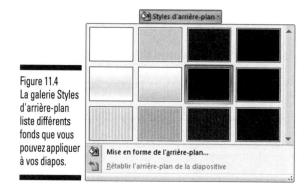

Figure 11.4
La galerie Styles d'arrière-plan liste différents fonds que vous pouvez appliquer à vos diapos.

3. Cliquez sur un style d'arrière-plan.

PowerPoint applique le style choisi sur toutes les diapos de votre présentation.

Choisir un arrière-plan uni

Plutôt que de sélectionner un thème d'arrière-plan, vous souhaiterez choisir l'option de la sobriété en appliquant un fond uni. Dans ce cas, vous devez faire attention à une chose essentielle : il ne faut pas que la couleur sélectionnée rende invisibles certains éléments de vos diapositives. Par exemple, si vous utilisez un fond noir, n'écrivez pas le texte des titres et des sous-titres en noir. Parfois, bien que les couleurs se distinguent nettement l'une de l'autre, la lecture du texte peut donner mal aux yeux.

Pour éviter ces problèmes, vous pouvez jouer sur la transparence de la couleur qui mettra alors en évidence vos textes et vos graphiques. La couleur d'arrière-plan sera alors plus claire ou plus foncée.

Pour appliquer une couleur unie comme arrière-plan :

1. **Cliquez sur l'onglet Création.**

2. **Dans le groupe Arrière-plan, cliquez sur le bouton Styles d'arrière-plan.**

3. **Dans la galerie des styles, cliquez sur Mise en forme de l'arrière-plan.**

   La boîte de dialogue éponyme s'affiche, comme à la Figure 11.5.

4. **Activez le bouton radio Remplissage uni.**

5. **Cliquez sur le bouton Couleur.**

   Dans la palette qui s'affiche, cliquez sur la couleur à utiliser, comme le montre la Figure 11.6.

6. **Cliquez sur une couleur.**

   PowerPoint remplit l'arrière-plan de la diapositive avec cette teinte.

7. **(Facultatif) Faites glisser le curseur Transparence vers la droite ou la gauche pour rendre la couleur appliquée plus ou moins opaque.**

   Plus le pourcentage est élevé, plus la couleur devient claire.

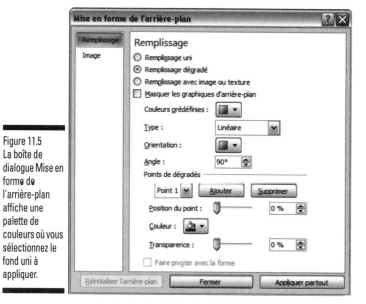

Figure 11.5
La boîte de dialogue Mise en forme de l'arrière-plan affiche une palette de couleurs où vous sélectionnez le fond uni à appliquer.

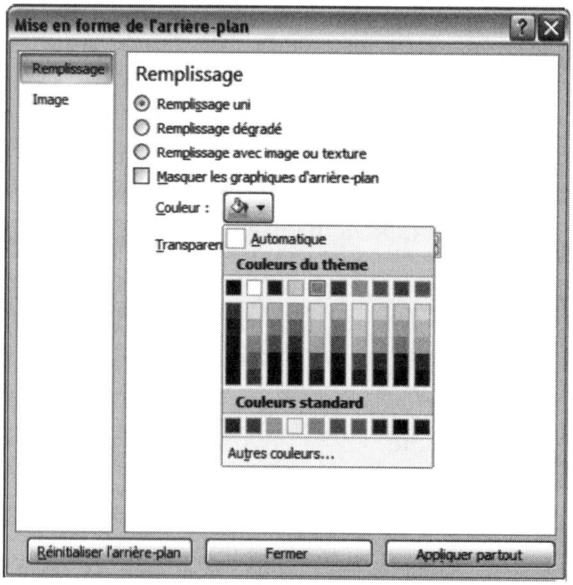

Figure 11.6
Le bouton Couleur affiche une palette où vous sélectionnez la couleur unie de l'arrière-plan.

8. **(Facultatif) Cliquez sur le bouton Appliquer partout pour que la couleur choisie remplisse le fond de chaque diapo de la présentation.**

Si vous ne cliquez par sur ce bouton, la modification n'apparaît que sur la diapo qui était sélectionnée au moment où vous avez invoqué cette commande.

9. **Cliquez sur Fermer.**

Appliquer un arrière-plan dégradé

Un *dégradé*, comme vous devez le savoir, affiche graduellement une couleur, ou bien assure la transition progressive entre plusieurs couleurs. Un dégradé est constitué de un ou plusieurs points de dégradé. Les *points* définissent où commencent et où s'arrêtent vos couleurs. Vous pouvez bien entendu ajouter de la *transparence* qui va contrôler l'opacité de la couleur. La *direction du dégradé* définit son aspect, soit vertical ou diagonal.

Pour définir un arrière-plan dégradé :

1. **Cliquez sur l'onglet Création.**

2. **Dans le groupe Arrière-plan, cliquez sur le bouton Styles d'arrière-plan.**

3. **Dans la galerie qui s'affiche, cliquez sur Mise en forme de l'arrière-plan.**

4. **Dans la boîte de dialogue éponyme, activez le bouton Remplissage dégradé.**

   La boîte de dialogue affiche une série de paramètres supplémentaires, comme le montre la Figure 11.7.

Si vous cliquez sur le bouton Couleurs prédéfinies, vous faites votre choix dans une vaste galerie de dégradés prédéfinis.

5. **Dans la section Points de dégradé, cliquez sur la liste et choisissez Point 1.**

6. **Cliquez sur le bouton Couleur.**

   Une palette s'affiche.

7. **Cliquez sur une couleur.**

   PowerPoint affiche la couleur sélectionnée sous forme d'un dégradé.

Figure 11.7
Les options de
dégradé de la
boîte de dialogue
Mise en forme
de l'arrière-plan.

8. **Faites glisser le curseur Position du point pour définir la manière dont la teinte va effectuer son dégradé.**

   Vous spécifiez ainsi où commence et où se termine le dégradé sur la diapositive.

9. **Faites glisser le curseur Transparence vers la droite ou la gauche.**

   Ce paramètre définit l'opacité de la teinte. A 0 %, la couleur est totalement opaque, tandis qu'à 100 %, et en fonction de la position du point, la fin de la couleur est transparente.

10. **Cliquez sur la liste Type, et choisissez une option telle que Radial ou Linéaire.**

11. **Répétez les étapes 5 à 8 pour définir éventuellement un Point 2.**

12. **(Facultatif) Cliquez sur le bouton Appliquer partout pour que l'arrière-plan en dégradé s'affiche sur chaque diapo de la présentation.**

   Si vous ne cliquez pas sur ce bouton, PowerPoint limite l'arrière-plan dégradé à la diapositive sélectionnée au moment où vous avez invoqué cette commande.

13. **Cliquez sur Fermer.**

Choisir une image d'arrière-plan

Une image, comme un clipart ou une photo venant d'un appareil photo numérique, peut servir d'arrière-plan. Vous définirez sa transparence de manière à faciliter la lecture du texte des titres et des sous-titres.

Pour ajouter une image d'arrière-plan à vos diapositives :

1. **Cliquez sur l'onglet Création.**

2. **Dans le groupe Arrière-plan, cliquez sur Styles d'arrière-plan.**

3. **Dans la galerie des styles, cliquez sur le bouton Mise en forme de l'arrière-plan.**

4. **Dans la boîte de dialogue éponyme, activez le bouton radio Remplissage avec image ou texture.**

   La boîte de dialogue affiche de nouveaux paramètres, illustrés à la Figure 11.8.

5. **Choisissez une des options suivantes :**

   - *Fichier :* Permet de sélectionner un fichier graphique stocké sur votre disque dur. Quand la boîte de dialogue Insérer une image apparaît, parcourez vos différents lecteurs (disques durs) et dossiers, et cliquez sur l'image à utiliser. Ensuite, faites un clic sur le bouton Insérer.

   - *Presse-papiers :* Colle un élément graphique que vous avez préalablement copié dans le Presse-papiers de Windows à partir d'un programme comme Paint Shop Pro, Paint ou encore Photoshop.

   - *ClipArt :* Affiche une collection d'images. Sélectionnez-en une puis cliquez sur OK.

6. **Faites glisser le curseur Transparence pour rendre l'image insérée plus ou moins opaque.**

7. **(Facultatif) Cliquez sur le bouton Appliquer partout si vous souhaitez que l'image apparaisse comme arrière-plan de chaque diapo de la présentation.**

   Si vous ne cliquez pas sur ce bouton, l'image choisie ne s'affiche que sur la diapositive sélectionnée lorsque vous avez invoqué cette commande.

8. **Cliquez sur Fermer.**

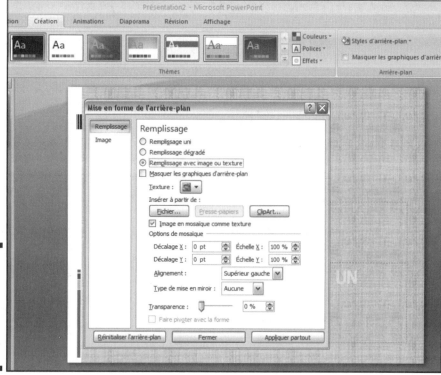

Figure 11.8
Les options permettant d'appliquer une image ou une texture comme arrière-plan des diapositives.

Ajouter des graphiques à une diapositive

Donnez du piment à vos présentations en insérant des graphiques sur une ou plusieurs diapositives. Ces images peuvent être informatives, comme la représentation graphique de données statistiques, ou décoratives, comme une émoticône souriante qui ajoute un zeste de décontraction à une présentation qui pourrait devenir austère.

Une présentation PowerPoint peut s'enrichir de trois types d'images :

- **Fichiers image :** Y compris des photos stockées sur votre disque dur provenant d'un scanner ou d'un appareil photo numérique.

- **Graphiques :** Des représentations graphiques de données comme vous en créez dans Excel, c'est-à-dire des graphiques à secteurs, des histogrammes ou encore des courbes.

- **WordArt :** Un objet textuel très graphique.

Placer des fichiers images sur une diapositive

Pour donner plus de vie à une présentation, insérez des images stockées sur votre ordinateur. Voici comment procéder :

1. **Cliquez sur une diapositive (en mode Diapositives ou Plan) pour l'afficher dans la partie droite de l'interface de PowerPoint.**

2. **Cliquez sur l'onglet Insertion.**

3. **Dans le groupe Illustrations, cliquez sur le bouton Image.**

   La boîte de dialogue Insérer une image apparaît, comme à la Figure 11.9. Vous pouvez choisir les dossiers et lecteurs dans lesquels vous sélectionnerez votre fichier graphique.

Figure 11.9
Parcourez les lecteurs et dossiers de votre ordinateur pour choisir le fichier image à insérer dans votre présentation.

4. **Cliquez sur le fichier image à appliquer, puis sur le bouton Insérer.**

   PowerPoint affiche l'image sur la diapositive sélectionnée à l'étape 1. Vous pouvez alors redimensionner l'image et/ou la déplacer.

Placer un clipart sur une diapositive

Les *cliparts* sont des illustrations vectorielles livrées avec PowerPoint. Voici comment ajouter un clipart à une diapositive :

1. **En mode Diapositives ou Plan, cliquez sur une diapositive pour afficher son contenu dans la partie droite de l'interface de PowerPoint.**

2. **Cliquez sur l'onglet Insertion.**

3. **Dans le groupe Illustrations, cliquez sur le bouton Images clipart.**

   Le volet éponyme apparaît sur le côté droit de la fenêtre, comme à la Figure 11.10.

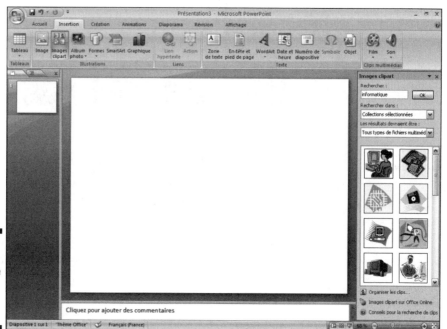

Figure 11.10
Le volet Images clipart permet de chercher le type de clipart à insérer.

4. **Dans le champ Rechercher, tapez un mot qui décrit la catégorie de cliparts que vous désirez trouver.**

5. **Cliquez sur OK.**

Le volet Images clipart affiche les vignettes des cliparts correspondant à votre demande.

6. **Cliquez sur le clipart à utiliser.**

   PowerPoint l'affiche immédiatement dans la diapositive. Vous pouvez le déplacer et/ou le redimensionner.

7. **(Facultatif) Cliquez sur le bouton Fermer du volet Images clipart.**

Créer des objets WordArt

La fonction WordArt permet de créer des éléments textuels très graphiques. Ils servent principalement aux titres des diapositives. Voici comment en insérer dans vos présentations :

1. **En mode Diapositives ou Plan, cliquez sur une diapositive pour afficher son contenu dans la partie droite de l'interface de PowerPoint.**

2. **Cliquez sur l'onglet Insertion.**

3. **Dans le groupe Texte, cliquez sur le bouton WordArt.**

   Une galerie apparaît, comme à la Figure 11.11.

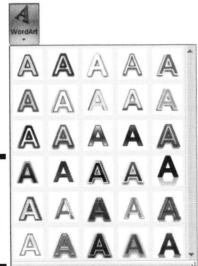

Figure 11.11
La galerie des styles WordArt permet de choisir l'aspect graphique de votre texte.

4. Cliquez sur le style WordArt à utiliser.

PowerPoint affiche une zone de texte WordArt contenant Votre texte ici.

5. Remplacez le texte en tapant le vôtre.

Redimensionner, déplacer et supprimer des graphiques

Lorsque vous insérez des graphiques dans vos présentations PowerPoint, vous serez souvent amené à les redimensionner et/ou à les déplacer. Pour redimensionner une image :

1. Sur la diapo, cliquez sur le graphique (photo, clipart, graphique ou WordArt) à redimensionner.

PowerPoint affiche des poignées autour de l'élément.

2. Placez le pointeur de la souris sur une des poignées.

Il prend la forme d'une flèche à deux têtes.

3. Maintenez enfoncé le bouton gauche de la souris, et faites glisser le pointeur.

PowerPoint redimensionne le graphique choisi.

4. Relâchez le bouton gauche de la souris dès que la taille de l'élément vous convient.

Pour déplacer un graphique :

1. Placez le pointeur de la souris sur un des bords du graphique à déplacer.

Le pointeur prend la forme d'une flèche à quatre têtes.

2. Maintenez le bouton gauche de la souris enfoncé, et faites glisser le pointeur pour déplacer l'élément.

3. Dès que le graphique est à la position désirée, relâchez le bouton de la souris.

Il se peut que l'insertion d'une image ne vous donne pas entière satisfaction. Dans ce cas, supprimez-la de cette manière :

1. **Cliquez sur le graphique à effacer.**

   PowerPoint affiche le cadre de sélection muni de poignées.

2. **Appuyez sur la touche Suppr.**

   PowerPoint supprime le graphique de la diapositive.

Pivoter un graphique

Vous souhaiterez sans doute faire pivoter des images pour ajouter un effet visuel à vos diapositives. Pour effectuer pareille rotation horizontale ou verticale :

1. **Cliquez sur le graphique à faire pivoter.**

   PowerPoint affiche un cadre de sélection muni de poignées, dont l'une d'elles est ronde et verte.

2. **Placez le pointeur de la souris sur la poignée de rotation.**

   Il prend la forme d'une flèche circulaire.

3. **Maintenez enfoncé le bouton gauche de la souris, et faites glisser le pointeur dans le sens de rotation voulu.**

   Si vous appuyez sur la touche Maj, vous effectuez une rotation par pas de 15 degrés.

4. **Relâchez le bouton gauche de la souris dès que la rotation de l'image vous convient.**

Empiler des objets

PowerPoint traite les graphiques et les zones de texte (voir le Chapitre 10) comme des objets que vous pouvez déplacer sur une diapositive. Si vous placez un objet sur un autre, il peut l'occulter en tout ou partie, comme à la Figure 11.12.

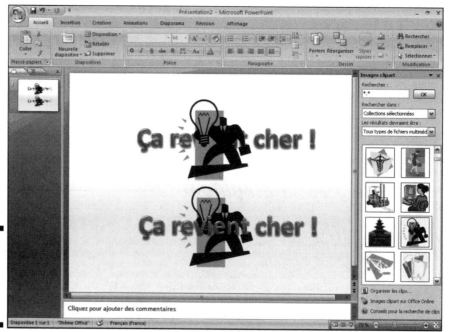

Il est très facile de modifier l'empilement des objets pour produire des effets visuels intéressants :

1. **Cliquez sur le graphique à déplacer.**

   L'onglet Format apparaît.

2. **Dans le groupe Organiser, cliquez sur le bouton Mettre au premier plan ou Mettre à l'arrière-plan.**

   PowerPoint modifie l'ordre des graphiques.

Ajouter des vidéos à une diapositive

Les présentations PowerPoint peuvent aussi s'enrichir de vidéos ou d'animations. Les animations prennent la forme de fichiers GIF animés fournis avec PowerPoint, tandis que les vidéos sont des fichiers conçus par vos soins ou téléchargés sur Internet.

Ajouter une animation à une diapositive

PowerPoint contient une collection d'animations que vous pouvez placer sur une diapositive afin d'en améliorer l'aspect visuel et renforcer l'impact qu'elle produit sur l'auditoire. Pour insérer une telle animation :

1. **En mode Diapositives ou Plan, cliquez sur la diapo où vous voulez insérer une animation.**

2. **Cliquez sur l'onglet Insertion.**

3. **Dans le groupe Clips multimédias, cliquez sur la flèche du bouton Film.**

4. **Dans ce menu local, choisissez Film de la Bibliothèque multimédia.**

   Le volet Images clipart apparaît sur la droite de la fenêtre, comme le montre la Figure 11.13.

Figure 11.13
Le volet Images clipart affiche diverses animations que vous pouvez insérer dans vos présentations.

5. **Cliquez sur une animation.**

PowerPoint l'insère dans la diapositive actuellement affichée. (Vous pouvez la redimensionner et/ou la déplacer.)

Pour voir l'animation, vous devez lancer la diffusion de la présentation en appuyant sur F5.

Ajouter une vidéo à une diapositive

Les diapositives des présentations PowerPoint peuvent diffuser de la vidéo, c'est-à-dire des films dans le jargon de ce programme. Lorsque vous insérez un film dans une diapo, vous pouvez le redimensionner et le déplacer. Lors de la lecture de la présentation, la vidéo se diffusera dès que la diapositive sur laquelle elle est insérée s'affichera. Vous pouvez également programmer le diaporama de telle sorte que la diffusion de la vidéo ne se fasse que si vous cliquez sur le bouton gauche de la souris.

PowerPoint peut utiliser les formats vidéo les plus répandus sous Windows, c'est-à-dire AVI, MPEG, ASF (*streaming video* ou vidéo en flux continu), et les fichiers WMV. Si votre film est dans un autre format comme QuickTime, vous devez préalablement le convertir.

Pour ajouter une vidéo sur une diapositive :

1. **Cliquez sur la diapositive (en mode Plan ou Diapositives) sur laquelle vous désirez insérer le fichier vidéo.**

2. **Cliquez sur l'onglet Insertion.**

3. **Dans le groupe Clips multimédias, cliquez sur la flèche du bouton Film.**

4. **Dans le menu local, cliquez sur Film à partir d'un fichier.**

5. **Naviguez parmi les lecteurs et dossiers de votre disque dur, et cliquez sur le fichier vidéo à insérer. Validez par un clic sur OK.**

   PowerPoint affiche la vidéo dans une zone spécifique, et un message vous demande comment gérer sa lecture : automatiquement ou par un clic, comme vous le voyez à la Figure 11.14.

6. **Cliquez sur Automatiquement ou sur Lorsque vous cliquez dessus.**

7. **Placez le pointeur de la souris sur la vidéo.**

Figure 11.14
Indiquez si la
vidéo sera lue
automatique-
ment ou suite à
un clic de souris.

Le pointeur prend la forme d'une flèche à quatre têtes.

8. **Maintenez le bouton gauche de la souris enfoncé et placez-la convena-
blement sur votre diapositive.**

9. **Placez le pointeur de la souris sur un des angles de la zone occupée
par la vidéo.**

Le pointeur de la souris prend la forme d'une flèche diagonale à deux
têtes.

10. **Maintenez le bouton gauche de la souris enfoncé et redimensionnez
la vidéo.**

Pour voir la vidéo, vous devez lancer la lecture de la présentation en appuyant
sur F5.

Sonoriser une diapositive

La sonorisation d'une diapositive peut consister en un simple effet sonore (comme un coup de feu), ou en une narration expliquant comment améliorer ses revenus au point de se faire un joli matelas de 500 000 euros (on peut rêver).

Les trois types de fichiers audio que vous pouvez insérer dans une présentation sont : des fichiers son stockés sur votre ordinateur, des fichiers de Power-Point et des pistes d'un CD audio.

PowerPoint accepte les fichiers audio dont le format est le plus répandu, c'est-à-dire AIFF, MIDI, MP3 et WAV (étant précisé qu'un fichier MIDI n'est pas un fichier audio comme les trois autres ; ceci est une autre histoire, mais cette précision est donnée pour éviter qu'un spécialiste de la M.A.O. ne vienne me titiller sur un point où il aurait tout à fait raison de le faire !). Pour ajouter un fichier audio à une diapositive, suivez ces étapes :

1. **En mode Plan ou Diapositives, cliquez sur la diapo où vous souhaitez insérer un son.**

2. **Cliquez sur l'onglet Insertion.**

3. **Dans le groupe Clips multimédias, cliquez sur la flèche du bouton Son.**

   Un menu local apparaît, comme à la Figure 11.15.

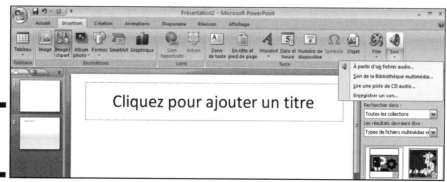

Figure 11.15
Choisissez un type de fichier audio à insérer.

4. **Choisissez A partir d'un fichier audio.**

5. **Dans la boîte de dialogue Insérer un objet son, localisez le fichier audio, puis cliquez sur OK.**

   L'icône d'un haut-parleur apparaît sur la diapo. Un message vous demande si le son sera lu automatiquement à l'affichage de la diapo ou si l'utilisateur devra cliquer sur l'icône.

6. **Cliquez sur Automatiquement ou sur Lorsque vous cliquez dessus.**

   Déplacez l'icône du haut-parleur si elle occulte un autre élément de la diapositive.

Pour entendre le son, vous devez diffuser la présentation en appuyant sur F5.

Ajouter un clip audio à une présentation

PowerPoint dispose d'une bibliothèque de bruitages comme des applaudissements et des acclamations. Voici comment insérer ce type de bruitage :

1. **En mode Plan ou Diapositives, cliquez sur la diapo où vous souhaitez insérer un son.**

2. **Cliquez sur l'onglet Insertion.**

3. **Dans le groupe Clips multimédias, cliquez sur la flèche du bouton Son.**

   Un menu local apparaît, comme à la Figure 11.15.

4. **Choisissez Son de la bibliothèque multimédia.**

   Le volet Images clipart s'affiche.

   Vous pouvez pré-écouter un son en cliquant sur sa flèche dans la bibliothèque de sons, puis en choisissant Aperçu et propriétés.

5. **Cliquez sur le fichier audio que vous désirez ajouter.**

   L'icône d'un haut-parleur apparaît sur la diapo. Un message vous demande si le son sera lu automatiquement à l'affichage de la diapo ou si l'utilisateur devra cliquer sur l'icône.

6. **Cliquez sur Automatiquement ou sur Lorsque vous cliquez dessus.**

Déplacez l'icône du haut-parleur si elle occulte un autre élément de la diapositive.

Pour entendre le son, vous devez diffuser la présentation en appuyant sur F5.

Ajouter une piste de CD audio à votre présentation

Pendant la diffusion d'une présentation, vous pouvez jouer le contenu d'une ou plusieurs pistes d'un CD audio. Voici comment procéder :

1. **En mode Plan ou Diapositives, cliquez sur la diapo où vous souhaitez insérer un son.**

2. **Insérez un CD audio dans le lecteur de CD ou de DVD de votre ordinateur.**

3. **Cliquez sur l'onglet Insertion.**

4. **Dans le groupe Clips multimédias, cliquez sur la flèche du bouton Son.**

   Un menu local apparaît, comme à la Figure 11.15.

5. **Choisissez Lire une piste de CD audio.**

   La boîte de dialogue Insérez un CD audio apparaît, comme à la Figure 11.16.

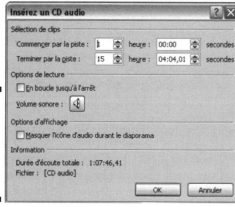

Figure 11.16
La boîte de dialogue Insérez un CD audio permet de choisir la piste à jouer.

6. **Avec les options Commencer par la piste et Terminer par la piste, définissez la ou les plages du CD qui seront lues.**

7. **Dans les champs Secondes, définissez la durée à partir de laquelle le CD audio sera lu et celle où la lecture s'arrêtera.**

   En fait, vous définissez la durée de lecture de la ou des plages sélectionnées.

8. **Cliquez sur OK.**

   L'icône d'un CD apparaît sur la diapo. Un message vous demande si le son sera lu automatiquement à l'affichage de la diapo ou si l'utilisateur devra cliquer sur l'icône.

9. **Cliquez sur Automatiquement ou sur Lorsque vous cliquez dessus.**

   Déplacez l'icône du CD si elle occulte un autre élément de la diapositive.

Pour entendre le son, vous devez diffuser la présentation en appuyant sur F5.

Faites attention de ne pas enfreindre les lois sur le copyright quand vous utilisez un CD audio. En fonction du contexte de présentation de votre diaporama, cette diffusion musicale peut s'avérer contraire à la loi.

Chapitre 12

Diffuser une présentation

*L*e but ultime d'une présentation PowerPoint est de la diffuser à un auditoire. Grâce à des effets spéciaux, PowerPoint transforme un banal diaporama en une véritable production hollywoodienne agréable aussi bien pour les yeux que pour les oreilles.

PowerPoint dispose également d'une fonction d'impression de la présentation sous forme d'un document que vous pouvez distribuer au public. En effet, les personnes présentes veulent souvent prendre des notes (ou dessiner quand la réunion les ennuie).

Vérification orthographique de la présentation

La meilleure présentation du monde deviendra vite ridicule si elle est bourrée de fautes de frappe. ("Faute de frappe" est un terme élégant que l'on utilise pour ne pas froisser les personnes nulles en orthograf. Pour éviter une telle dépréciation de votre travail, PowerPoint est capable de vérifier l'orthographe de toute la présentation.

PowerPoint souligne d'une ondulation rouge les mots mal orthographiés ou du moins dont il ne reconnaît pas l'orthographe. Si vous effectuez un clic-droit sur un tel mot, un menu contextuel propose des corrections. Cliquez sur celle qui convient.

Voici comment effectuer la vérification orthographique de votre présentation :

1. **Cliquez sur l'onglet Révision.**

2. **Cliquez sur le bouton Orthographe.**

   PowerPoint affiche la boîte de dialogue éponyme dès qu'un mot incorrect est rencontré, comme à la Figure 12.1.

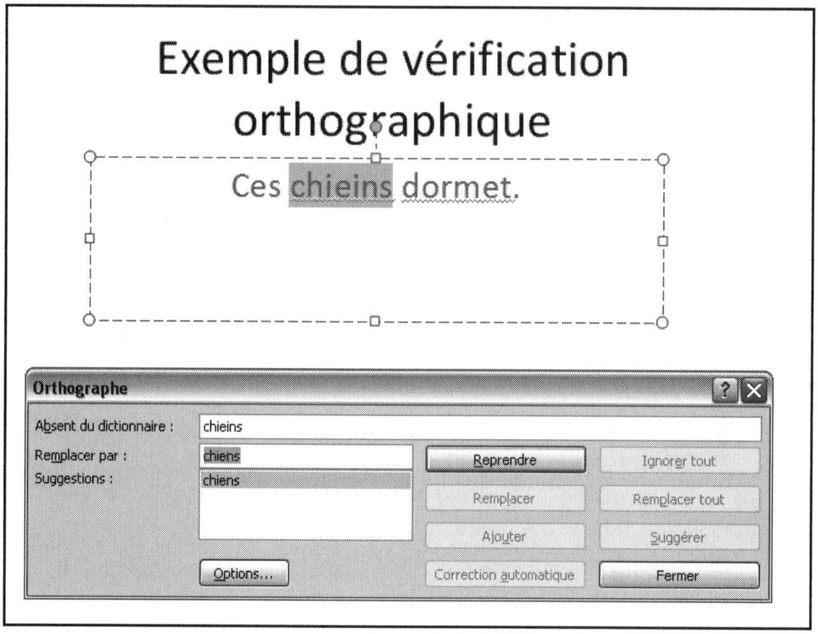

Figure 12.1
La boîte de dialogue Orthographe peut identifier les fautes de frappe.

> ## Exemple de vérification orthographique
>
> Ces chieins dormet.
>
> **Orthographe**
>
> Absent du dictionnaire : chieins
> Remplacer par : chiens
> Suggestions : chiens
>
> Reprendre | Ignorer tout
> Remplacer | Remplacer tout
> Ajouter | Suggérer
> Options... | Correction automatique | Fermer

3. **Pour chaque mot sur lequel s'arrête ce correcteur, choisissez une des options suivantes :**

   - *Remplacer :* Sélectionnez le mot correctement orthographié, puis cliquez sur ce bouton. Si vous cliquez sur le bouton Remplacer tout, PowerPoint corrige automatiquement cette même faute s'il la rencontre de nouveau dans la présentation.

- *Ignorer tout* : Cliquez sur ce bouton pour ignorer toutes les occur-rences de ce mot. Ne cliquez sur ce bouton que si vous êtes sûr de la bonne orthographe du terme.

- *Ajouter* : Cliquez sur ce bouton pour ajouter le mot au dictionnaire de PowerPoint. A partir de cet instant, il ne le considérera plus comme incorrect.

4. Cliquez sur Fermer pour arrêter la vérification.

PowerPoint ne reconnaît pas les termes techniques, certains noms propres, ou encore les mots correctement orthographiés mais qu'il ne parvient pas à remettre dans leur contexte d'utilisation. Ainsi, il ne fait pas la différence entre *leur* et *leurre*.

Ajouter des transitions

Les *transitions* définissent la manière dont la présentation passe d'une diapo à une autre. Par défaut, les diapositives affichent l'arrière-plan et le texte simul-tanément. A la longue, cela peut lasser le public.

Pour donner plus de saveur à une présentation, vous pouvez insérer deux types de transitions :

- ✔ Les transitions de diapositives.

- ✔ Les transitions de texte et d'images.

N'abusez pas des transitions. Si elles augmentent l'intérêt d'une présentation, elles risquent aussi de détourner l'attention de l'auditoire.

Ajouter des transitions

Les transitions de diapositives permettent de faire apparaître un contenu de différentes manières.

Lorsque vous appliquez une transition, vous devez en définir :

- ✔ L'aspect visuel.

- ✔ La vitesse (Lente, Moyenne, Rapide).

- ✔ Les sons qui doivent être entendus durant son déroulement.

✔ Le moment où elle s'opère (après l'écoulement d'un certain laps de temps ou lorsque vous cliquez sur le bouton de la souris).

Pour ajouter une transition à une diapositive :

1. Cliquez sur une diapositive (en mode Plan ou Diapositives).

La transition servira à afficher cette diapo.

2. Cliquez sur l'onglet Animation.

PowerPoint affiche différents outils d'animation (transition), comme à la Figure 12.2.

Figure 12.2
L'onglet Animations affiche tous les outils nécessaires à l'ajout et au paramétrage d'une transition.

Bouton Autres

3. Cliquez sur le bouton Autres du groupe Accès à cette diapositive.

Une galerie de transitions s'affiche, comme à la Figure 12.3.

Si vous placez le pointeur de la souris sur une transition, PowerPoint affiche un aperçu instantané qui permet d'apprécier immédiatement la manière dont va apparaître la diapo.

4. Cliquez sur la transition à appliquer.

5. (Facultatif) Dans la liste Son de transition, choisissez un son comme Caisse enregistreuse ou Roulement de tambour.

6. (Facultatif) Dans la liste Vitesse de transition, sélectionnez la configuration Lente, Moyenne ou Rapide.

7. (Facultatif) Cochez la case Manuellement ou Automatique après.

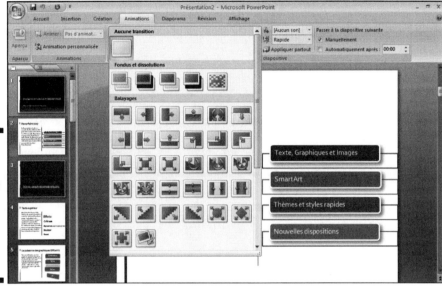

Figure 12.3
La galerie des transitions affiche chacune d'elles sous la forme d'une icône donnant une idée de l'effet qu'elle produit.

Si vous choisissez Automatique après, vous devez spécifier une durée de temps qui s'écoulera avant que la transition ne s'opère.

Vous pouvez sélectionner les deux ! Dans ce cas, si vous cliquez avant l'écoulement du temps programmé, la transition s'effectue immédiatement.

8. **(Facultatif) Cliquez sur Appliquer partout si vous souhaitez que cette même transition affiche chaque diapo de votre présentation.**

Utiliser la même transition sur toutes les diapositives peut apporter une certaine constance. En revanche, lorsque cette transition est agrémentée d'un son, cela devient très vite pénible pour le public.

Transitions du texte

Il est également possible d'ajouter des transitions aux éléments textuels ou graphiques de la diapositive.

Utilisez ce type de transition judicieusement, sous peine de détourner l'attention du public du propos de votre présentation. Il ne faut pas que la transition du texte désintéresse de sa lecture.

Pour créer une transition de texte :

1. **Cliquez sur la zone de texte ou sur l'image de la diapositive.**

   PowerPoint affiche un cadre muni de poignées.

2. **Cliquez sur l'onglet Animation.**

3. **Dans le groupe Animations, cliquez sur la liste Animer.**

   Comme vous le voyez Figure 12.4, différents jeux d'animations sont à votre disposition.

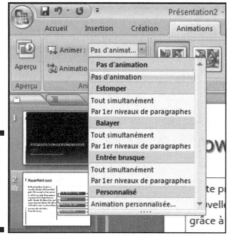

Figure 12.4
La liste Animer contient les effets d'animation du texte.

4. **Cliquez sur une animation comme Estomper ou Balayer.**

   PowerPoint affiche l'animation de la zone de texte ou du graphique.

Ajouter des liens hypertextes

Pour une plus grande souplesse dans le déroulement d'une présentation, PowerPoint permet d'ajouter des liens hypertextes à vos diapositives. Ce type de lien peut ouvrir une page Web si vous disposez d'une connexion Internet, un fichier (comme un document Word), une autre diapositive de la présentation en cours ou un programme. En ajoutant des liens hypertextes à vos diapositives, vous pouvez afficher des informations supplémentaires ou d'autres diapositives.

Créer un lien hypertexte vers une page Web

Ce type de ligne permet de convertir un texte en un hyperlien qui va ouvrir votre navigateur Web par défaut et afficher la page Web de votre choix. Lorsque vous quittez le navigateur Web, vous revenez à la diapositive et pouvez continuer la présentation.

La possibilité d'accéder à une page Web évite bien du travail. Par exemple, si vous diffusez une présentation commerciale, vous pouvez créer un lien hypertexte pour montrer comment vos concurrents utilisent Internet pour faire de la publicité et vendre leurs produits.

Pour créer un lien hypertexte vers une page Web :

1. **Sélectionnez le texte à convertir en lien hypertexte.**

2. **Cliquez sur l'onglet Insertion.**

3. **Dans le groupe Lien, cliquez sur le bouton Lien hypertexte.**

   La boîte de dialogue Insérer un lien hypertexte apparaît, comme à la Figure 12.5.

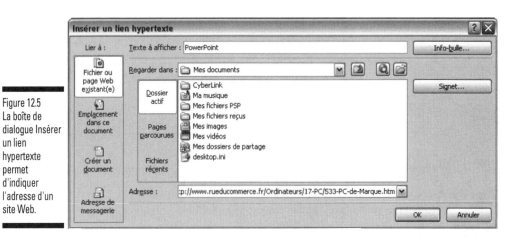

Figure 12.5
La boîte de dialogue Insérer un lien hypertexte permet d'indiquer l'adresse d'un site Web.

4. **Dans le champ Adresse, saisissez l'adresse Internet du site Web à afficher comme www.microsoft.fr.**

5. **Cliquez sur OK.**

Sur la diapositive, PowerPoint souligne le mot servant d'hyperlien. Lorsque vous diffusez la présentation, PowerPoint affiche le pointeur de la souris sous la forme d'une main dès que vous le placez sur le lien hypertexte.

Créer un lien hypertexte vers des fichiers externes

Il se peut que vous ayez des données stockées dans des fichiers externes à la présentation. Plutôt que de les copier et de les coller dans votre projet, il est souvent judicieux d'afficher directement le fichier lui-même. Ainsi, si vous modifiez ce fichier, PowerPoint en affichera toujours la bonne version.

Lorsque vous établissez un lien vers un fichier externe, PowerPoint ouvre ledit fichier en chargeant l'application avec laquelle vous l'avez créé. Par exemple, pour afficher un document Microsoft Word, vérifiez que le programme Word est bien installé sur votre ordinateur.

Pour créer un lien hypertexte vers un fichier externe :

1. **Sélectionnez le texte à convertir en lien hypertexte.**

2. **Cliquez sur l'onglet Insertion.**

3. **Dans le groupe Lien, cliquez sur le bouton Lien hypertexte.**

   La boîte de dialogue Insérer un lien hypertexte apparaît, comme à la Figure 12.5.

4. **Dans la liste Regarder dans, choisissez le disque dur et le dossier contenant le fichier à utiliser.**

5. **Cliquez sur le fichier désiré, puis sur OK.**

Sous Windows Vista, un message vous avertit que l'ouverture d'un fichier peut être dangereuse. Il est destiné à attirer votre attention sur certains fichiers dont vous ne connaîtriez pas bien l'origine, et qui sont susceptibles de contenir des virus ou des chevaux de Troie.

Créer un lien hypertexte vers d'autres diapositives

Vous pouvez créer des liens hypertextes qui font passer directement à une autre diapositive de la présentation. Par exemple, vous sauterez facilement de la diapo 2 à la 36, et reviendrez tout aussi facilement à la 2. Cela permet de créer des diapositives qui se réfèrent à des informations précédentes, ou donne la possibilité aux utilisateurs de jeter un œil sur les informations à venir.

Pour créer un lien hypertexte vers d'autres diapos de la présentation :

1. **Sélectionnez le texte que vous désirez convertir en lien hypertexte.**

2. **Cliquez sur l'onglet Insertion.**

3. **Dans le groupe Liens, cliquez sur Action.**

   La boîte de dialogue Paramètres des actions apparaît, comme à la Figure 12.6.

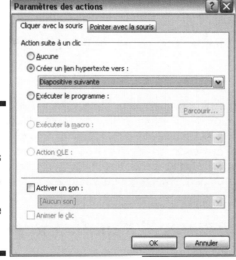

Figure 12.6
La boîte de dialogue Paramètres des actions permet de sélectionner la diapo vers laquelle renvoie un lien hypertexte.

4. **Activez le bouton radio Créer un lien hypertexte vers.**

5. **Cliquez sur la liste de ce paramètre, et choisissez une option comme Diapositive suivante.**

Si vous choisissez Diapositive, la boîte de dialogue Lien hypertexte vers une diapositive apparaît, comme à la Figure 12.7.

Figure 12.7
Lien créé vers la diapositive 3.

La liste Créer un lien hypertexte vers affiche des commandes qui permettent d'établir un lien immédiat vers la première ou la dernière diapo de la présentation. L'option Diapositive est très utile pour créer un lien vers des diapos situées au milieu de la présentation.

6. **Cliquez sur un numéro de diapositive, comme 3, puis sur OK.**

Vous revenez dans la boîte de dialogue Paramètres des actions.

7. **Cliquez sur OK.**

Lorsque vous créez un lien vers une autre diapositive, il est judicieux de créer un lien sur cette diapositive de destination. Ce lien renverra à la diapositive contenant le lien hypertexte d'origine. Ainsi, vous pourrez très facilement reprendre le cours de votre présentation où vous l'aviez laissé en cliquant sur le lien hypertexte. Par exemple, si la diapo 3 possède un lien affichant la diapo 60, créez sur cette dernière un lien hypertexte qui renvoie à la diapo 3.

Exécuter un programme via un lien hypertexte

Un lien hypertexte PowerPoint peut aussi exécuter un programme depuis une présentation. Par exemple, vous pouvez créer un diaporama présentant la stratégie de vente d'un nouveau programme informatique, et montrer le fonctionnement du logiciel en question. Lorsque vous quittez ce programme, vous reprenez votre présentation à la diapositive où vous l'aviez arrêtée.

Vérifiez que votre ordinateur dispose d'une mémoire suffisante pour faire fonctionner à la fois PowerPoint et ce programme.

Pour créer un lien hypertexte vers ce programme :

1. **Sélectionnez le texte que vous désirez convertir en lien hypertexte.**

2. **Cliquez sur l'onglet Insertion.**

3. **Dans le groupe Liens, cliquez sur Action.**

   La boîte de dialogue Paramètres des actions apparaît, comme à la Figure 12.6.

4. **Activez le bouton radio Exécuter le programme.**

5. **Cliquez sur le bouton Parcourir.**

6. **Dans la boîte de dialogue Sélectionner un programme à exécuter, parcourez vos disques durs et dossiers pour choisir le programme qui devra être utilisé.**

7. **Cliquez sur OK.**

8. **Revenu dans la boîte de dialogue Paramètres des actions, cliquez de nouveau sur OK.**

Diffuser une présentation

Une fois que vous avez organisé vos diapositives, ajouté des transitions, défini des liens hypertextes, vous pouvez tester votre présentation en effectuant les opérations suivantes :

1. **Cliquez sur l'onglet Diaporama.**

2. **Dans le groupe Démarrer le diaporama, cliquez sur le bouton A partir du début, comme à la Figure 12.8.**

   PowerPoint diffuse la présentation en commençant par la première diapositive... Logique !

Vous pouvez également lancer le diaporama depuis la première diapo en appuyant sur la touche F5.

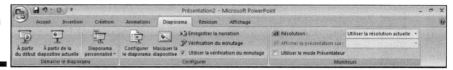

3. Choisissez une des options suivantes :

- Cliquez sur le bouton de la souris ou appuyez sur la barre d'espace pour passer à la diapositive suivante.

- Appuyez sur Echap pour quitter votre présentation.

Si votre présentation contient de nombreuses diapositives, disons 300, vous souhaiterez peut-être limiter votre test à quelques-unes d'entre elles, par exemple les 10 dernières. PowerPoint vous donne la possibilité d'indiquer à partir de quelle diapo s'effectuera la diffusion.

Affichez la diapositive à partir de laquelle doit commencer la diffusion, puis suivez ces étapes :

1. Cliquez sur l'onglet Diaporama.

2. Dans le groupe Démarrer le diaporama, cliquez sur A partir de la diapositive actuelle.

3. Choisissez une des options suivantes :

- Cliquez sur le bouton de la souris ou appuyez sur la barre d'espace pour passer à la diapositive suivante.

- Appuyez sur Echap pour quitter votre présentation.

Créer un diaporama personnalisé

Vous pouvez préparer une présentation pour des ingénieurs et des scientifiques, et proposer la même à des commerciaux. Il semble évident que si la base de la présentation reste la même, vous ne fournirez pas des informations identiques à ces deux types de public. Pour éviter de créer deux présentations quasi identiques qui vous obligeraient à effectuer deux mises à jour dès que vous ajouteriez des données, utilisez la fonction de personnalisation des présentations de PowerPoint. La *personnalisation* d'un diaporama permet de définir l'ordre d'affichage des diapositives.

Pour organiser un diaporama personnalisé :

1. **Cliquez sur l'onglet Diaporama.**

2. **Dans le groupe Démarrer le diaporama, cliquez sur Diaporama personnalisé.**

3. **Dans le menu local qui apparaît, choisissez Diaporamas personnalisés.**

   La boîte de dialogue éponyme s'affiche, comme le montre la Figure 12.9.

Figure 12.9
La boîte de dialogue Diaporamas personnalisés permet de créer différentes présentations à partir d'un même ensemble de diapositives.

4. **Cliquez sur Nouveau.**

5. **Dans la boîte de dialogue Définir un diaporama personnalisé, donnez un nom à cette présentation spécifique, comme à la Figure 12.10.**

6. **Dans la liste Diapositives de la présentation, cliquez sur le nom d'une diapo à utiliser.**

7. **Cliquez sur le bouton Ajouter, et répétez les étapes 6 et 7 pour ajouter d'autres diapos au diaporama personnalisé.**

8. **Dans la liste Diapositives du diaporama personnalisé, cliquez sur les boutons Monter et Descendre pour modifier l'ordre d'affichage des diapos dans la présentation.**

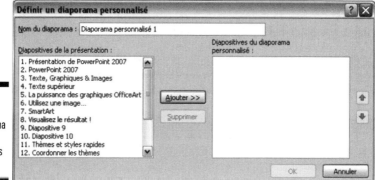

Figure 12.10
Personnaliser
votre diaporama
permet
d'organiser vos
diapositives.

9. **Répétez l'étape 8 pour chaque diapo dont vous désirez changer la place dans le diaporama.**

10. **Cliquez sur OK.**

   La boîte de dialogue Diaporamas personnalisés s'affiche de nouveau.

11. **Cliquez sur le nom du diaporama, puis sur le bouton Afficher.**

   PowerPoint diffuse la présentation personnalisée.

Pour diffuser au public un diaporama personnalisé :

1. **Cliquez sur l'onglet Diaporama.**

2. **Dans le groupe Démarrer le diaporama, cliquez sur le bouton Diaporama personnalisé.**

3. **Dans la liste qui apparaît, cliquez sur le nom de la présentation à diffuser.**

4. **Choisissez une des options suivantes :**

   • Cliquez sur le bouton de la souris ou appuyez sur la barre d'espace pour passer à la diapositive suivante.

   • Appuyez sur Echap pour quitter votre présentation.

Masquer une diapositive

PowerPoint peut très facilement masquer une diapositive que vous ne désirez pas diffuser pendant la lecture du diaporama. Cette fonction s'avère très utile dans le cadre d'un diaporama personnalisé où vous n'avez pas besoin de montrer certaines diapos à un public précis.

Pour masquer une diapositive :

1. **En mode Diapositives ou Plan, cliquez sur la diapo à masquer.**

2. **Cliquez sur l'onglet Diaporama.**

3. **Dans le groupe Configurer, cliquez sur Masquer la diapositive.**

   Dans le volet gauche, PowerPoint "grise" la diapo.

Pour afficher une diapositive masquée, répétez les étapes ci-dessus.

Organiser votre présentation avec la Trieuse de diapositives

Une fois le diaporama testé, vous avez encore la possibilité de le modifier en l'affichant avec la Trieuse de diapositives. Elle montre les diapositives dans l'ordre de leur apparition et les identifie par un numéro, comme le montre la Figure 12.11.

Pour utiliser la Trieuse de diapositives :

1. **Cliquez sur l'onglet Affichage.**

2. **Dans le groupe Affichages des présentations, cliquez sur le bouton Trieuse de diapositives.**

3. **(Facultatif) Pour supprimer une diapo, cliquez dessus puis appuyez sur la touche Suppr du clavier.**

4. **(Facultatif) Pour masquer une diapo, cliquez dessus, puis sur l'onglet Diaporama, et enfin sur le bouton Masquer la diapositive.**

5. **(Facultatif) Pour déplacer une diapositive :**

   a. *Placez le pointeur de la souris sur une diapositive.*

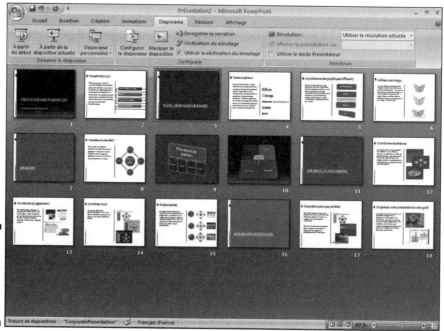

Figure 12.11
La Trieuse de
diapositives vous
laisse
réorganiser les
diapos.

b. *Maintenez le bouton gauche de la souris enfoncé et faites glisser le pointeur.*

Une barre verticale permet d'identifier la position de la diapo pendant son déplacement.

c. *Relâchez le bouton de la souris dès que la diapo est à la position souhaitée.*

6. Si besoin, cliquez sur l'onglet Affichage. Dans le groupe Affichages des présentations, cliquez sur le bouton Normal.

Minuter la présentation

Pour vous aider à définir la durée d'affichage de chaque diapositive, donc, au final, de toute la présentation, PowerPoint peut calculer le temps que vous mettez pour prendre connaissance de chacune de ces diapos. Cela permet d'anticiper le temps que mettra un public à lire le contenu de chaque diapo.

N'oubliez jamais que vous êtes habitué à votre diaporama et que vous prendrez plus rapidement connaissance des informations de chaque diapositive que le public qui découvre pour la première fois cette présentation. De plus, pendant l'affichage d'une diapo, l'auditoire peut poser des questions. Donc, ce minutage défini par vous et PowerPoint reste très indicatif.

Pour minuter une présentation :

1. **Cliquez sur l'onglet Diaporama.**

2. **Dans le groupe Configurer, cliquez sur le bouton Vérification du minutage.**

   PowerPoint affiche la première diapositive de la présentation avec une minibarre d'outils Répétition située dans le coin supérieur gauche, comme à la Figure 12.12.

Minibarre d'outils Répétition

▌ Coordonner les thèmes

Les thèmes Office vous permettent de coordonner sans effort les couleurs, les polices et les effets des graphismes dans votre présentation. Le style des éléments que vous intégrez est défini automatiquement en fonction des styles présents dans votre présentation.

Figure 12.12
La minibarre d'outils Répétition permet de définir visuellement le temps d'affichage de chaque diapo de la présentation.

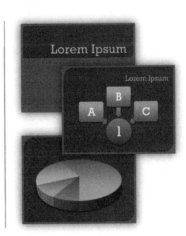

3. **Cliquez de la souris ou bien appuyez sur la barre d'espace pour passer à la diapo suivante.**

Chaque fois qu'une nouvelle diapositive s'affiche, la minibarre d'outils Répétition se remet à zéro et enregistre le temps où elle reste affichée.

4. Appuyez sur Echap dès que vous atteignez la fin du diaporama.

Une boîte de dialogue vous demande si vous désirez conserver ce minutage.

5. Cliquez sur Oui ou Non.

Si vous cliquez sur Oui, PowerPoint affiche la présentation dans la Trieuse de diapositives. La durée d'affichage de chaque diapo est inscrite dans leur coin inférieur gauche, comme le montre la Figure 12.13.

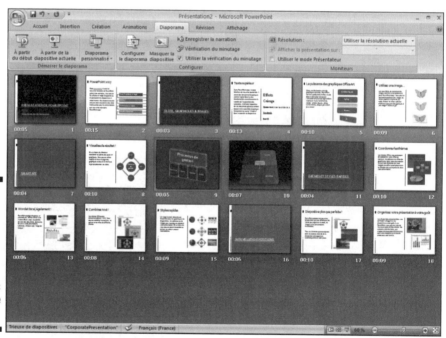

Figure 12.13
Le minutage permet de connaître la durée d'affichage de chaque diapositive, donc la durée totale de la présentation.

6. Si besoin, cliquez sur l'onglet Affichage. Dans le groupe Affichages des présentations, cliquez sur le bouton Normal.

Créer des documents

Lorsque le public regarde une présentation particulièrement intéressante, il souhaite généralement disposer d'une copie imprimée de cette merveille pour se délecter plus tard des informations qu'elle distille. Il souhaite aussi pouvoir prendre des notes durant sa diffusion. Pour cela, PowerPoint propose d'imprimer des documents à partir des diapos de la présentation.

Les documents contiennent une miniature de la diapositive et un espace vide contenant des lignes qui permettent au public de prendre des notes. Voici comment imprimer pareils documents :

1. **Cliquez sur le bouton Office, et choisissez Imprimer/Aperçu avant impression.**

   La fenêtre éponyme apparaît.

2. **Dans le groupe Mise en page, cliquez sur la liste du bouton Imprimer, et choisissez le nombre de diapos à imprimer sur chaque page du document (par exemple 3 diapositives par page).**

   Comme vous le voyez à la Figure 12.14, la fenêtre Aperçu avant impression montre l'apparence qu'aura chaque page du document imprimé.

Empaqueter une présentation

De nombreuses personnes diffusent leurs présentations sur des ordinateurs portables. Toutefois, occasionnellement, vous diffuserez votre travail sur un autre ordinateur. Or, cette machine ne sera peut-être pas équipée de Power-Point. Dans ce cas, vous graverez la présentation sur un CD que vous lirez sur un autre ordinateur.

Vos présentations ne pourront être diffusées que sur un PC tournant sous Windows 2000, Windows XP ou Windows Vista.

Lorsque vous empaquetez une présentation sur CD, elle inclut une version spéciale de PowerPoint qui se limite à la diffusion et à l'affichage des diaporamas. Vous ne pourrez pas modifier le contenu de la présentation.

Pour créer un package :

1. **Cliquez sur le bouton Office, et choisissez Publier/Package pour CD-ROM.**

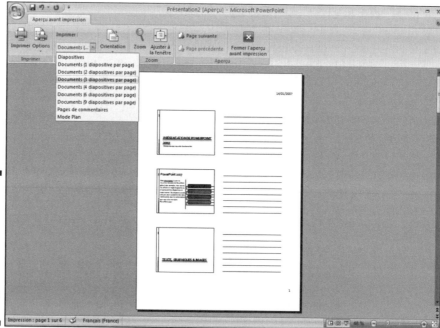

Figure 12.14
L'aperçu avant impression permet de choisir une disposition des diapositives sur le document imprimé qui sera remis au public.

La boîte de dialogue Créer un package pour CD-ROM apparaît, comme à la Figure 12.15.

Figure 12.15
Donnez un nom à votre présentation.

Plutôt que de créer un package sur CD, vous pouvez cliquer sur le bouton Copier dans un dossier, et spécifier par exemple un disque dur externe comme emplacement de création du package.

2. **Dans le champ Nommez le CD, donnez un nom à la présentation.**

3. **Insérez un CD vierge dans votre graveur de CD/DVD.**

4. **Cliquez sur Copier sur CD-ROM.**

   Si votre présentation contient des liens hypertextes vers d'autres programmes, PowerPoint affiche une boîte de dialogue pour vous alerter de ce problème. Cette boîte de dialogue est faite pour vous éviter de créer accidentellement une présentation comportant des virus ou des chevaux de Troie.

5. **Cliquez sur Fermer.**

Cinquième partie
S'organiser avec Outlook

Dans cette partie...

Après quelques jours de travail, la plupart des gens voient leur bureau disparaître sous une pile de mémos, de rapports et de papiers en tout genre. Si vous voulez vraiment utiliser votre bureau comme un endroit qui vous permet d'écrire plutôt que comme un substitut de placard ou de corbeille à papier, vous allez peut-être apprécier l'aide d'Outlook (qui est à la fois un programme de messagerie et d'organisation d'informations personnelles).

En plus de vous aider à créer, envoyer, recevoir et trier vos messages électroniques, Outlook vous permet aussi d'organiser vos rendez-vous, vos tâches et vos contacts importants. Avec son aide, vous ne risquerez pas d'oublier vos réunions et vos rendez-vous, vous enregistrerez les noms des gens que vous rencontrez, et vous pourrez organiser vos messages en un lieu central, ce qui vous évitera d'avoir à rechercher frénétiquement sur votre disque dur un message dont dépend votre avenir tout entier.

Outlook peut donc gérer toutes vos informations personnelles, de manière que vous puissiez vous concentrer sur ce qui est véritablement votre travail. Et bien sûr, libre à vous d'utiliser le temps que vous allez gagner en utilisant Outlook pour allonger votre pause déjeuner.

Chapitre 13

Organiser votre messagerie avec Outlook

D ans Microsoft Office 2007, Outlook est l'application consacrée à l'organisation personnelle, capable de gérer des informations de toutes sortes, en particulier vos rendez-vous, les noms et les adresses de vos contacts, ou encore une liste de tâches à accomplir. Toutefois, la principale utilisation d'Outlook est la lecture, l'écriture et l'organisation de vos messages électroniques.

Configurer les paramètres de votre compte

La première fois que vous lancez Outlook, vous devez configurer les paramètres de votre compte de messagerie. Pour pouvoir recevoir des mails sur votre compte dans Outlook, vous devez disposer des informations suivantes :

✔ Votre nom.

✔ Le nom d'utilisateur (ou identifiant) de votre compte de messagerie (par exemple hdupuis pour Hervé Dupuis).

✔ Votre adresse de messagerie (par exemple hdupuis@club-internet.fr).

✔ Le type de votre compte de messagerie (POP ou IMAP).

✔ Le nom de votre serveur de messages entrants (par exemple pop.microsoft.com).

✔ Le nom de votre serveur de messages sortants (par exemple smtp.microsoft.com).

Outlook est capable de reconnaître automatiquement de nombreux types de comptes de messagerie d'usage courant comme HotMail, mais dans le cas contraire vous devrez entrer manuellement les informations données par votre fournisseur de services Internet (ISP).

Pour configurer un compte de messagerie lors du premier lancement d'Outlook, suivez ces étapes :

1. **Lancez Outlook.**

   L'Assistant Démarrage d'Outlook 2007 apparaît, qui va vous permettre de configurer votre compte de messagerie.

2. **Cliquez sur Suivant.**

   La fenêtre Configuration de compte apparaît (Figure 13.1).

3. **Sélectionnez le bouton radio Oui, et cliquez sur Suivant (si vous cliquez sur le bouton Non, vous pourrez configurer votre compte dans Outlook par la suite).**

   La fenêtre Ajouter un nouveau compte de messagerie apparaît (Figure 13.2), vous demandant votre nom, votre adresse de messagerie et votre mot de passe de messagerie (le mot de passe que vous a donné votre fournisseur d'accès Internet pour accéder à votre messagerie).

4. **Entrez votre nom, votre adresse et votre mot de passe de messagerie dans les champs appropriés, et cliquez sur Suivant.**

   Une nouvelle fenêtre apparaît, vous disant qu'Outlook essaie de détecter automatiquement le reste des paramètres de votre compte de

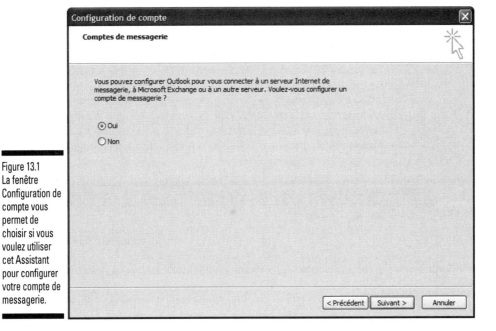

Figure 13.1
La fenêtre
Configuration de
compte vous
permet de
choisir si vous
voulez utiliser
cet Assistant
pour configurer
votre compte de
messagerie.

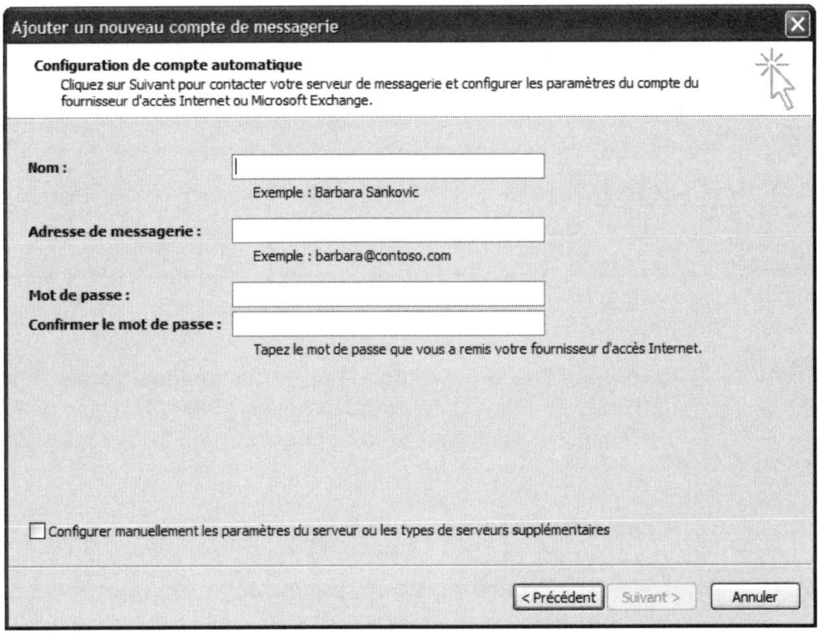

Figure 13.2
Cette fenêtre
vous permet
d'entrer votre
nom, votre
adresse et votre
mot de passe de
messagerie.

messagerie. Si cette tentative aboutit, vous avez terminé. Dans le cas contraire, continuez avec les étapes qui suivent.

5. **Cochez la case Configurer manuellement les paramètres du serveur ou les types de serveurs supplémentaires, et cliquez sur Suivant.**

La fenêtre Choisir un service de messagerie apparaît, vous demandant de sélectionner le type de service de messagerie que vous voulez configurer (Messagerie Internet, Microsoft Exchange ou Autre), comme le montre la Figure 13.3.

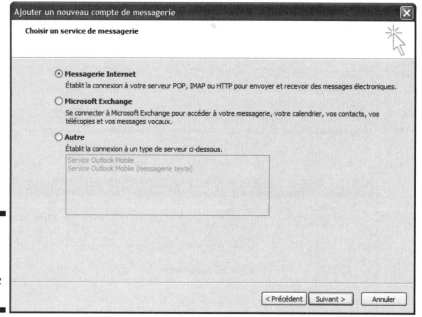

Figure 13.3
Sélectionnez le type de service de messagerie que vous voulez utiliser.

La plupart des ordinateurs d'utilisation familiale vont se connecter à Internet en utilisant l'option Messagerie Internet. Dans une entreprise, en revanche, la plupart vont se connecter en utilisant l'option Microsoft Exchange.

6. **Cliquez sur Suivant.**

La fenêtre Paramètres de messagerie apparaît, vous permettant d'entrer tous les paramètres de votre serveur de messagerie dans les champs correspondants, comme le montre la Figure 13.4.

Les serveurs de courrier entrant sont généralement du type POP3, et les serveurs de courrier sortant du type SMTP. Leur désignation est donc le plus souvent de la forme pop3.*isp*.fr pour un serveur de courrier entrant, et smtp.*isp*.fr pour un serveur de courrier sortant.

Ajouter un nouveau compte de messagerie

Paramètres de messagerie Internet
Chacun de ces paramètres est obligatoire pour que votre compte de messagerie fonctionne.

Informations sur l'utilisateur

Votre nom : `Armand Briduc`

Adresse de messagerie : `abriduc@loonies.fr`

Informations sur le serveur

Type de compte : `POP3`

Serveur de courrier entrant : `pop3.loonies.fr`

Serveur de courrier sortant : `smtp.loonies.fr`

Informations de connexion

Nom d'utilisateur : `abriduc`

Mot de passe : `********`

☑ Mémoriser le mot de passe

☐ Exiger l'authentification par mot de passe sécurisé (SPA) lors de la connexion

Tester les paramètres du compte

Après avoir complété les champs de cet écran, nous vous conseillons de tester votre compte en cliquant sur le bouton ci-dessous. (Connexion réseau requise.)

[Tester les paramètres du compte ...]

[Paramètres supplémentaires...]

[< Précédent] [Suivant >] [Annuler]

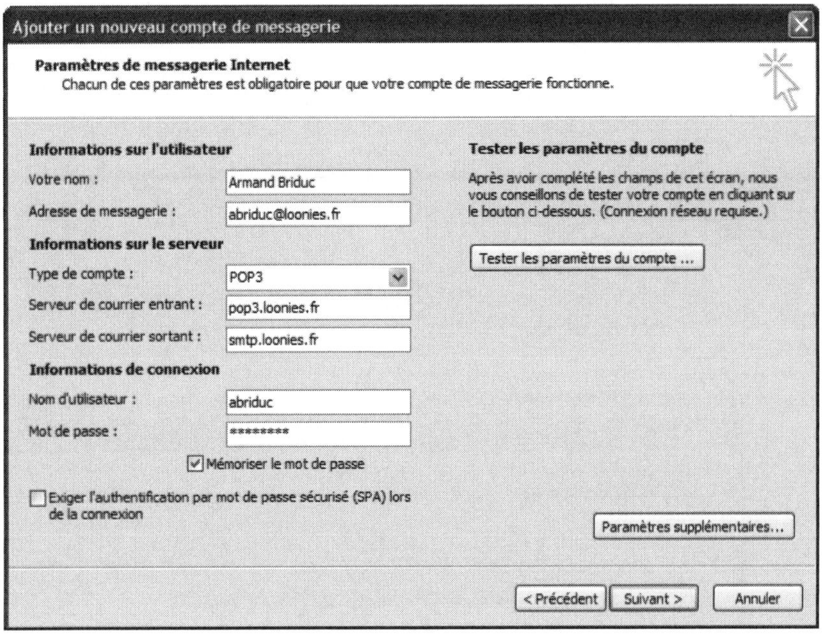

Figure 13.4
Entrez dans cette fenêtre tous les paramètres de votre serveur de messagerie.

---

7. Cliquez sur le bouton Tester les paramètres du compte.

La boîte de dialogue Tester les paramètres du compte apparaît, et Outlook se connecte par Internet au serveur dont vous avez entré les paramètres pour vérifier que tout fonctionne correctement. Une fois que cette boîte de dialogue vous informe que le test est terminé avec succès, cliquez sur le bouton Fermer.

8. Cliquez sur Suivant.

La dernière fenêtre de l'Assistant vous informe que toutes les informations requises pour configurer votre compte ont été saisies avec succès.

9. Cliquez sur Terminer.

Ajouter un compte de messagerie

Après avoir configuré votre compte de messagerie initial dans Outlook, vous pouvez en ajouter d'autres par la suite (mais aussi supprimer ceux que vous voulez). Pour ajouter un nouveau compte de messagerie, suivez ces étapes :

1. **Sélectionnez Outils/Paramètres du compte.**

   La boîte de dialogue Paramètres du compte apparaît (Figure 13.5).

2. **Cliquez sur Nouveau.**

   La boîte de dialogue Ajouter un nouveau compte de messagerie apparaît (Figure 13.2).

3. **Suivez les étapes 3 à 9 de la section précédente, "Configurer les paramètres de votre compte".**

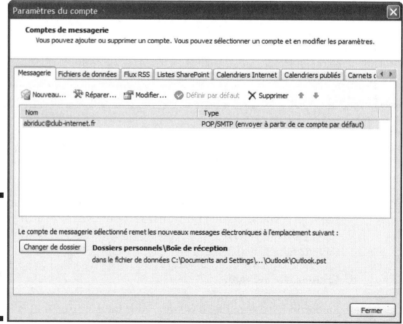

Figure 13.5
La boîte de dialogue Paramètres du compte vous permet de gérer vos comptes de messagerie.

Supprimer un compte de messagerie

Vous êtes toujours libre de supprimer les comptes de messagerie que vous voulez. Pour supprimer un compte de messagerie, suivez ces étapes :

1. **Sélectionnez Outils/Paramètres du compte.**

   La boîte de dialogue Paramètres du compte apparaît (Figure 13.5).

2. **Cliquez sur le compte à supprimer pour le sélectionner.**

3. **Cliquez sur Supprimer.**

   Une boîte de dialogue apparaît, vous demandant si vous êtes sûr de vouloir supprimer ce compte.

4. **Cliquez sur Oui (ou sur Non si vous changez d'avis).**

   Si vous cliquez sur Oui, le compte est supprimé.

Lorsque vous supprimez un compte de messagerie, Outlook ne supprime pas les messages déjà reçus sur ce compte.

Modifier un compte de messagerie

Si vous avez déjà configuré un compte de messagerie, il pourra vous arriver d'avoir besoin de lui apporter des modifications par la suite, par exemple de changer votre mot de passe. Pour modifier un compte de messagerie existant :

1. **Sélectionnez Outils/Paramètres du compte.**

   La boîte de dialogue Paramètres du compte apparaît (Figure 13.5).

2. **Cliquez sur le compte à modifier, puis cliquez sur Modifier.**

   La boîte de dialogue Modifier un compte de messagerie apparaît, affichant des options semblables à celles montrées Figure 13.4.

   Pour qu'Outlook essaie de configurer automatiquement les paramètres de votre compte, cliquez sur le bouton Réparer au lieu du bouton Modifier.

3. **Faites les modifications voulues, par exemple en changeant votre mot de passe ou les serveurs de courriers entrant et sortant, puis cliquez sur Suivant.**

Une boîte de dialogue vous informe que toutes les informations nécessaires ont bien été saisies.

4. **Cliquez sur Terminer.**

Créer des messages

Une fois que vous avez configuré un compte de messagerie, vous pouvez commencer à envoyer des mails. Vous disposez de trois moyens de créer et d'envoyer des messages :

- ✔ **Créer un message et y entrer manuellement l'adresse de messagerie du destinataire.**

- ✔ **Répondre à un message que vous avez reçu.** Outlook insère automatiquement dans le message de réponse l'adresse de son destinataire.

- ✔ **Créer un message et utiliser une adresse des contacts.** Outlook insère automatiquement dans le message l'adresse que vous sélectionnez dans les contacts.

Créer un nouveau message

La manière la plus directe d'envoyer un message consiste à saisir l'adresse du destinataire et à taper votre message. Pour cela, suivez ces étapes :

1. **Sélectionnez Atteindre/Courrier (vous pouvez aussi appuyer sur Ctrl+1, ou cliquer sur le bouton Courrier en bas du volet de gauche de la fenêtre Outlook).**

Le volet Courrier apparaît dans la fenêtre Outlook.

2. **Vous avez le choix entre les trois actions suivantes :**

- Cliquer sur le bouton Nouveau (mais pas sur la flèche pointant vers le bas qui se trouve à l'extrémité droite de celui-ci).

- Sélectionner Actions/Nouveau message électronique.

- Appuyer sur Ctrl+N.

Une fenêtre de nouveau message apparaît, semblable à celle que montre la Figure 13.6. Remarquez que cette fenêtre affiche un ruban, comportant les onglets Message, Insertion, Options des messages et Écriture.

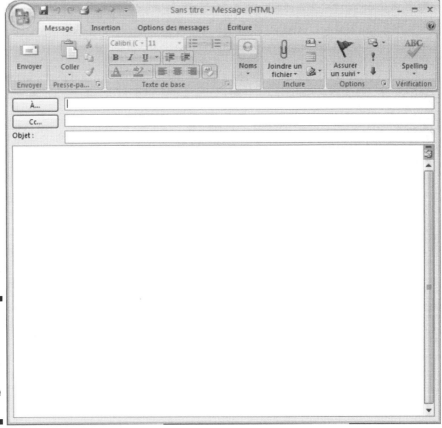

Figure 13.6
La fenêtre de nouveau message vous permet de saisir et de mettre en forme le texte de votre message.

3. **Cliquez dans le champ À, et entrez l'adresse de messagerie du destinataire de votre message.**

Faites bien attention à ne pas faire de fautes de frappe en saisissant l'adresse. Il suffit d'un caractère incorrect pour que votre message ne parvienne pas à son destinataire.

4. **Si vous voulez qu'une autre personne reçoive une copie de ce message, cliquez dans le champ Cc, et entrez l'adresse de messagerie de cette personne.**

5. **Cliquez dans le champ Objet, et entrez une brève description de l'objet de votre message.**

Comme beaucoup de gens utilisent maintenant des filtres de courrier indésirable qui examinent la ligne d'objet de chaque message, il vaut mieux éviter de taper l'objet d'un message EN MAJUSCULES et d'y mettre plusieurs points d'exclamation !!! Votre message pourrait être traité comme courrier indésirable par le filtre de votre destinataire et supprimé avant d'avoir pu être lu.

6. **Cliquez dans la zone de texte du message, et saisissez le texte de votre message.**

Si vous cliquez sur l'icône Enregistrer dans la barre d'outils Accès rapide de la fenêtre du message, le message est enregistré par Outlook dans le dossier Brouillons, ce qui vous permet de le conserver pour le modifier et l'envoyer plus tard.

7. **Cliquez sur le bouton Envoyer pour envoyer votre message.**

Répondre à un message reçu

Il vous arrivera bien souvent de vouloir répondre à un message que vous recevez. Lorsque vous créez la réponse à un message reçu, Outlook insère automatiquement dans cette réponse le texte de celui-ci, ce qui évite à votre destinataire de se demander à quel message correspond votre réponse.

De plus, lorsque vous répondez à un message reçu, vous n'avez pas à saisir dans la réponse l'adresse du destinataire en risquant d'y introduire une faute de frappe. Cette adresse est automatiquement insérée par Outlook dans la réponse. Pour répondre à un message reçu, suivez ces étapes :

1. **Sélectionnez Atteindre/Courrier (vous pouvez aussi appuyer sur Ctrl+1, ou cliquer sur le bouton Courrier en bas du volet de gauche de la fenêtre Outlook).**

Le volet Courrier apparaît dans la fenêtre Outlook.

2. **Dans le volet de gauche de la fenêtre, cliquez sur le dossier Boîte de réception.**

Le volet de droite de la fenêtre Outlook affiche la Boîte de réception, c'est-à-dire la liste de tous les messages reçus qui s'y trouvent.

3. **Cliquez sur le message auquel vous voulez répondre.**

Outlook affiche le contenu du message dans un volet qui occupe la partie droite de la fenêtre.

4. **Procédez de l'une des trois manières suivantes :**

- Cliquez sur le bouton Répondre dans la barre d'outils Standard d'Outlook.

- Sélectionnez Actions/Répondre.

- Appuyez sur Ctrl+R.

Outlook affiche une fenêtre de nouveau message, contenant déjà l'adresse du destinataire et l'objet de ce message (c'est-à-dire l'objet du message auquel vous répondez, précédé de la mention "RE:"). La zone de texte de ce message contient la copie du message auquel vous répondez.

5. **Cliquez en haut de la zone de texte du message de réponse, et tapez votre réponse.**

Si vous cliquez sur l'icône Enregistrer de la barre d'outils Accès rapide (de la fenêtre du message), le message est enregistré dans le dossier Brouillons, ce qui vous permet si vous le souhaitez de le modifier pour l'envoyer ultérieurement.

6. **Cliquez sur le bouton Envoyer.**

Créer un message avec une adresse d'un contact

Si vous avez enregistré dans les contacts d'Outlook des noms et des adresses de messagerie (pour en savoir plus à ce sujet, voyez le Chapitre 14), vous pouvez utiliser directement ces adresses pour créer un message, de manière à ne pas avoir à les taper vous-même. Pour cela, suivez ces étapes :

1. **Sélectionnez Atteindre/Courrier (vous pouvez aussi appuyer sur Ctrl+1, ou cliquer sur le bouton Courrier dans la partie inférieure du volet de gauche de la fenêtre Outlook).**

Le volet Courrier apparaît dans la fenêtre Outlook.

2. **Sélectionnez Actions/Nouveau message électronique (ou appuyez sur Ctrl+N).**

Une fenêtre de nouveau message apparaît (Figure 13.6).

3. **Cliquez sur le bouton À.**

La boîte de dialogue Choisir des noms : Contacts s'affiche (Figure 13.7).

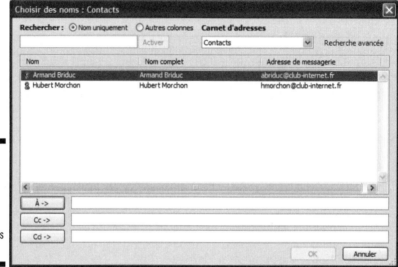

Figure 13.7
Outlook peut
envoyer votre
message à une
adresse que
vous avez déjà
stockée dans les
Contacts.

4. **Dans cette boîte de dialogue, cliquez sur un nom pour le sélectionner.**

5. **Cliquez sur le bouton À pour insérer dans ce champ l'adresse de messagerie associée au nom que vous venez de sélectionner.**

6. **Si vous le souhaitez, sélectionnez de la même façon d'autres noms pour les insérer dans le champ À, le champ Cc ou le champ Cci en cliquant sur le bouton correspondant.**

Cc signifie "Copie conforme" et Cci "Copie conforme invisible". Le champ Cci vous permet d'envoyer une copie de votre message de façon confidentielle à un ou plusieurs destinataires. Si vous insérez l'adresse d'un destinataire dans le champ Cc, celui-ci apparaîtra dans le champ Cc du message reçu par les autres destinataires. En revanche, si vous insérez l'adresse d'un destinataire dans le champ Cci, celui-ci n'apparaîtra pas dans le champ Cc du message reçu par les autres destinataires, qui ne sauront donc pas qu'il en a reçu une copie.

7. **Cliquez sur OK.**

   Outlook insère automatiquement dans le champ À du message l'adresse de messagerie que vous venez de sélectionner.

8. **Cliquez dans le champ Objet, et tapez une brève description de votre message.**

9. **Cliquez dans la zone de texte du message, et tapez votre message.**

   Si vous cliquez sur l'icône Enregistrer de la barre d'outils Accès rapide (dans la fenêtre du message), le message est enregistré dans le dossier Brouillons, ce qui vous permet de le conserver pour le terminer et l'enregistrer par la suite.

10. **Cliquez sur le bouton Envoyer pour envoyer votre message.**

Transférer un message

En recevant un message, il pourra vous arriver de vouloir l'envoyer à une autre personne (le *transférer*) plutôt que d'y répondre. *Transférer* un message consiste à en envoyer une copie à une personne qui n'est même pas forcément connue de l'expéditeur du message.

Pour transmettre un message, suivez ces étapes :

1. **Sélectionnez Atteindre/Courrier (vous pouvez aussi appuyer sur Ctrl+1, ou cliquer sur le bouton Courrier dans la partie inférieure du volet de gauche de la fenêtre Outlook).**

   Le volet Courrier apparaît dans la fenêtre Outlook.

2. **Cliquez sur le message que vous voulez transférer.**

3. **Procédez de l'une des trois manières suivantes :**

   • Cliquez sur le bouton Transférer dans la barre d'outils Standard d'Outlook.

   • Sélectionnez Actions/ Transférer.

   • Appuyez sur Ctrl+F.

Une fenêtre de message apparaît, contenant le message à transférer.

Si vous essayez de transférer un message contenant un code HTML identifié comme "Web bug", Outlook peut afficher une boîte de dialogue vous prévenant que le contenu du message transféré peut envoyer des informations à l'expéditeur original du message afin de vérifier que votre adresse de messagerie est bien valide.

4. **Cliquez dans le champ À et tapez l'adresse de messagerie de la personne à laquelle vous voulez transférer le message (ou cliquez sur le bouton À pour sélectionner le contact voulu dans la liste des Contacts).**

5. **Cliquez en haut de la zone de texte dans la fenêtre du message, et tapez si vous le souhaitez un texte d'introduction pour la personne à laquelle vous transférez le message.**

6. **Cliquez sur le bouton Envoyer.**

Envoyer des fichiers avec un message

En plus d'envoyer du texte, vous pouvez aussi joindre un fichier à votre message. Ce fichier peut être du type que vous voulez, par exemple une image, un fichier audio, un programme, un autre message électronique, et ainsi de suite.

Lorsque vous joignez des fichiers à un message, ne perdez pas de vue que de nombreux ISP (fournisseurs de services Internet) imposent une limite à la taille des messages que l'on peut envoyer (en général de l'ordre de 10 Mo). En outre, si votre destinataire utilise une connexion Internet à bas débit (que vous le sachiez ou non), il vaut mieux faire des pièces jointes de petite taille pour que le temps de téléchargement soit acceptable.

Joindre un fichier à un message

Si vous voulez envoyer à quelqu'un une image, un fichier audio ou vidéo, un fichier compressé, un programme ou encore un fichier de n'importe quel type, vous devez attacher ce fichier à un message en suivant les étapes ci-dessous :

1. **Suivez les étapes de la section "Créer un nouveau message", plus haut dans ce chapitre, pour créer un nouveau message, tapez un objet dans le champ Objet, et entrez une adresse de messagerie dans le champ À.**

2. **Dans la fenêtre du message, cliquez sur l'onglet Insertion.**

3. **Dans cet onglet, cliquez sur l'icône Fichier.**

   La boîte de dialogue Insérer un fichier apparaît.

4. **Sélectionnez le fichier que vous voulez joindre à votre message, et cliquez sur le bouton Insérer.**

   Outlook fait apparaître un champ Attaché au-dessous du champ Objet, dans lequel apparaît le nom du fichier que vous venez d'insérer, comme le montre la Figure 13.8.

   Si vous maintenez enfoncée la touche Ctrl ou la touche Maj tout en cliquant sur les fichiers à sélectionner, vous pouvez en insérer plusieurs en une seule opération.

5. **Si vous le souhaitez, cliquez à nouveau sur le bouton Fichier (dans l'onglet Insertion du ruban) pour faire apparaître à nouveau la boîte de dialogue Insérer un fichier et joindre d'autres fichiers à votre message.**

6. **Si vous avez fait une fausse manœuvre ou si vous changez d'avis après avoir inséré un fichier dans le champ Attaché, cliquez du bouton droit sur ce fichier dans le champ Attaché, et sélectionnez Supprimer dans le menu qui apparaît.**

7. **Cliquez sur le bouton Envoyer.**

Plutôt que de sélectionner plusieurs fichiers pour les joindre à un message, vous pouvez en faire un seul fichier compressé au moyen d'un utilitaire comme WinZip ou la fonction de compression intégrée de Windows (qui utilise le format Zip).

Joindre à un message des informations d'Outlook

Il pourra aussi vous arriver de vouloir envoyer à quelqu'un des informations stockées dans Outlook, par exemple des tâches ou des Contacts. Pour joindre à un message des informations d'Outlook, suivez ces étapes :

1. **Suivez les étapes de la section "Créer un nouveau message", plus haut dans ce chapitre, pour créer un nouveau message, tapez un objet dans le champ Objet, et entrez une adresse de messagerie dans le champ À.**

2. **Dans la fenêtre du message, cliquez sur l'onglet Insertion.**

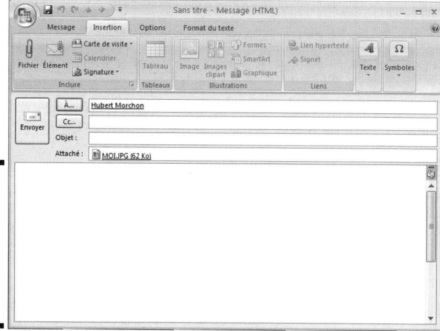

Figure 13.8
Dans tout
message
comportant des
pièces jointes
apparaît un
champ Attaché
dans lequel est
affichée la liste
des noms des
fichiers joints.

3. **Dans cet onglet, cliquez sur l'icône Élément.**

   La boîte de dialogue Insertion d'un élément apparaît, comme le montre la Figure 13.9.

4. **Sélectionnez le dossier Outlook dont vous voulez joindre des éléments à votre message (par exemple des messages ou des contacts).**

   La partie inférieure de cette boîte de dialogue affiche les éléments du dossier sélectionné.

5. **Sélectionnez un élément dans cette liste (par exemple un message dans le dossier Boîte de réception).**

6. **Cliquez sur OK.**

   Outlook fait apparaître l'élément sélectionné dans le champ Attaché de la fenêtre du message.

7. **Tapez une adresse de messagerie, un objet et le texte que vous voulez dans la fenêtre du message.**

8. **Cliquez sur le bouton Envoyer.**

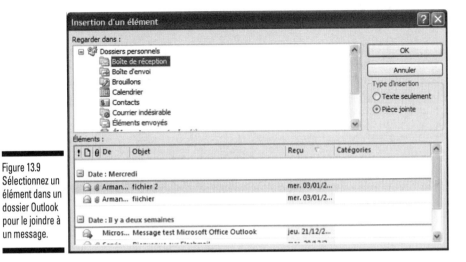

Figure 13.9
Sélectionnez un
élément dans un
dossier Outlook
pour le joindre à
un message.

Mettre en forme un message

Sans mise en forme, un message ne contient que du texte en noir sur fond
blanc. Si vous voulez en améliorer la présentation, vous pouvez utiliser les
outils de mise en forme du texte. Vous pouvez aussi définir des signatures pour
ajouter automatiquement les informations correspondantes à la fin de chacun
des messages que vous envoyez (par exemple votre nom et votre numéro de
téléphone).

Mettre en forme le texte

Vous pouvez mettre en forme le texte d'un message électronique exactement de
la même manière que dans un traitement de texte comme Word, en sélectionnant des polices et en modifiant leurs attributs (couleur, gras, italique, souligne-
ment, etc.), mais aussi en créant des listes numérotées ou des listes à puces.

C'est dans les onglets Message et Format du texte qu'apparaissent les outils de
mise en forme du texte, comme le montre la Figure 13.10.

Les programmes de messagerie ne sont pas tous capables d'afficher la mise en
forme du texte.

Pour mettre en forme le texte d'un message, suivez ces étapes :

1. **Sélectionnez le texte à mettre en forme.**

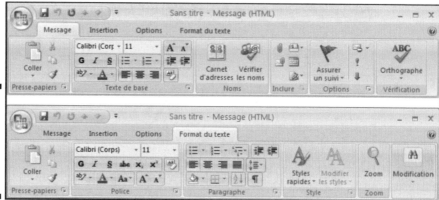

Figure 13.10
Les onglets
Message et
Format du texte
offrent tous les
outils de mise en
forme du texte.

2. Cliquez sur l'onglet Message ou sur l'onglet Format du texte.

L'onglet Format du texte affiche des outils de mise en forme supplémentaires, par exemple pour créer des listes numérotées ou des listes à puces, ainsi que pour l'alignement du texte.

Ajouter une signature à vos messages

Une *signature* est un texte que vous pouvez faire apparaître en bas de chacun des messages que vous envoyez. C'est un moyen commode d'insérer dans vos messages votre nom, votre adresse, votre numéro de téléphone, le nom de votre entreprise et de son site Web, ou encore un bref message que pourront lire tous vos correspondants en recevant vos mails.

Soyez tout de même prudent avec les informations personnelles que vous mettez dans une signature (par exemple, votre numéro de téléphone personnel). N'oubliez pas que si quelqu'un transfère un de vos messages à une personne que vous ne connaissez pas, cette personne dispose alors de toutes les informations personnelles que vous croyiez destinées uniquement à des gens que vous connaissez.

Pour créer une signature, suivez ces étapes :

1. Sélectionnez Atteindre/Courrier (vous pouvez aussi appuyer sur Ctrl+1, ou cliquer sur le bouton Courrier en bas du volet de gauche de la fenêtre Outlook).

Le volet Courrier apparaît dans la fenêtre Outlook.

2. **Sélectionnez Outils/Options.**

   La boîte de dialogue Options apparaît.

3. **Cliquez sur l'onglet Format du Courrier (Figure 13.11).**

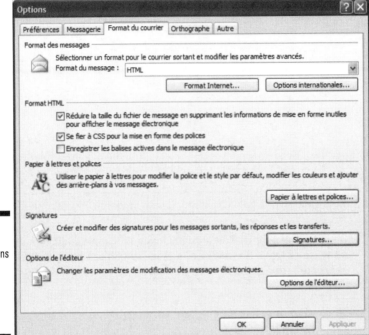

Figure 13.11
La boîte de dialogue Options offre de nombreux moyens de personnaliser Outlook.

4. **Cliquez sur le bouton Signatures.**

   La boîte de dialogue Signatures et thèmes apparaît, comme le montre la Figure 13.12.

5. **Cliquez sur le bouton Nouveau.**

   La boîte de dialogue Nouvelle signature apparaît.

6. **Tapez un nom descriptif pour votre nouvelle signature, et cliquez sur OK.**

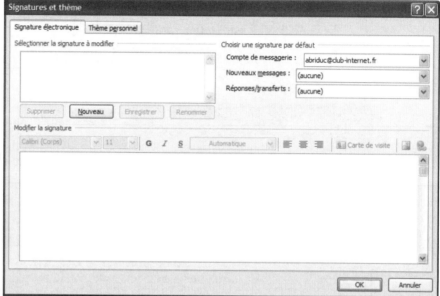

Figure 13.12
La boîte de
dialogue
Signatures et
thèmes vous
permet de définir
autant de
signatures que
vous voulez.

7. **Dans la boîte de dialogue Signatures et thèmes, cliquez dans la zone de texte et tapez le texte de la signature que vous voulez définir (par exemple votre nom, le nom de votre entreprise, son site Web, et ainsi de suite).**

La boîte de dialogue Signatures et thèmes vous permet aussi de définir une mise en forme pour le texte de votre signature. N'oubliez pas toutefois que certains programmes de messagerie ne sont pas capables d'afficher correctement la mise en forme du texte d'un message.

8. **Cliquez sur le bouton Enregistrer.**

9. **Si vous le souhaitez, cliquez sur la liste déroulante Réponses/transferts, et sélectionnez dans cette liste le nom de la signature que vous venez de créer.**

10. **Cliquez sur OK pour fermer la boîte de dialogue Signatures et thèmes, puis encore une fois sur OK pour fermer la boîte de dialogue Options.**

La signature que vous venez de créer sera maintenant insérée automatiquement dans tous vos nouveaux messages.

Créer et utiliser plusieurs signatures

Vous pouvez créer autant de signatures que vous voulez, même si Outlook n'attache automatiquement qu'une seule signature dans vos nouveaux messages. Vous pouvez ainsi, par exemple, créer une signature pour vos messages personnels et une signature pour vos messages professionnels.

Pour créer des signatures supplémentaires, suivez les étapes 1 à 10 de la section précédente, "Ajouter une signature à vos messages". Après avoir créé plusieurs signatures, suivez les étapes ci-dessous pour spécifier celle qui sera insérée automatiquement dans vos messages :

1. **Suivez les étapes 1 à 5 de la section "Créer un nouveau message" pour créer un nouveau message.**

2. **Cliquez sur l'onglet Insertion.**

3. **Cliquez sur le bouton Signature dans le groupe Inclure de cet onglet.**

    Une liste déroulante apparaît, affichant la liste des signatures que vous avez définies, comme le montre la Figure 13.13.

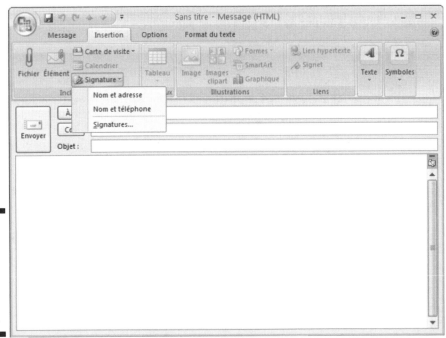

Figure 13.13
Le bouton Signature vous permet de sélectionner la signature à insérer dans votre message.

4. Cliquez sur le nom de la signature que vous voulez utiliser.

Outlook affiche dans la zone de texte du message la signature correspondante.

5. Dans la zone de texte du message, tapez votre message.

6. Cliquez sur le bouton Envoyer pour envoyer votre message.

Modifier ou supprimer une signature

Vous pouvez à tout moment modifier ou supprimer une signature. Pour cela, suivez ces étapes :

1. Sélectionnez Outils/Options.

La boîte de dialogue Options apparaît.

2. Cliquez sur l'onglet Format du Courrier.

3. Cliquez sur le bouton Signatures.

La boîte de dialogue Signatures et thèmes apparaît (Figure 13.12).

4. Cliquez sur le nom d'une signature.

Le texte de la signature sélectionnée apparaît dans dans la zone de texte de la boîte de dialogue Signatures et thèmes.

5. Si vous voulez supprimer la signature sélectionnée, cliquez sur le bouton Supprimer.

Dans la boîte de dialogue de confirmation qui apparaît, cliquez sur le bouton Oui (ou Non si vous changez d'avis).

6. Si vous voulez modifier la signature sélectionnée, cliquez dans la zone de texte et effectuez les modifications voulues.

7. Cliquez sur le bouton Enregistrer pour enregistrer vos modifications.

8. Cliquez sur OK.

Lire et organiser vos messages

Quand Outlook reçoit vos messages, il les organise par date. Vous voyez donc apparaître vos messages sous les en-têtes Aujourd'hui, Hier, Il y a une semaine, Il y a deux semaines, et ainsi de suite.

Outlook vous permet de lire vos messages de deux manières :

- ✔ Dans le volet de prévisualisation.

- ✔ Dans une fenêtre de message.

Le volet de prévisualisation est pratique pour parcourir une liste de messages en identifiant rapidement ceux que vous voulez lire et les autres. En revanche, comme sa surface d'affichage est limitée, il est moins indiqué pour lire entièrement de longs messages.

L'affichage du message dans sa propre fenêtre vous permet donc de le lire plus commodément. La Figure 13.14 montre comment se présente un message dans le volet de prévisualisation (en haut) et dans sa propre fenêtre (en bas).

Pour afficher un message, suivez ces étapes :

1. **Sélectionnez Atteindre/Courrier (vous pouvez aussi appuyer sur Ctrl+1, ou cliquer sur le bouton Courrier en bas du volet de gauche de la fenêtre Outlook).**

   Le volet Courrier apparaît dans la fenêtre Outlook.

2. **Cliquez sur un message dans le volet Boîte de réception.**

   Outlook affiche le message sélectionné dans le volet de prévisualisation.

3. **Pour ouvrir le message dans sa propre fenêtre, double-cliquez dessus dans le volet Boîte de réception.**

   Outlook affiche le message sélectionné dans sa propre fenêtre.

4. **Pour fermer la fenêtre du message, cliquez sur son bouton de fermeture dans son coin supérieur droit.**

Attribuer des catégories à vos messages

L'une des difficultés de la réception de votre courrier électronique est que vous pouvez recevoir des messages personnels et des messages professionnels (par exemple), et qu'il peut vous arriver de passer beaucoup de temps à chercher un message en les examinant tous un par un.

Pour résoudre ce problème, Outlook vous permet d'attribuer des catégories à vos messages, en associant des couleurs à ces catégories. Vous pouvez par exemple utiliser le rouge pour les messages importants, le jaune pour les messages personnels, le vert pour les messages professionnels, et ainsi de suite.

Attribuer une catégorie de couleur à un message

Pour attribuer une catégorie de couleur à un message, suivez ces étapes :

1. **Sélectionnez Atteindre/Courrier (vous pouvez aussi appuyer sur Ctrl+1, ou cliquer sur le bouton Courrier en bas du volet de gauche de la fenêtre Outlook).**

   Le volet Courrier apparaît dans la fenêtre Outlook.

2. **Cliquez sur un message dans le volet Boîte de réception.**

3. **Sélectionnez Actions/Classer (Figure 13.15).**

   Pour afficher le sous-menu des catégories de couleur, vous pouvez aussi cliquer sur le bouton Classer dans la barre d'outils Standard d'Outlook, ou cliquer du bouton droit sur le message dans le volet Boîte de réception et sélectionner Classer dans le menu qui apparaît (Figure 13.16).

4. **Sélectionnez une catégorie de couleur.**

   L'icône de catégorie du message (dans le volet Boîte de réception) apparaît dans la couleur que vous venez de sélectionner. Si c'est la première fois que vous sélectionnez cette catégorie de couleur, un message s'affiche, vous proposant de donner à cette catégorie le nom que vous voulez.

   Une fois que vous avez attribué des catégories de couleur à vos messages, vous pouvez les organiser selon ces catégories en sélectionnant Affichage/Réorganiser par/Catégories.

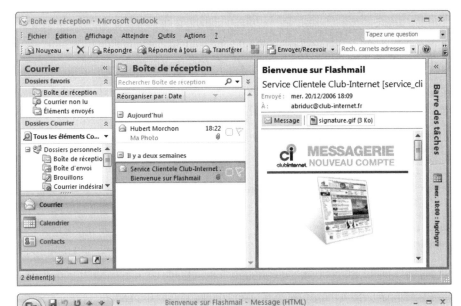

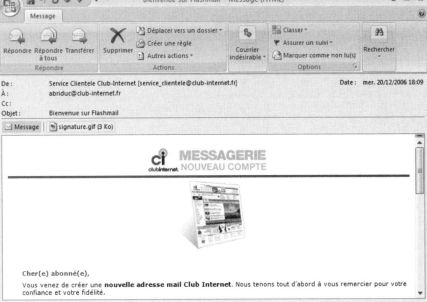

Figure 13.14
Le volet de prévisualisation vous permet de parcourir une liste de messages, que vous pouvez aussi afficher dans leur propre fenêtre.

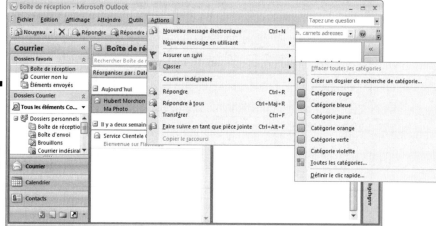

Figure 13.15
Le sous-menu
Classer vous
permet de
choisir dans une
liste de couleurs
celle que vous
voulez attribuer
au message
sélectionné.

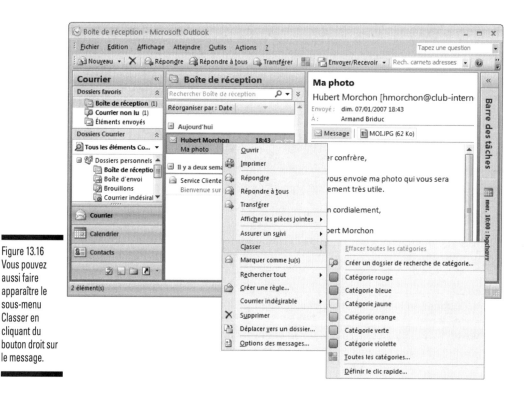

Figure 13.16
Vous pouvez
aussi faire
apparaître le
sous-menu
Classer en
cliquant du
bouton droit sur
le message.

Activer ou désactiver une catégorie de couleur d'un message

Pour activer ou désactiver une catégorie de couleur d'un message, suivez ces étapes :

1. **Cliquez sur un message qui a une catégorie de couleur.**

2. **Sélectionnez Actions/Classer/Toutes les catégories.**

   La boîte de dialogue Catégories de couleurs apparaît (Figure 13.17).

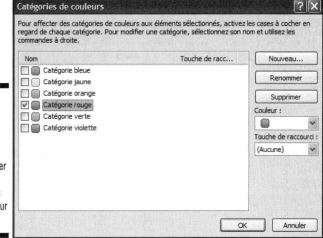

Figure 13.17
La boîte de dialogue Catégories de couleurs vous permet d'activer ou désactiver des catégories de couleurs pour un message.

3. **Cochez la case d'une catégorie pour l'attribuer au message sélectionné, ou ôtez la coche d'une catégorie pour la désactiver pour ce message.**

4. **Cliquez sur OK.**

Si vous voulez désactiver toutes les catégories de couleurs pour tous les messages, sélectionnez Actions/Classer/Effacer toutes les catégories.

Extraire une pièce jointe d'un message

Tout comme vous pouvez envoyer un fichier comme pièce jointe à un message, vous pouvez aussi en recevoir. Lorsque vous recevez un message qui comporte une ou plusieurs pièces jointes, Outlook affiche une petite icône représentant un trombone à la suite de l'en-tête du message dans le volet Boîte de réception, comme le montre la Figure 13.18.

N'ouvrez jamais un fichier joint à un message que vous recevez, à moins d'être absolument certain de pouvoir faire confiance à son contenu. Il y a de nombreux virus, vers et chevaux de Troie qui sont diffusés par des hackers sous forme de pièces jointes à des messages électroniques. Si vous ouvrez imprudemment un tel fichier, vous pouvez infecter votre ordinateur et perdre des données.

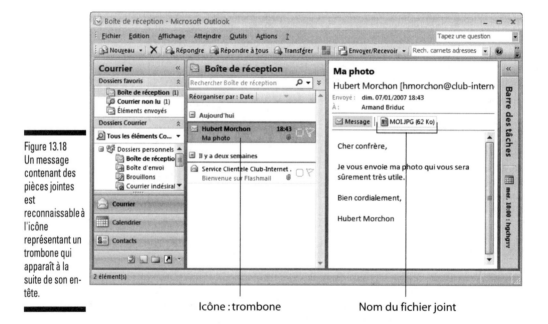

Figure 13.18
Un message contenant des pièces jointes est reconnaissable à l'icône représentant un trombone qui apparaît à la suite de son en-tête.

Icône : trombone   Nom du fichier joint

Pour ouvrir une pièce jointe à un message, suivez ces étapes :

1. **Cliquez sur un message dont l'en-tête comporte l'icône représentant un trombone.**

   Outlook affiche le contenu du message dans le volet de prévisualisation. En bas de la zone d'en-tête du message apparaît, à côté de l'icône du message, l'icône du fichier joint (ou les icônes des fichiers joints), comme le montre la Figure 13.18.

2. **Double-cliquez sur l'icône du fichier joint dans le volet de prévisualisation.**

   Si le fichier est identifié par Outlook comme présentant un danger potentiel (un fichier exécutable, se terminant par l'extension .exe), il est bloqué par Outlook. Dans le cas contraire, il s'ouvre dans l'application correspondante si celle-ci est automatiquement identifiée par Windows.

3. **Si l'application permettant d'ouvrir le fichier n'est pas automatiquement identifiée par Windows, la boîte de dialogue Ouvrir avec apparaît (Figure 13.19), vous permettant de sélectionner l'application avec laquelle vous voulez ouvrir le fichier.**

Figure 13.19
La boîte de dialogue Ouvrir avec vous permet de sélectionner le programme avec lequel vous voulez ouvrir un fichier joint à un message.

4. **Sélectionnez le programme à utiliser, et cliquez sur OK.**

   Une autre boîte de dialogue peut éventuellement apparaître pour vous demander si vous voulez réellement ouvrir ce fichier.

5. **Dans ce cas, cliquez sur Oui (ou sur Annuler si vous changez d'avis).**

   Le programme s'ouvre en affichant le contenu du fichier.

Vous aurez souvent le choix entre plusieurs programmes pour ouvrir un fichier reçu en pièce jointe d'un message. Par exemple, si vous recevez un fichier texte, vous pouvez l'ouvrir en utilisant le Bloc-notes, WordPad ou Word.

Supprimer des messages

Si vous voulez lutter contre l'encombrement de votre Boîte de réception, vous pouvez supprimer les messages dont vous êtes certain que vous n'aurez plus besoin de les lire. Pour supprimer un message, suivez ces étapes :

1. **Sélectionnez Atteindre/Courrier (vous pouvez aussi appuyer sur Ctrl+1, ou cliquer sur le bouton Courrier en bas du volet de gauche de la fenêtre Outlook).**

   Le volet Courrier apparaît dans la fenêtre Outlook.

2. **Dans le volet Boîte de réception, cliquez sur le message à supprimer.**

3. **Appuyez sur la touche Suppr ou sélectionnez Édition/Supprimer.**

Si vous avez supprimé un message par erreur, vous pouvez annuler immédiatement l'opération en appuyant sur Ctrl+Z ou en sélectionnant Edition/Annuler.

Lorsque vous supprimez un message, celui-ci est stocké par Outlook dans le dossier Éléments supprimés, ce qui vous permet de le récupérer par la suite si vous le souhaitez (aussi longtemps que vous ne videz pas le dossier Éléments supprimés). Pour restaurer un message préalablement supprimé, suivez ces étapes :

1. **Sélectionnez Atteindre/Courrier (vous pouvez aussi appuyer sur Ctrl+1, ou cliquer sur le bouton Courrier en bas du volet de gauche de la fenêtre Outlook).**

   Le volet Courrier apparaît dans la fenêtre Outlook.

2. **Dans le volet Courrier (le volet de gauche), cliquez sur le dossier Éléments supprimés.**

3. **Dans le volet Éléments supprimés, cliquez sur le message que vous voulez restaurer.**

4. **Sélectionnez Edition/Déplacer vers un dossier.**

   La boîte de dialogue Déplacer les éléments apparaît (Figure 13.20).

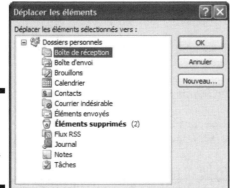

Figure 13.20
Sélectionnez le
dossier vers
lequel vous
voulez déplacer
le message.

5. **Sélectionnez le dossier (par exemple Boîte de réception) dans lequel vous voulez restaurer l'élément sélectionné, et cliquez sur OK.**

Outlook retire du dossier Éléments supprimés l'élément que vous avez sélectionné à l'étape 3, et le place dans le dossier que vous avez sélectionné.

Si vous supprimez un message dans le dossier Éléments supprimés, il est maintenant supprimé définitivement, et il n'y a plus aucun moyen de le récupérer. Pour vider le dossier Éléments supprimés (par exemple pour réduire le volume de vos dossiers Outlook ou vous débarrasser définitivement de certains éléments), suivez ces étapes :

1. **Sélectionnez Atteindre/Courrier (vous pouvez aussi appuyer sur Ctrl+1, ou cliquer sur le bouton Courrier en bas du volet de gauche de la fenêtre Outlook).**

Le volet Courrier apparaît dans la fenêtre Outlook.

2. **Dans le volet Courrier (le volet de gauche), cliquez sur le dossier Éléments supprimés.**

3. **Vous avez le choix entre l'une des quatre actions suivantes :**

• Cliquer sur un message.

• Sélectionner Edition/Sélectionner tout, pour sélectionner tous les messages du dossier Éléments supprimés.

- Maintenir enfoncée la touche Ctrl, et cliquer successivement sur tous les messages que vous voulez supprimer pour les sélectionner.

- Maintenir enfoncée la touche Maj, et cliquer sur le premier puis le dernier des messages de la liste de ceux que vous voulez supprimer.

4. Appuyez sur la touche Suppr ou sélectionnez Edition/Supprimer.

Une boîte de dialogue apparaît, vous demandant si vous êtes sûr de vouloir supprimer définitivement les messages sélectionnés.

N'oubliez pas que, lorsque vous supprimez un message dans le dossier Éléments supprimés, il est supprimé définitivement. Il n'existe plus aucun moyen de le récupérer par la suite.

5. Cliquez sur Oui (ou sur Non si vous changez d'avis).

Chapitre 14

Organiser votre messagerie avec Outlook

Avant les ordinateurs, la plupart des gens stockaient les noms et adresses de leurs contacts importants dans des fichiers rotatifs pour cartes de visite. C'est une invention ingénieuse, mais il faut un certain temps pour retrouver une carte de visite de cette façon si vous en avez beaucoup.

Un procédé comme celui-ci n'a donc plus sa place dans le monde d'aujourd'hui. Plutôt que de stocker des noms et des adresses en stockant des cartes de visite, vous pouvez les entrer dans Outlook. Le plus gros avantage d'Outlook est qu'il est capable de stocker, de trier et de rechercher des noms et des adresses beaucoup plus rapidement que vous ne pourriez le faire avec un fichier rotatif pour cartes de visite.

Si vous utilisez un appareil mobile pour Windows, vous pouvez synchroniser et partager vos données Outlook entre votre ordinateur et votre PDA (assistant numérique personnel), de manière à pouvoir disposer sur vous en permanence de votre liste de contacts.

Stocker des informations de contact

Vous pouvez stocker pour chaque contact autant d'informations que vous voulez, que ce soit uniquement son nom ou plusieurs adresses, adresses de messagerie, numéros de téléphone ou autres, et même y joindre une photo.

Pour enregistrer les informations sur un contact, suivez ces étapes :

1. **Sélectionnez Atteindre/Contacts (vous pouvez aussi cliquer sur le bouton Contacts en bas du volet de gauche de la fenêtre Outlook, ou appuyer sur Ctrl+3).**

   Outlook affiche la liste de vos contacts.

2. **Cliquez sur le bouton Nouveau.**

   Une fenêtre de nouveau contact apparaît (Figure 14.1).

3. **Cliquez sur le bouton Nom complet, entrez dans la boîte de dialogue qui apparaît toutes les informations (nom, prénoms, etc.) dont vous disposez sur le nom de la personne, et cliquez sur OK.**

4. **Entrez toutes les autres informations dont vous disposez sur cette personne (adresses de messagerie, numéros de téléphone, etc.) dans les champs appropriés de cette fenêtre.**

5. **Cliquez sur le bouton Enregistrer & fermer pour enregistrer les informations que vous venez d'entrer (ou sur le bouton Enregistrer & nouveau si vous voulez ouvrir aussitôt une nouvelle fenêtre de contact).**

   Ces deux boutons se trouvent dans le groupe Actions de l'onglet Contact du ruban.

Rechercher un contact

Après avoir stocké des noms, vous aurez peut-être un autre problème. Comment rechercher un contact dans la liste sans savoir les faire défiler tous un par un ? Heureusement, vous pouvez faire une recherche sur le nom du contact voulu, en tapant le nom complet ou seulement une partie de celui-ci.

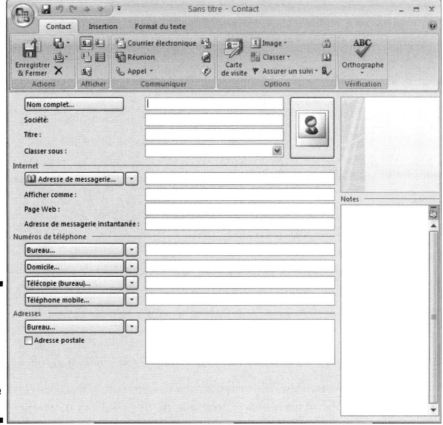

Figure 14.1
La fenêtre de contact vous permet de stocker toutes les informations dont vous disposez sur une personne.

Pour rechercher un contact dans la liste des contacts d'Outlook, suivez ces étapes :

1. **Sélectionnez Atteindre/Contacts.**

2. **Cliquez dans le champ Rechercher Contacts (Figure 14.2).**

3. **Tapez le nom du contact que vous recherchez ou une partie de celui-ci.**

Ne tapez que les premières lettres du nom de la personne dont vous êtes sûr, car si vous faites une erreur, Outlook ne retrouvera pas le contact. Plus vous tapez de lettres, plus Outlook trouve la réponse rapidement.

4. **Après avoir tapé toutes les lettres que vous connaissez, appuyez sur Entrée.**

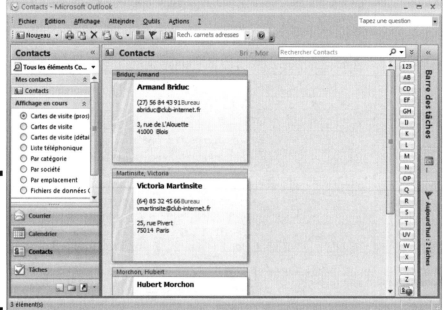

Figure 14.2
Le champ
Rechercher
Contacts vous
permet de taper
tout ou partie du
nom du contact
que vous
recherchez.

Outlook affiche tous les noms qui correspondent aux lettres que vous avez tapées à l'étape 3.

5. **Parmi les résultats proposés, double-cliquez sur celui que vous recherchez.**

Outlook ouvre la fenêtre du contact correspondant.

Afficher et imprimer des informations de contacts

Outlook peut afficher vos contacts de plusieurs manières différentes, par exemple en ne montrant que les noms et les numéros de téléphone, ou en montrant les noms, les adresses postales, les numéros de téléphone et les adresses de messagerie.

Après avoir trouvé l'affichage qui vous convient, vous pouvez modifier chaque contact ou imprimer toute votre liste de contacts. Pour afficher et imprimer votre liste de contacts, suivez ces étapes :

1. **Sélectionnez Atteindre/Contacts.**

2. **Sélectionnez Affichage/Affichage actuel. Vous pouvez aussi cliquer sur le bouton Affichage actuel dans le volet de gauche de la fenêtre Outlook pour faire apparaître la liste des affichages possibles associés à des boutons radio (si cette liste apparaît déjà, vous pouvez ignorer cette étape).**

3. **Cliquez sur l'affichage dans lequel vous voulez voir vos contacts (par exemple Cartes de visite).**

   Outlook affiche la liste des contacts dans l'affichage demandé, comme le montre la Figure 14.3.

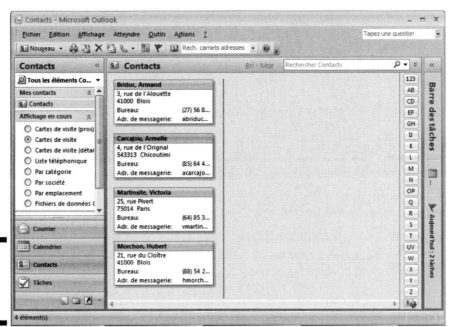

Figure 14.3
Choisissez le mode d'affichage de vos contacts.

4. **Pour modifier un contact, double-cliquez dessus dans la liste pour ouvrir la fenêtre de contact correspondante. Faites vos modifications, puis cliquez sur Enregistrer et fermer.**

5. **Sélectionnez Fichier/Aperçu avant impression.**

Outlook vous montre comment sera imprimée votre liste de contacts, comme le montre la Figure 14.4.

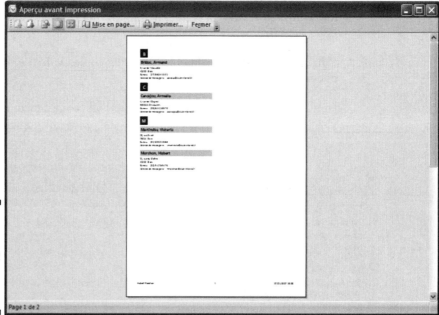

Figure 14.4
L'Aperçu avant impression vous montre comment sera imprimée votre liste de contacts.

6. Cliquez sur le bouton Imprimer.

Si vous voulez simplement imprimer les informations d'un contact, cliquez du bouton droit sur celui-ci dans la liste des contacts, et sélectionnez Imprimer dans le menu qui apparaît.

Attribuer des catégories à vos contacts

Si vous connaissez beaucoup de gens, votre liste de contacts va rapidement devenir assez longue, avec des contacts personnels et professionnels mélangés. Pour vous y retrouver plus facilement dans cette liste, vous pouvez assigner à chaque contact une ou plusieurs catégories.

Vous pouvez par exemple avoir une catégorie Amis personnels et une catégorie Clients (et comme vous pouvez assigner plusieurs catégories à chaque contact, un même contact pourra très bien appartenir à ces deux catégories).

Créer des catégories

Pour commencer, vous devez définir les catégories que vous voulez utiliser. Outlook dispose de catégories prédéfinies, identifiées par des couleurs et nommées Catégorie rouge, Catégorie bleue, etc. Naturellement, vous pouvez personnaliser ces catégories prédéfinies à votre guise.

Pour créer une catégorie, suivez ces étapes :

1. **Sélectionnez Atteindre/Contacts.**

2. **Cliquez sur un contact dans la liste.**

3. **Sélectionnez Actions/Classer.**

   Un sous-menu apparaît (Figure 14.5).

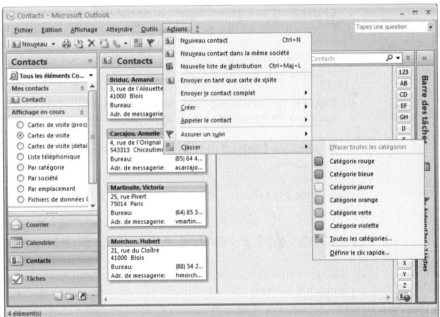

Figure 14.5
Le sous-menu Classer affiche la liste des catégories que vous pouvez utiliser.

4. **Sélectionnez Toutes les catégories.**

   La boîte de dialogue Catégories de couleurs apparaît (Figure 14.6).

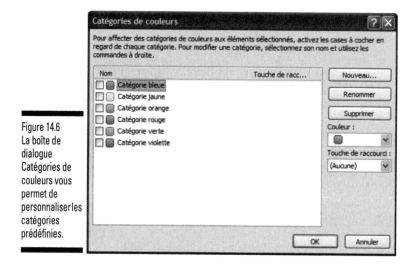

Figure 14.6
La boîte de dialogue Catégories de couleurs vous permet de personnaliser les catégories prédéfinies.

5. **Cliquez sur la catégorie que vous voulez personnaliser (par exemple Catégorie bleue), puis cliquez sur le bouton Renommer.**

   Outlook met en surbrillance le nom de la catégorie, indiquant ainsi que vous pouvez le modifier.

6. **Tapez le nouveau nom que vous voulez donner à cette catégorie, par exemple Amis ou Clients, et appuyez sur Entrée.**

7. **Répétez les étapes 5 et 6 pour chaque catégorie que vous voulez renommer.**

8. **Cliquez sur OK.**

Assigner des catégories à des contacts

Après avoir donné les noms que vous voulez aux catégories, vous pouvez assigner à chaque contact une ou plusieurs catégories. Pour cela, suivez ces étapes :

1. **Sélectionnez Atteindre/Contacts.**

2. **Cliquez sur un contact auquel vous voulez assigner une ou plusieurs catégories.**

3. **Sélectionnez Actions/Classer.**

   Un sous-menu apparaît, affichant la liste de toutes les catégories disponibles.

4. **Cochez la case de la catégorie à assigner au contact.**

   Répétez cette étape pour chaque catégorie que vous voulez assigner au contact.

Afficher les contacts par catégorie

Après avoir assigné des catégories à vos contacts, vous pouvez les afficher dans une présentation organisée par catégorie, en suivant ces étapes :

1. **Sélectionnez Atteindre/Contacts.**

2. **Sélectionnez Affichage/Affichage actuel.**

   Le sous-menu Affichage actuel apparaît, proposant la liste des affichages disponibles pour les contacts.

3. **Sélectionnez Par catégorie.**

   Outlook affiche votre liste de contacts organisée par catégorie, comme le montre la Figure 14.7.

Partager des contacts

Si vous connaissez l'adresse d'une personne, il pourra vous arriver de vouloir partager cette information avec quelqu'un d'autre. Naturellement, vous pouvez vous contenter d'imprimer le contact, ce qui oblige l'autre personne à taper à nouveau les informations correspondantes dans son ordinateur.

Outlook vous offre une manière plus directe d'envoyer ces informations à votre correspondant :

✔ Sous forme de vCard.

✔ Sous forme de fichier Outlook.

Le format *vCard* est un format standard permettant de stocker des noms et des adresses que de nombreux programmes d'organisation personnelle sont capa-

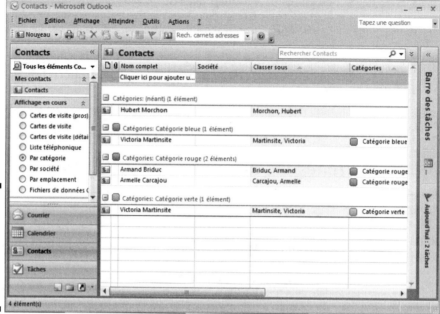

Figure 14.7
L'affichage Par catégorie organise votre liste de contacts en sous-ensembles plus petits.

bles d'importer. Si vous avez besoin d'échanger des informations de contact Outlook avec une personne qui n'utilise pas Outlook, vous devez lui envoyer ces informations sous forme de vCard.

Si vous avez besoin d'échanger des informations de contact Outlook avec une personne qui utilise Outlook, vous pouvez lui envoyer ces informations sous forme de fichier Outlook. Quel que soit le format choisi (vCard ou Outlook), vous pouvez envoyer les informations correspondantes par mail à votre correspondant.

Pour partager des informations de contact, suivez ces étapes :

1. **Sélectionnez Atteindre/Contacts.**

2. **Cliquez sur le contact que vous voulez partager.**

3. **Sélectionnez Actions/Envoyer le contact complet.**

   Un sous-menu apparaît.

4. **Sélectionnez Au format Internet (vCard) ou Au format Outlook.**

Une fenêtre de nouveau message apparaît.

5. **Cliquez dans le champ À, et tapez l'adresse de messagerie du destinataire.**

6. **Cliquez sur Envoyer.**

Outlook envoie au destinataire spécifié les informations sur le contact sélectionné à l'étape 2.

Définir des tâches

Pour vous aider à vous organiser dans votre travail, Outlook vous permet de créer une liste de tâches à accomplir.

Créer une tâche

Une tâche est le plus souvent définie par une action ayant une finalité définie et vérifiable (par exemple, *Terminer Office 2007 pour les Nuls*). Pour créer une tâche, suivez ces étapes :

1. **Sélectionnez Atteindre/Tâches (vous pouvez aussi cliquer sur le bouton Tâches, en bas du volet de gauche de la fenêtre Outlook, ou appuyer sur Ctrl+4).**

2. **Sélectionnez Actions/Nouvelle tâche (ou appuyez sur Ctrl+N).**

Une fenêtre de nouvelle tâche apparaît, comme le montre la Figure 14.8.

3. **Cliquez dans le champ Objet, et tapez une brève description de votre tâche.**

4. **Cliquez sur la flèche pointant vers le bas dans le champ Échéance (si vous ne voulez pas définir une date de début et une date de fin, vous pouvez sauter les étapes 4 à 9).**

Un calendrier apparaît.

5. **Dans ce calendrier, cliquez sur la date que vous voulez définir comme date de fin pour cette tâche.**

La date sélectionnée apparaît dans le champ échéance.

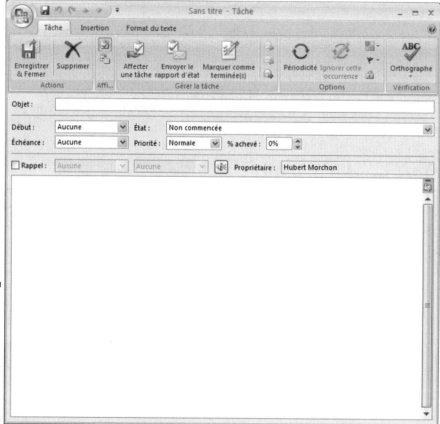

Figure 14.8
La fenêtre de tâche vous permet de définir tous les détails d'une tâche, notamment des dates de début de fin.

6. **Cliquez sur la flèche pointant vers le bas dans le champ Début.**

   Un calendrier apparaît.

7. **Dans ce calendrier, cliquez sur la date que vous voulez définir comme date de début pour cette tâche.**

8. **Cliquez dans la zone de texte et tapez tous les détails que vous voulez indiquer à propos de cette tâche.**

9. **Cliquez sur le bouton Enregistrer et fermer (dans le groupe Actions de l'onglet Tâche du ruban).**

   Outlook ferme la fenêtre de tâche.

Modifier une tâche

Après avoir créé une tâche, vous pouvez la modifier à tout moment, par exemple pour définir un rappel ou pour spécifier son état d'avancement. Pour modifier une tâche, suivez ces étapes :

1. **Sélectionnez Atteindre/Tâches.**

2. **Sélectionnez Affichage/Affichage actuel/Liste simple.**

   Outlook affiche la liste de vos tâches.

3. **Double-cliquez sur la tâche à modifier (ou cliquez dessus et appuyez sur Ctrl+O).**

   La fenêtre de la tâche apparaît.

4. **Accomplissez une ou plusieurs des actions suivantes :**

   - *Cliquer sur la flèche pointant vers le bas dans le champ État, et sélectionner ce qui correspond à l'état actuel de la progression de votre tâche (Non commencée, En cours de réalisation, Terminée, Attente de quelqu'un d'autre, Différée).*

   - *Cliquer sur la flèche pointant vers le bas dans le champ Priorité, et sélectionner le niveau de priorité que vous voulez donner à votre tâche (Faible, Normale ou Haute). Si vous assignez des catégories à vos tâches selon leur niveau de priorité, vous pourrez les afficher facilement par niveau de priorité.*

   - *Cliquer dans le champ % achevé, et taper le pourcentage de la tâche que vous considérez comme déjà accompli.*

   - *Cocher la case Rappel, et utiliser les champs de date et d'heure qui suivent pour spécifier la date et l'heure à laquelle vous voulez qu'Outlook vous rappelle cette tâche par un signal sonore. Si vous cliquez sur le bouton dont l'icône représente un haut-parleur (juste après ces deux champs), vous pouvez spécifier le fichier son que vous voulez comme signal sonore de rappel.*

   - *Compléter le texte de description de votre tâche dans la zone de texte qui occupe toute la partie inférieure de la fenêtre.*

5. **Cliquez sur le bouton Enregistrer & fermer dans le groupe Actions de l'onglet Tâche du ruban.**

Organiser et afficher vos tâches

Il peut être utile d'afficher la liste de vos tâches, mais si celle-ci est particulièrement longue (ce qui peut signifier que vous avez beaucoup de travail ou que vous êtes très en retard), vous pouvez en réorganiser l'affichage de manière à les présenter sur la base de leur date d'échéance (par exemple, afficher les tâches en retard qui auraient dû être achevées dans les sept derniers jours, puis les tâches qui sont déjà achevées, et ainsi de suite).

Pour réorganiser l'affichage de vos tâches, suivez ces étapes :

1. **Sélectionnez Atteindre/Tâches.**

2. **Sélectionnez Affichage/Affichage actuel.**

   Un sous-menu apparaît (Figure 14.9), proposant la liste des affichages possibles pour les tâches, notamment Liste détaillée et En retard.

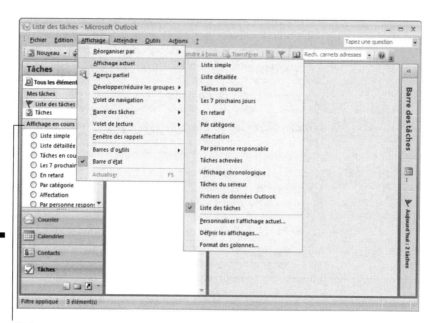

Figure 14.9
Outlook vous propose de nombreux affichages pour vos tâches.

Affichage en cours

Vous pouvez aussi cliquer sur Affichage en cours dans le volet de gauche de la fenêtre Outlook pour faire apparaître la liste des affichages disponibles, et y sélectionner celui que vous voulez.

3. **Sélectionnez la manière dont vous voulez afficher votre liste de tâches (par exemple, Tâches en cours ou Affectation).**

Outlook affiche votre liste de tâches selon l'organisation sélectionnée (l'affichage par défaut est Liste simple).

Marquer une tâche comme terminée

En dépit de la tendance répandue à remettre au lendemain ce que l'on peut faire aujourd'hui, la plupart des gens finissent par achever les tâches qu'ils se sont données. Pour dire à Outlook que vous avez franchi cette ligne d'arrivée, cochez simplement dans la liste la case de la tâche que vous venez d'achever, comme le montre la Figure 14.10. L'intitulé de la tâche et ses différentes caractéristiques apparaissent estompés et barrés dans la liste, et une coche s'affiche dans la colonne État de l'indicateur.

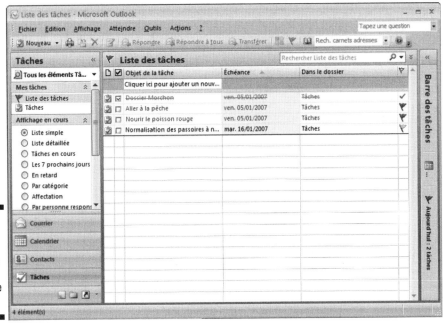

Figure 14.10
Une fois vos tâches achevées, vous pouvez les marquer comme telles.

Supprimer une tâche

Après avoir achevé une tâche (ou avoir décidé de l'abandonner), vous pouvez la supprimer pour alléger l'affichage de votre liste. Pour cela, suivez ces étapes :

1. **Sélectionnez Atteindre/Tâches.**

   Outlook affiche votre liste de tâches dans le dernier affichage sélectionné (Figure 14.10).

2. **Cliquez sur une tâche pour la sélectionner.**

3. **Sélectionnez Edition/Supprimer (vous pouvez aussi appuyer sur Ctrl+D ou cliquer sur le bouton Supprimer dans la barre d'outils Standard).**

   Outlook supprime la tâche sélectionnée.

Si vous supprimez accidentellement une tâche, appuyez immédiatement sur Ctrl+Z pour annuler cette action et la faire réapparaître.

Chapitre 15

Organiser votre temps

L'organisation de votre temps détermine directement votre qualité de vie. Outlook peut vous y aider avec le calendrier électronique qu'il met à votre disposition. La clé d'une bonne gestion de votre temps est de commencer par les tâches les plus pressantes, et de consacrer le temps qu'il vous reste aux tâches de moindre importance.

Définir des rendez-vous

Si vous manquez de vigilance, vous pouvez facilement vous laisser déborder par vos rendez-vous, et ne plus disposer de suffisamment de temps pour travailler. Pour vous aider à maîtriser le temps que vous consacrez à vos rendez-vous, Outlook vous permet de définir des rendez-vous dans son Calendrier, vous donnant ainsi une visibilité sur la répartition de votre temps jour après jour.

Créer un nouveau rendez-vous

Outlook vous permet de définir un rendez-vous pour demain, aussi bien que pour des décennies dans le futur. Pour créer un rendez-vous dans Outlook, suivez ces étapes :

1. **Sélectionnez Atteindre/Calendrier (ou appuyez sur Ctrl+2, ou cliquez sur le bouton Calendrier en bas du volet de gauche de la fenêtre Outlook).**

   Le Calendrier apparaît.

2. **En haut du volet de droite de la fenêtre Outlook, cliquez sur l'onglet Mois pour faire apparaître l'affichage Mois du Calendrier (Figure 15.1).**

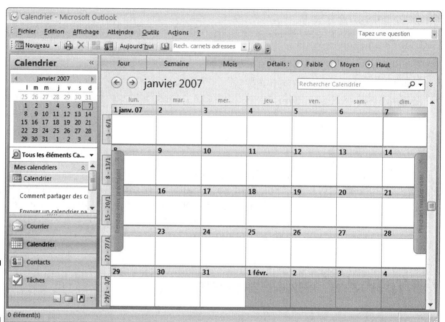

Figure 15.1
L'affichage Mois
du Calendrier.

3. **Cliquez sur l'en-tête du jour dans lequel vous voulez créer un rendez-vous (l'en-tête est la barre à fond bleu dans laquelle est affichée la date).**

   Outlook affiche le jour sélectionné dans l'affichage Jour, comme le montre la Figure 15.2.

4. **Double-cliquez dans le segment de l'heure du début du rendez-vous.**

   Une fenêtre de nouveau rendez-vous apparaît, comme le montre la Figure 15.3.

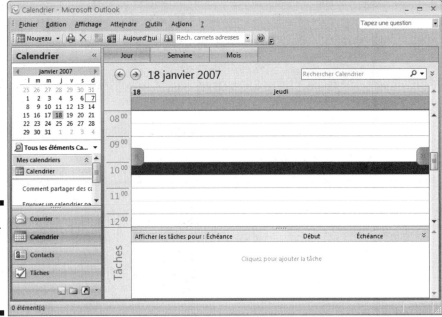

Figure 15.2
L'affichage Jour
vous montre la
journée divisée
en segments
d'une demi-
heure.

5. **Cliquez dans le champ Objet, et tapez une brève description de votre rendez-vous.**

6. **Si nécessaire, cliquez dans le champ Emplacement, et tapez le lieu de votre rendez-vous.**

Si vous définissez souvent des rendez-vous à des emplacements particuliers, Outlook s'en souvient et vous les propose dans une liste déroulante que vous pouvez ouvrir en cliquant sur la flèche pointant vers le bas à l'extrémité droite du champ Emplacement.

7. **Cliquez dans le champ de l'heure de début, et tapez l'heure exacte de votre rendez-vous.**

8. **Cliquez dans le champ de l'heure de fin, et tapez l'heure de fin de votre rendez-vous (vous pouvez aussi cliquer sur la flèche pointant vers le bas dans ce champ et sélectionner l'heure dans la liste qui apparaît).**

9. **Cliquez dans la zone de texte, et tapez toutes les informations supplémentaires que vous voulez conserver sur votre rendez-vous (par exemple, ce que vous aurez besoin d'apporter, les informations qu'il**

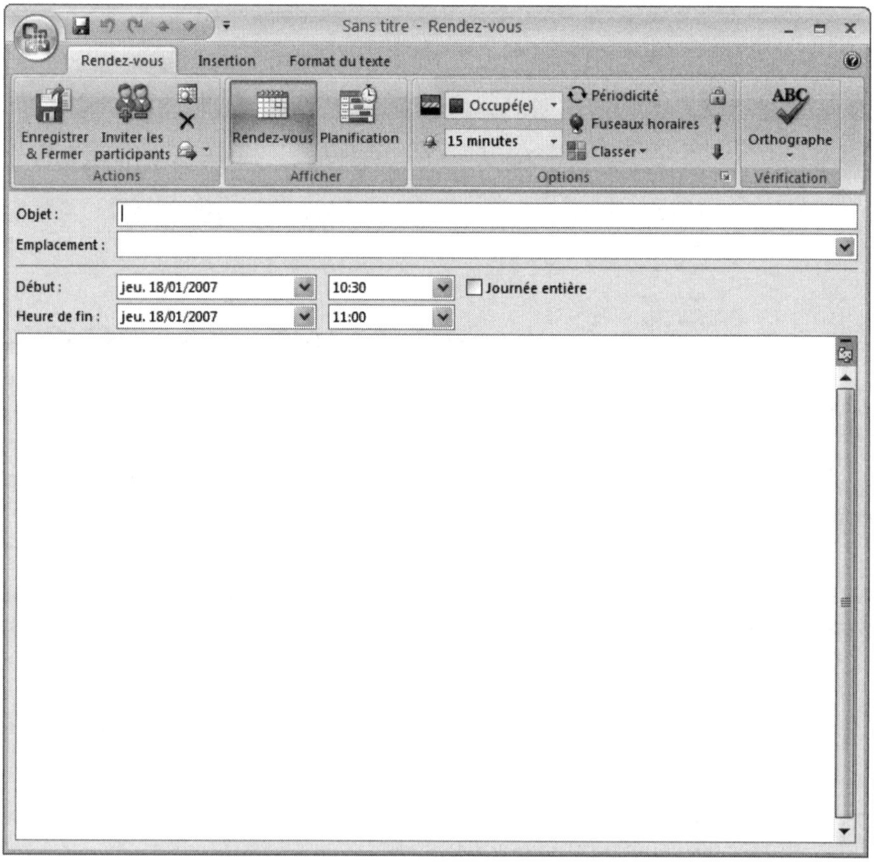

Figure 15.3
La fenêtre de
nouveau rendez-
vous permet de
saisir tous les
détails de votre
rendez-vous.

vous faut réunir au préalable, et tout ce que vous voulez vous rappeler au sujet de ce rendez-vous).

10. **Cliquez sur le bouton Enregistrer et fermer (dans le groupe Actions de l'onglet Rendez-vous du ruban).**

Outlook affiche votre rendez-vous dans l'affichage à partir duquel vous l'avez créé (l'affichage Jour dans notre exemple). Si vous cliquez sur l'onglet Mois, votre rendez-vous y apparaît pour le jour concerné, comme le montre la Figure 15.4.

Modifier un rendez-vous

Après avoir créé un rendez-vous, vous pouvez avoir besoin de le modifier, par exemple pour en changer l'emplacement, l'objet, l'heure de début ou de fin, ou encore pour spécifier un rappel sonore.

Pour modifier un rendez-vous dans Outlook, suivez ces étapes :

1. **Sélectionnez Atteindre/Calendrier.**

   Le Calendrier apparaît.

2. **Cliquez sur l'onglet Jour ou sur l'onglet Semaine.**

3. **Double-cliquez sur le rendez-vous à modifier (si nécessaire, faites défiler le contenu de la fenêtre pour y accéder).**

   Outlook ouvre la fenêtre du rendez-vous.

4. **Suivez les étapes 5 à 10 de la section précédente, "Créer un nouveau rendez-vous", pour modifier les caractéristiques de votre rendez-vous.**

Supprimer un rendez-vous

Si vous annulez un rendez-vous, vous pouvez le supprimer dans le Calendrier. Pour supprimer un rendez-vous, suivez ces étapes :

1. **Sélectionnez Atteindre/Calendrier.**

   Le Calendrier apparaît.

2. **Cliquez sur l'onglet Jour ou sur l'onglet Semaine.**

3. **Cliquez sur le rendez-vous à supprimer.**

4. **Sélectionnez Edition/Supprimer (ou appuyez sur Ctrl+D).**

   Outlook supprime le rendez-vous.

Si vous supprimez accidentellement un rendez-vous, appuyez immédiatement sur Ctrl+Z pour annuler l'opération et le faire réapparaître.

Définir un rendez-vous périodique

Un rendez-vous périodique est un rendez-vous qui se répète à intervalle régulier, c'est-à-dire chaque jour, chaque semaine, chaque mois ou chaque année (par exemple, un déjeuner avec votre patron le premier lundi de chaque mois). Plutôt que de définir manuellement chaque rendez-vous l'un après l'autre, vous pouvez le définir une fois pour toutes et spécifier sa périodicité. Outlook crée automatiquement tous les rendez-vous successifs.

Pour créer un rendez-vous périodique, suivez ces étapes :

1. **Suivez les étapes 1 à 9 de la section "Créer un nouveau rendez-vous", plus haut dans ce chapitre.**

2. **Cliquez sur le bouton Périodicité (dans le groupe Options de l'onglet Rendez-vous du ruban).**

   La boîte de dialogue Périodicité du rendez-vous apparaît (Figure 15.5).

3. **Cliquez sur la flèche pointant vers le bas dans le champ Début, et sélectionnez l'heure de début.**

4. **Vous avez le choix entre l'une des deux actions suivantes :**

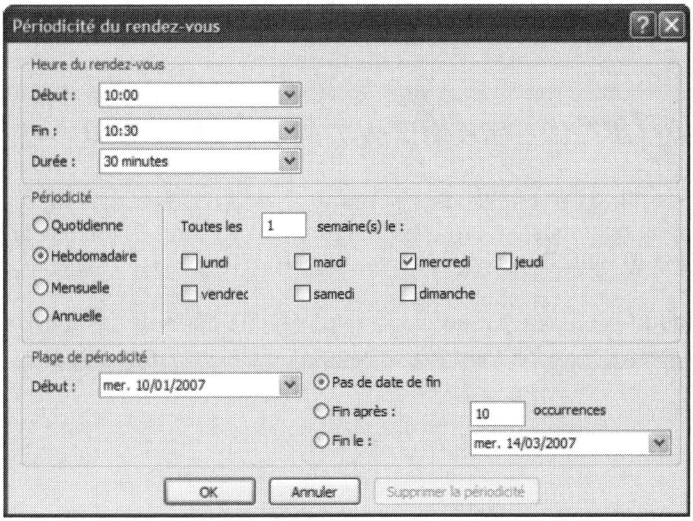

Figure 15.5
La boîte de
dialogue
Périodicité du
rendez-vous
vous permet de
spécifier la
périodicité de
votre rendez-
vous.

- Cliquer sur la flèche pointant vers le bas dans le champ Fin, et sélectionner l'heure de fin.

- Cliquer sur la flèche pointant vers le bas dans le champ Durée, et sélectionner la durée de votre rendez-vous.

5. **Dans la zone Périodicité, cliquez sur le bouton radio de la périodicité de votre rendez-vous (Quotidienne, Hebdomadaire, Mensuelle ou Annuelle).**

6. **Dans la zone Plage de périodicité, cliquez sur la flèche pointant vers le bas dans le champ Début, et sélectionnez dans le calendrier qui apparaît la date du premier rendez-vous de la série.**

7. **Dans cette même zone, sélectionnez l'un des boutons radio suivants :**

- *Pas de date de fin :* Le rendez-vous sera répété sans fin dans votre calendrier.

- *Fin après :* Vous permet de spécifier dans le champ qui suit le nombre de rendez-vous de la série.

- *Fin le :* Vous permet de spécifier dans le champ qui suit la date à partir de laquelle le rendez-vous ne se répète plus.

8. **Cliquez sur OK.**

9. **Cliquez sur le bouton Enregistrer et fermer (dans le groupe Actions de l'onglet Rendez-vous du ruban).**

Modifier un rendez-vous périodique

Pour modifier un rendez-vous périodique, vous disposez de deux possibilités. La première consiste à modifier uniquement un rendez-vous de la série. Dans ce cas, tous les rendez-vous suivants de la série restent inchangés.

La seconde consiste à modifier le rendez-vous périodique lui-même, de manière que tous les rendez-vous successifs soient modifiés en conséquence. Pour cela, suivez ces étapes :

1. **Sélectionnez Atteindre/Calendrier.**

   Le Calendrier apparaît.

2. **Cliquez sur l'onglet Jour, sur l'onglet Semaine ou sur l'onglet Mois.**

3. **Double-cliquez sur le rendez-vous périodique à modifier.**

   La boîte de dialogue Ouvrir un élément périodique apparaît (Figure 15.6).

Figure 15.6
Vous pouvez modifier une occurrence d'un rendez-vous périodique ou toute la série.

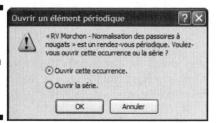

4. **Selon que vous voulez modifier uniquement cette occurrence du rendez-vous ou toute la série, cliquez sur le bouton radio correspondant, et cliquez sur OK :**

   • Ouvrir cette occurrence.

   • Ouvrir la série.

5. **Apportez les modifications voulues à votre rendez-vous, et cliquez sur le bouton Enregistrer et fermer dans le groupe Actions de l'onglet Rendez-vous périodique du ruban.**

Si vous cliquez sur le bouton Périodicité (dans le groupe Options de l'onglet Rendez-vous périodique du ruban), Outlook affiche la boîte de dialogue Périodicité du rendez-vous (Figure 15.5). Dans cette boîte de dialogue, si vous cliquez sur le bouton Supprimer la périodicité, la périodicité de votre rendez-vous disparaît et il ne reste plus que le rendez-vous initial.

Imprimer votre Calendrier

À moins d'avoir toujours votre portable avec vous du matin au soir, vous aurez besoin de temps à autre d'imprimer votre calendrier avec tous vos rendez-vous sur quelques jours. Pour cela, suivez ces étapes :

1. **Sélectionnez Atteindre/Calendrier.**

   Le Calendrier apparaît.

2. **Cliquez sur l'onglet Jour, sur l'onglet Semaine, ou sur l'onglet Mois.**

3. **Sélectionnez Fichier/Aperçu avant impression.**

   L'Aperçu avant impression apparaît (Figure 15.7).

4. **Cliquez sur le bouton Imprimer.**

   La boîte de dialogue Imprimer s'affiche (Figure 15.8).

5. **Dans les champs Début et Fin, cliquez sur la flèche pointant vers le bas et sélectionnez respectivement la date de début et la date de fin de la plage de dates à imprimer.**

6. **Cliquez sur OK pour lancer l'impression.**

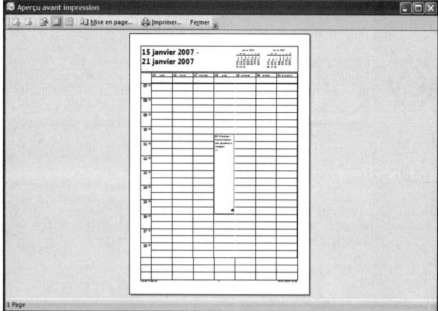

Figure 15.7
L'Aperçu avant impression vous montre comment sera imprimé votre calendrier.

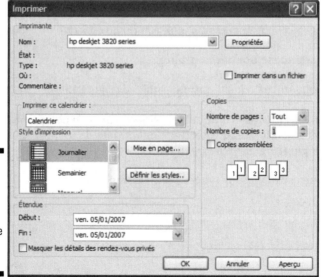

Figure 15.8
La boîte de dialogue Imprimer vous permet de spécifier la plage de dates à imprimer.

Sixième partie

Stocker des informations avec Access

"Oui, je sais me servir du programme pour en extraire des informations, mais comment je fais pour provoquer les fuites que je veux ?"

Dans cette partie...

Les ordinateurs personnels sont d'excellents outils pour stocker de grandes quantités d'informations dans des bases de données, ce qui permet d'éviter de les stocker dans des armoires. Une base de données peut non seulement stocker d'énormes quantités de données, mais aussi les trier et faire des recherches parmi elles, ce qui est particulièrement utile pour une entreprise qui a besoin d'assurer le suivi de ses clients, de ses stocks et de ses actifs en général. Il n'y a donc rien d'étonnant à ce que la dernière version d'un logiciel aussi avancé que Microsoft Office comporte une application de base de données.

Pour ceux d'entre vous qui aiment la terminologie informatique, Access est une base de données *relationnelle*. Pour ceux qui préfèrent le français, cette phrase signifie qu'Access vous permet de stocker de grandes quantités de données de nombreuses manières différentes, en vous permettant de les retrouver par la suite — rapidement — lorsque vous en avez besoin.

Cette partie vous montre comment stocker des informations dans Access. Son but est que vous vous sentiez à l'aise pour créer des bases de données avec Access, et stocker ainsi autant d'informations utiles que vous voulez dans votre ordinateur.

Chapitre 16

Utiliser une base de données

Dans ce chapitre :

▶ Comprendre comment fonctionne une base de données.

▶ Concevoir une base de données.

▶ Modifier une base de données.

▶ Entrer des informations dans une base de données.

▶ Fermer une base de données.

Une *base de données* n'est rien d'autre qu'un programme permettant de stocker des éléments d'informations, par exemple des noms, des adresses, des numéros de téléphone, des numéros de pièces, des dates d'expédition, des codes clients, ou tout autre type d'informations que vous pourriez trouver utile de stocker.

C'est donc pour vous permettre de stocker des informations facilement dans une base de données qu'Office 2007 comporte le programme de base de données *Access*. L'utilisation d'Access présente deux grands avantages sur la méthode consistant à stocker des informations sur papier. Tout d'abord, l'énorme quantité d'informations que vous pouvez stocker avec Access, ensuite la facilité avec laquelle Access vous permet de trier ces informations et d'y retrouver en un clin d'œil celles que vous recherchez.

L'utilisation d'une base de données présente les trois avantages suivants par rapport à un stockage d'informations sur papier :

✓ **Le volume permis :** La plus grande base de données que vous pouvez créer tient sur un disque dur d'ordinateur, mais son équivalent sur papier nécessiterait assez d'armoires pour remplir des pièces entières.

✔ **L'extraction rapide de données :** Il est facile et rapide de retrouver un nom dans une base de données informatique. La même opération avec une base de données sur papier est laborieuse, jusqu'à devenir impraticable avec une base de données assez volumineuse.

✔ **La possibilité de créer des états :** La création d'un état peut vous permettre de mettre en lumière le sens de l'ensemble de vos données, par exemple en vous donnant la liste de ceux de vos clients dont le chiffre d'affaires dépasse une certaine valeur ou qui se trouvent dans une certaine zone géographique. Avec une base de données sur papier, c'est un travail considérable, fertile en erreurs.

Les bases des bases de données

Une base de données n'est rien d'autre qu'un fichier contenant les informations que vous avez voulu stocker pour pouvoir les retrouver par la suite. Une base de données peut contenir aussi bien un nom et une adresse que plusieurs millions de noms et d'adresses.

Une base de données Access comporte en général les éléments suivants :

✔ **Des champs :** Un *champ* contient un seul élément d'information, par exemple un nom, une adresse ou un numéro de téléphone.

✔ **Des enregistrements :** Un *enregistrement* est constitué d'un ou de plusieurs champs. Par exemple, une carte de visite est l'équivalent sur papier d'un enregistrement de base de données constitué de plusieurs champs (nom, adresse, numéro de téléphone, et ainsi de suite) concernant une même personne.

✔ **Des tables :** Une *table* est constituée d'un certain nombre d'enregistrements, présentés en lignes et en colonnes, comme dans une feuille de calcul. Une table regroupe ainsi des enregistrements d'une même nature, par exemple vos fiches clients ou vos factures.

✔ **Des formulaires :** Un *formulaire* permet d'afficher à l'écran l'ensemble des champs d'un même enregistrement, reproduisant le principe d'un formulaire en papier, permettant d'afficher ou de modifier l'enregistrement correspondant.

✔ **Des requêtes :** Une *requête* est une demande faite au programme, permettant d'extraire de la base de données des informations que vous recherchez au travers de critères que vous spécifiez, par exemple tous ceux de vos clients dont le chiffre d'affaires est supérieur à une certaine valeur, qui opèrent dans un certain type d'activité, et qui sont basés dans une certaine zone géographique.

✔ **Des états :** Un *état* présente les informations de votre base de données selon la manière dont vous les lui demandez, par exemple tous les clients qui ont passé plus de 100 commandes l'année dernière.

Access est une base de données *relationnelle*. Cela signifie essentiellement que ce programme vous permet de stocker des données dans de nombreuses tables distinctes, et d'établir des liens, ou "relations", entre ces tables pour éviter d'avoir à dupliquer des données dans plusieurs d'entre elles. Par exemple, vous pouvez avoir une table qui contient les noms et les adresses de vos clients, et une autre table, liée à la précédente, où figurent les bons de commande de ces clients.

L'utilisation d'une base de données nécessite d'abord de la définir, c'est-à-dire de décider quels types d'informations elle doit contenir, par exemple des noms, des adresses, etc.

Une fois définie, il vous faut la remplir avec vos données, par exemple saisir le nom **Albert Marchand** dans le champ Nom, et l'adresse de messagerie **amarchand@isp.fr** dans le champ Adresse de messagerie.

La raison d'être d'une base de données est de stocker des informations que vous aurez besoin de retrouver par la suite, par exemple les noms et les coordonnées de vos clients. Il est inutile de stocker des informations dont vous n'aurez jamais besoin.

Lorsque vous allez créer votre première base de données, vous allez probablement commencer avec une seule table, contenant par exemple les informations sur vos clients. Cette table, qui pourrait s'appeler Informations clients, contiendra un certain nombre d'enregistrements, chaque enregistrement représentant un client et se composant d'un certain nombre de champs, par exemple Nom, Prénom, Entreprise, Numéro de téléphone, Adresse de messagerie, etc.

Pour afficher et modifier plus facilement les informations d'une table, vous pouvez créer un formulaire qui en affiche tous les champs à l'écran, reproduisant un formulaire en papier, facile à lire et vous permettant de modifier les champs.

Si vous recherchez fréquemment le même type d'informations dans une base de données, par exemple les noms de vos meilleurs clients, vous pouvez enregistrer ce critère en tant que *requête*. Il vous suffira alors de cliquer sur le nom de la requête pour qu'Access affiche ce que vous recherchez.

Enfin, vous voudrez sans doute imprimer vos données d'une manière qui a une signification pour vous, par exemple un rapport de ventes trimestriel. En enregistrant vos critères d'impression dans un état, vous pouvez faire imprimer par Access des données sélectionnées sur une page facile à lire et à comprendre.

Les instruments comme les formulaires, les requêtes et les états ne sont pas obligatoires dans une base de données, mais ils sont pratiques. En revanche, les champs, les enregistrements et les tables sont obligatoires pour stocker vos informations dans votre base de données.

Définir une base de données

Pour définir une base de données, il vous faut commencer par créer une *table*, puis définir les noms de tous les champs que vous voulez stocker dans cette table. Les *tables* permettent de diviser un fichier de base de données en plusieurs parties distinctes. Par exemple, une table de la base de données pourra contenir les noms et les adresses de vos clients, une deuxième les noms et les adresses de vos employés, et une troisième les noms et les adresses de vos fournisseurs. L'ensemble de ces informations, constituant une seule base de données, sera stocké par Access dans un seul fichier sur votre disque dur, comme l'illustre la Figure 16.1.

Figure 16.1
Vous pouvez diviser un fichier de base de données Access en plusieurs tables distinctes contenant chacune plusieurs champs.

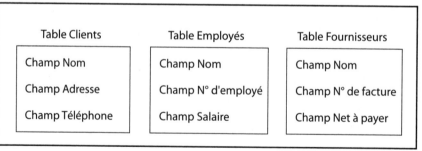

Fichier de base de données Access

Table Clients	Table Employés	Table Fournisseurs
Champ Nom	Champ Nom	Champ Nom
Champ Adresse	Champ N° d'employé	Champ N° de facture
Champ Téléphone	Champ Salaire	Champ Net à payer

Pour définir votre base de données, vous pouvez créer une base de données à partir de zéro, ou utiliser un modèle existant que vous allez modifier. Définir une base de données signifie définir d'une part le nombre de champs que vous allez utiliser pour stocker vos informations, et d'autre part définir la quantité maximale de données que peut contenir chaque champ.

Si vous avez un champ qui doit contenir un nom de famille, quel nombre maximal de caractères ce champ doit-il pouvoir contenir ? S'il est trop court, certains noms ne pourront pas y entrer. S'il est trop long, vous gaspillez de l'espace de stockage.

De même, si vous avez un champ qui doit stocker un nombre, quels nombres maximal et minimal de chiffres devez-vous prévoir pour ce champ ? S'il s'agit de l'âge d'une personne, vous allez vouloir empêcher que le nombre soit négatif ou supérieur à 200. Dans le cas d'un champ qui doit contenir un salaire, vous allez vouloir qu'il puisse contenir des nombres plus importants, mais pas des nombres négatifs.

En règle générale, prévoyez un champ pour chaque élément d'information. Par exemple, plutôt que de créer un champ pour le nom complet d'une personne, il vaut mieux créer un champ pour le prénom et un champ pour le nom de famille. De cette façon, on pourra facilement extraire le nom de famille, par exemple pour réaliser un mailing.

Créer une base de données à partir de zéro

Access vous permet de créer une nouvelle base de données vierge, ou bien une base de données à partir d'un des nombreux modèles disponibles sur le site Web de Microsoft. Dans les deux cas, il vous faudra la modifier afin de la personnaliser pour le type de données que vous voulez stocker.

Pour créer une base de données vierge, suivez ces étapes :

1. **Cliquez sur le Bouton Office, et sélectionnez Nouveau dans le menu qui apparaît.**

   La fenêtre Prise en main de Microsoft Office Access apparaît.

2. **Cliquez sur l'icône Base de données vide.**

   Le champ Nom de fichier apparaît dans le volet de droite de la fenêtre, comme le montre la Figure 16.2.

3. **Tapez un nom descriptif pour votre base de données.**

   Si vous le souhaitez, vous pouvez aussi cliquer sur l'icône de dossier, à droite de ce champ, pour spécifier un autre dossier ou un autre lecteur dans lequel enregistrer le fichier.

4. **Cliquez sur le bouton Créer (au-dessous du champ Nom de fichier).**

Figure 16.2
Donnez un nom
descriptif à votre
nouvelle base de
données.

Access affiche une nouvelle table vierge, avec un champ Ajouter un
nouveau champ, comme le montre la Figure 16.3. La table est affichée en
lignes et en colonnes, en mode Feuille de données.

Figure 16.3
Pour définir une
base de
données, vous
devez définir
pour chaque
table tous les
champs qui
seront utilisés
pour y stocker
des informations.

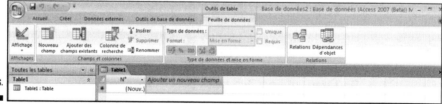

 Lorsque vous créez une base de données, Access crée automatiquement un
champ N° qui vous permet de trier et d'organiser vos données (mais rien ne
vous oblige à vous en servir).

Créer une base de données à partir d'un modèle

Tout comme il est toujours plus facile de copier le travail de quelqu'un d'autre, il est plus facile de partir d'un modèle de base de données existant et de le modifier selon vos propres besoins.

Il vous faut une connexion à Internet pour télécharger les modèles de bases de données sur le site Web de Microsoft.

Pour créer une base de données à partir d'un modèle, suivez ces étapes :

1. **Cliquez sur le Bouton Office et sélectionnez Nouveau dans le menu qui apparaît.**

   La fenêtre Prise en main de Microsoft Office Access s'affiche.

2. **Dans le volet de gauche de la fenêtre, au-dessous de la rubrique À partir de Microsoft Office Online, cliquez sur une catégorie (par exemple Entreprise ou Éducation).**

   La liste des modèles disponibles apparaît, comme le montre la Figure 16.4.

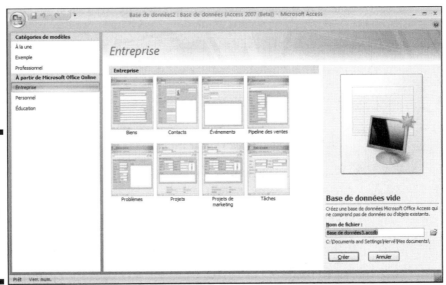

Figure 16.4 Chaque catégorie de modèles vous offre le choix entre un certain nombre de modèles sur le thème correspondant.

3. **Cliquez sur un modèle.**

   Access affiche un nom par défaut pour le nouveau fichier de base de données dans le champ Nom de fichier, dans la partie inférieure du volet de droite de la fenêtre.

4. **Tapez un nom descriptif pour votre base de données dans le champ Nom de fichier, et cliquez sur le bouton Créer (au-dessous de ce champ).**

   Access affiche la nouvelle base de données en lignes et en colonnes (en mode *Feuille de données*).

Modifier une base de données

Une fois que vous avez créé une base de données, que ce soit à partir de zéro ou à partir d'un modèle, il vous faut la modifier selon vos besoins, en donnant à chaque champ un nom descriptif, en définissant la taille de chaque champ, ou encore en ajoutant ou en supprimant un champ.

Nommer un champ

Si vous créez une base de données à partir de zéro, Access attribue au champ des noms par défaut (*Champ1*, *Champ2*, et ainsi de suite). Si vous créez une base de données à partir d'un modèle, les champs ont des noms descriptifs, mais vous êtes libre de les renommer selon vos besoins.

Pour renommer un champ, suivez ces étapes :

1. **Cliquez sur le Bouton Office, et sélectionnez Ouvrir dans le menu qui apparaît.**

   La boîte de dialogue Ouvrir s'affiche.

2. **Sélectionnez le fichier de base de données que vous voulez modifier, et cliquez sur le bouton Ouvrir.**

   Access ouvre la base de données sélectionnée.

3. **Dans le volet de gauche, double-cliquez sur la table qui contient les champs que vous voulez renommer.**

   Access affiche la table sélectionnée en mode Feuille de données.

4. **Dans le ruban, cliquez sur l'onglet Feuille de données.**

5. **Cliquez sur le champ (l'en-tête de colonne) à renommer.**

6. **Dans le groupe Champs et colonnes de l'onglet Feuille de données du ruban, cliquez sur le bouton Renommer.**

   Le nom du champ apparaît en surbrillance.

7. **Tapez le nom que vous voulez donner à ce champ, et cliquez à l'extérieur de celui-ci.**

Ajouter ou supprimer un champ

Il vous arrivera d'avoir besoin d'ajouter un champ dans une table existante pour y ajouter une information. De même, il vous arrivera de vouloir supprimer un champ si vous vous apercevez que vous n'en avez finalement pas besoin. Pour ajouter un champ dans une table, suivez ces étapes :

1. **Cliquez sur un champ existant dans votre table.**

2. **Cliquez sur l'onglet Feuille de données.**

3. **Dans le groupe Champs et colonnes de l'onglet Feuille de données, cliquez sur le bouton Insérer.**

   Access insère un nouveau champ (une nouvelle colonne) dans la table, juste avant le champ que vous avez sélectionné à l'étape 1.

Pour supprimer un champ dans une table, suivez ces étapes :

1. **Cliquez sur le champ à supprimer.**

   Access met en surbrillance toute la colonne correspondante.

2. **Cliquez sur l'onglet Feuille de données.**

3. **Dans le groupe Champs et colonnes de l'onglet Feuille de données, cliquez sur le bouton Supprimer.**

   Une boîte de dialogue apparaît, vous demandant si vous voulez supprimer définitivement les champs sélectionnés, comme le montre la Figure 16.5.

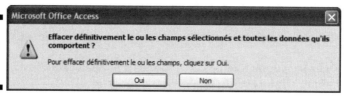

Figure 16.5
L'avertissement
concernant la
suppression.

Si vous supprimez un champ, vous supprimez également la colonne correspondante, c'est-à-dire toutes les données de ce champ dans tous les enregistrements de la table. Autrement dit, vérifiez soigneusement que vous ne vous êtes pas trompé de champ avant de cliquer sur Oui dans cette boîte de dialogue.

4. Cliquez sur Oui (ou Non si vous changez d'avis).

Si vous avez cliqué sur Oui, Access supprime le champ sélectionné.

Définir le type et la taille d'un champ

Le *type* d'un champ correspond au type de données que ce champ peut contenir (nombre, texte, date, etc.), et la taille d'un champ définit la taille de ces données (par exemple, 250 chiffres au maximum pour un nombre, une chaîne de caractères de 120 caractères au maximum, et ainsi de suite).

La définition du type et de la taille d'un champ vous permet de garantir que seules des données valides seront stockées dans ce champ. Si un champ est fait pour stocker un nom, vous ne voulez pas qu'on puisse y entrer un nombre. Si un champ est fait pour stocker l'âge d'une personne, vous ne voulez pas qu'il accepte des nombres négatifs.

Pour définir le type et la taille des données d'un champ, suivez ces étapes :

1. Cliquez sur l'onglet Accueil ou sur l'onglet Feuille de données.

2. Dans le volet de gauche, double-cliquez sur la table contenant le champ que vous voulez définir.

Access affiche la table sélectionnée en mode Feuille de données.

3. Cliquez sur la flèche pointant vers le bas du bouton Affichage (dans le groupe Affichage de l'onglet Accueil ou Feuille de données du ruban).

4. Dans le menu qui apparaît, sélectionnez Mode Création.

Access affiche la table en mode Création, comme le montre la Figure 16.6.

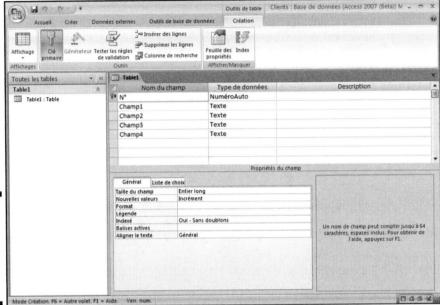

Figure 16.6
Le mode Création vous permet de spécifier le type et la taille de chaque champ.

5. **Si vous souhaitez renommer le champ avant de le définir, cliquez sur son nom dans la colonne Nom du champ, et entrez le nom que vous voulez.**

   Si vous cliquez sur une case vide, vous pouvez ajouter un champ.

6. **Cliquez dans la colonne Type de données, dans la ligne du nom du champ que vous voulez définir.**

   Une flèche pointant vers le bas apparaît.

7. **Cliquez sur cette flèche.**

   Un menu déroulant apparaît, vous proposant tous les types de données que peut contenir un champ, comme le montre la Figure 16.7.

8. **Sélectionnez le type de données voulu (par exemple Texte, Numérique ou Date/Heure).**

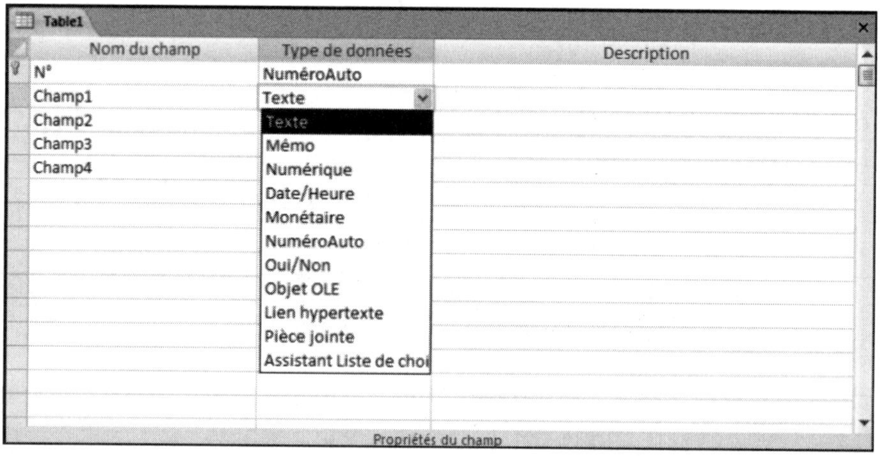

Figure 16.7
Sélectionnez le
type de données
correspondant
au champ que
vous voulez
définir.

Dans la partie inférieure du volet de droite de la fenêtre (Propriétés du champ), l'onglet Général affiche toutes les options vous permettant de modifier les caractéristiques du type de données sélectionné, comme le montre la Figure 16.8.

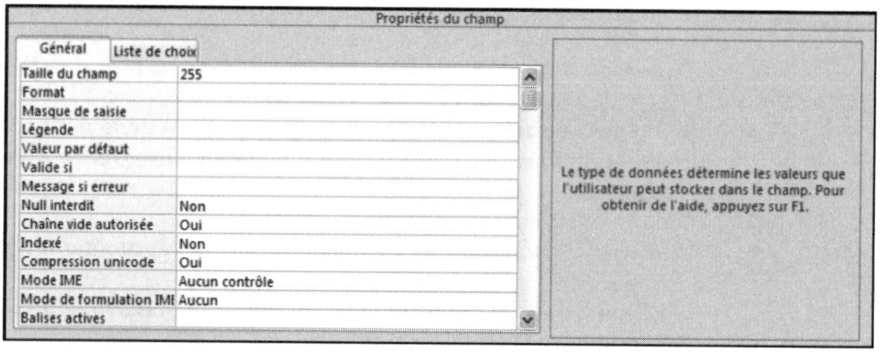

Figure 16.8
L'onglet Général
des Propriétés
du champ vous
permet de
spécifier toutes
les caractéris-
tiques du type de
données.

9. **Dans cet onglet Général, cliquez sur l'une des propriétés du type de données (par exemple Format ou Masque de saisie).**

Il vous faudra parfois entrer une valeur manuellement pour spécifier une propriété d'un type de données. Toutefois, dans bien des cas, un menu déroulant vous permet de sélectionner directement une option.

10. **Répétez l'étape 9 pour chaque propriété du type de données que vous voulez modifier.**

En général, il n'y a qu'un petit nombre de propriétés à modifier.

Entrer des données dans une base de données

Après avoir créé une table dans une base de données et défini les champs qui constituent un enregistrement, vous êtes prêt à y entrer des données réelles, par exemple des noms, des adresses, des numéros de téléphone, et ainsi de suite. Access vous offre pour cela deux manières de procéder :

✔ En mode Feuille de données.

✔ En mode Formulaire.

Le _mode Feuille de données_ affiche les informations en lignes et en colonnes, avec une ligne pour chaque enregistrement et une colonne pour chaque champ. Le mode Feuille de données est très pratique pour examiner tous les enregistrements à la fois.

Le _mode Formulaire_ affiche tous les champs d'un seul enregistrement. Il est surtout utile lorsque vous avez besoin d'afficher ou de modifier un seul enregistrement, par exemple pour entrer ou modifier le numéro de téléphone d'une personne.

Utiliser le mode Feuille de données

C'est le mode par défaut pour entrer des données. Pour afficher et saisir des données en mode Feuille de données, suivez ces étapes :

1. **Cliquez sur le Bouton Office, et sélectionnez Ouvrir.**

La boîte de dialogue Ouvrir apparaît.

2. **Sélectionnez le fichier de base de données Access dans lequel vous voulez ajouter ou modifier des données, et cliquez sur le bouton Ouvrir.**

Access ouvre la base de données sélectionnée.

3. **Dans le volet de gauche, double-cliquez sur la table à modifier.**

Access affiche la table sélectionnée en mode Feuille de données.

4. **Cliquez sur le champ à modifier dans l'enregistrement voulu.**

   C'est-à-dire à l'intersection de la colonne du champ et de la ligne de l'enregistrement.

   Si vous avez cliqué sur un champ contenant déjà des données, vous pouvez modifier ou supprimer ces données.

5. **Si vous voulez passer au champ suivant, appuyez sur la touche Tab (Maj+Tab pour passer au champ précédent).**

6. **Modifiez les données du champ que vous venez de sélectionner.**

Utiliser le mode Formulaire

L'inconvénient du mode Feuille de données est qu'il peut être difficile d'y trouver l'enregistrement que l'on veut modifier. Comme nous sommes tous familiers des formulaires en papier ou des fiches qui rassemblent un ensemble de données sur une seule feuille de papier, Access vous offre un mode Formulaire qui en présente la commodité.

Le *mode Formulaire* affiche l'ensemble des champs d'un seul enregistrement. Pour l'utiliser, vous devez commencer par créer un formulaire pour la table correspondante, et disposer sur celui-ci tous les champs constituant un enregistrement de cette table. Ce formulaire vous permettra alors d'afficher, de modifier et d'ajouter des données pour les enregistrements de cette table.

Créer un formulaire

La manière la plus simple de créer un formulaire consiste à laisser Access le créer pour vous, après quoi vous pourrez le modifier. Pour créer rapidement un formulaire, suivez ces étapes :

1. **Cliquez sur le Bouton Office et sélectionnez Ouvrir.**

   La boîte de dialogue Ouvrir apparaît.

2. **Sélectionnez le fichier de base de données Access dans lequel vous voulez ajouter ou modifier des données, et cliquez sur le bouton Ouvrir.**

Access ouvre la base de données sélectionnée.

3. **Dans le volet de gauche, double-cliquez sur la table à modifier.**

   Access affiche la table sélectionnée en mode Feuille de données.

4. **Cliquez sur l'onglet Créer du ruban.**

5. **Dans le groupe Formulaires de cet onglet, cliquez sur le bouton Formulaire.**

   Access crée un formulaire, comme le montre la Figure 16.9. Remarquez que le nom donné automatiquement par Access à ce formulaire est le nom de la table que vous avez sélectionnée à l'étape 3.

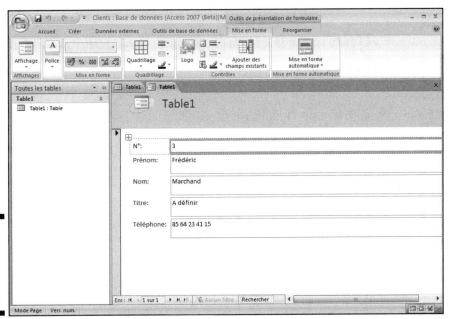

Figure 16.9
Un formulaire
affiche tous les
champs d'un
seul
enregistrement.

6. **Cliquez sur le Bouton Office et sélectionnez Enregistrer (ou cliquez sur l'icône Enregistrer dans la barre d'outils Accès rapide).**

   Une boîte de dialogue Enregistrer sous apparaît, vous permettant de donner le nom que vous voulez à votre formulaire, comme le montre la Figure 16.10.

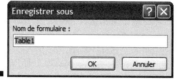

Figure 16.10
Donnez le nom
que vous voulez
à votre
formulaire.

7. **Tapez le nom que vous voulez donner à votre formulaire, et cliquez sur OK.**

   Dans le volet de gauche, le nom de votre formulaire apparaît au-dessous du nom de la table correspondante. La prochaine fois que vous ouvrirez cette base de données, si vous voulez afficher ce formulaire, il vous suffira de double-cliquer sur son nom dans le volet de gauche.

Afficher et modifier des données dans un formulaire

Une fois que vous avez créé un formulaire, vous pouvez l'utiliser à tout moment pour afficher et modifier des données des enregistrements de la table correspondante.

1. **Cliquez sur le Bouton Office et sélectionnez Ouvrir.**

   La boîte de dialogue Ouvrir apparaît.

2. **Sélectionnez le fichier de base de données Access dans lequel vous voulez ajouter ou modifier des données, et cliquez sur le bouton Ouvrir.**

   Access ouvre la base de données sélectionnée.

3. **Dans le volet de gauche, double-cliquez sur le formulaire que vous voulez utiliser.**

   Access affiche le formulaire sélectionné.

4. **Pour afficher un enregistrement particulier, vous disposez de plusieurs icônes en bas du volet du formulaire :**

   • *Premier enregistrement :* Affiche le premier enregistrement de la table.

- *Enregistrement précédent :* Affiche l'enregistrement précédent dans la table.

- *Enregistrement suivant :* Affiche l'enregistrement suivant dans la table.

- *Dernier enregistrement :* Affiche le dernier enregistrement de la table.

- *Nouvel enregistrement (vide) :* Affiche un formulaire vide, vous permettant de saisir des données, créant ainsi un nouvel enregistrement pour la table.

5. **Cliquez dans un champ et entrez l'information correspondante pour cet enregistrement (par exemple un nom ou un numéro de téléphone).**

Il n'est pas nécessaire d'utiliser la commande Enregistrer pour enregistrer vos modifications, car Access enregistre automatiquement chaque modification aussitôt que vous la validez en cliquant dans un autre champ ou en appuyant sur la touche Entrée.

Modifier un formulaire

Un formulaire automatiquement créé par Access peut être un moyen pratique d'afficher tous les champs d'un enregistrement. Toutefois, vous avez la possibilité de redéfinir la position de certains champ dans le formulaire (pour les rendre plus faciles à visualiser), ainsi que de supprimer certains champs. Vous pouvez donc créer un formulaire qui n'affiche qu'une partie des champs de la table, ne permettant ainsi à l'utilisateur ni d'en prendre connaissance ni de les modifier.

Supprimer un champ d'un formulaire

Si vous supprimez un champ d'un formulaire, vous ne faites qu'empêcher ce formulaire d'afficher le champ concerné. Par exemple, comme le salaire de chaque employé est une information confidentielle de la table Employés, le champ Salaire sera supprimé du formulaire de cette table.

Naturellement, le champ supprimé dans un formulaire n'est pas supprimé de la table correspondante.

Pour supprimer un champ dans un formulaire, suivez ces étapes :

1. **Cliquez sur le Bouton Office et sélectionnez Ouvrir.**

La boîte de dialogue Ouvrir apparaît.

2. **Sélectionnez le fichier de base de données Access dans lequel vous voulez ajouter ou modifier des données, et cliquez sur le bouton Ouvrir.**

Access ouvre la base de données sélectionnée.

3. **Dans le volet de gauche, double-cliquez sur le formulaire que vous voulez utiliser.**

Access affiche le formulaire sélectionné.

4. **Cliquez sur l'onglet Accueil dans le ruban.**

5. **Dans le groupe Affichage de cet onglet, cliquez sur la flèche pointant vers le bas du bouton Affichage.**

6. **Dans le menu qui apparaît, sélectionnez Mode création.**

Access affiche le formulaire en mode Création, avec une grille qui vous permettra de positionner les champs sur celui-ci.

7. **Cliquez sur un champ que vous voulez supprimer.**

Access met en surbrillance le champ sélectionné.

8. **Cliquez sur l'onglet Accueil, puis sur le bouton Supprimer du groupe Enregistrement.**

Access supprime le champ sélectionné.

Si vous appuyez immédiatement sur Ctrl+Z, la commande Supprimer est annulée, et le champ réapparaît.

9. **Dans le groupe Affichage de l'onglet Accueil du ruban, cliquez sur la flèche pointant vers le bas du bouton Affichage.**

10. **Dans le menu qui apparaît, sélectionnez Mode Formulaire.**

Access affiche votre formulaire, dont le champ que vous avez supprimé a disparu.

Ajouter un champ dans un formulaire

Avant d'ajouter un champ dans un formulaire, vous devez vous assurer que celui-ci existe bien dans la table correspondante. S'il n'existe pas encore, vous devez commencer par le créer dans cette table.

Pour créer un nouveau champ dans une table, suivez ces étapes :

1. **Cliquez sur le Bouton Office et sélectionnez Ouvrir.**

   La boîte de dialogue Ouvrir apparaît.

2. **Sélectionnez le fichier de base de données Access dans lequel vous voulez ajouter ou modifier des données, et cliquez sur le bouton Ouvrir.**

   Access ouvre la base de données sélectionnée.

3. **Dans le volet de gauche, double-cliquez sur la table à laquelle vous voulez ajouter un champ.**

   Access affiche la table sélectionnée en mode Feuille de données.

4. **Cliquez sur l'en-tête de colonne Ajouter un nouveau champ (c'est la dernière colonne vers la droite).**

   Access met cette colonne en surbrillance.

5. **Dans le ruban, cliquez sur l'onglet Feuille de données.**

6. **Dans le groupe Champs et colonnes de cet onglet, cliquez sur le bouton Renommer.**

   Le curseur d'insertion apparaît dans l'en-tête de colonne sélectionné à l'étape 4.

7. **Tapez un nom descriptif pour le nouveau champ (par exemple Adresse de messagerie ou Anniversaire), et appuyez sur Entrée.**

8. **Entrez des données dans cette colonne pour chaque enregistrement.**

Une fois que vous avez vérifié que le champ que vous voulez ajouter au formulaire existe bien dans la table, ou que vous l'avez créé, vous pouvez ajouter ce champ dans le formulaire. Pour cela, suivez ces étapes :

1. **Cliquez sur le Bouton Office et sélectionnez Ouvrir.**

La boîte de dialogue Ouvrir apparaît.

2. **Sélectionnez le fichier de base de données Access dans lequel vous voulez ajouter ou modifier des données, et cliquez sur le bouton Ouvrir.**

   Access ouvre la base de données sélectionnée.

3. **Dans le volet de gauche, double-cliquez sur le formulaire auquel vous voulez ajouter un champ.**

   Access affiche le formulaire en mode Formulaire.

4. **Dans le ruban, cliquez sur l'onglet Accueil.**

5. **Dans le groupe Affichage de cet onglet, cliquez sur la flèche pointant vers le bas du bouton Affichage.**

6. **Dans le menu qui apparaît, sélectionnez Mode Création.**

   Access affiche le formulaire en mode Création.

7. **Dans le ruban, cliquez sur l'onglet Création.**

8. **Dans le groupe Créer de cet onglet, cliquez sur le bouton Ajouter des champs existants.**

   Un volet Liste de champs apparaît sur le bord droit de la fenêtre, comme le montre la Figure 16.11.

9. **Dans ce volet, double-cliquez sur le champ que vous voulez ajouter au formulaire.**

   Le champ apparaît dans le formulaire, sous forme de deux rectangles distincts : l'étiquette, et un champ d'affichage et de saisie de données.

10. **Si vous voulez déplacer l'étiquette du champ que vous venez d'ajouter, placez le pointeur de la souris sur la poignée qui se trouve sur le coin supérieur gauche du rectangle correspondant (le pointeur prend la forme d'une flèche à quatre pointes), et faites-la glisser (en maintenant enfoncé le bouton gauche de la souris) jusqu'à l'endroit voulu.**

11. **Si vous le souhaitez, faites la même chose avec le champ d'affichage et de saisie.**

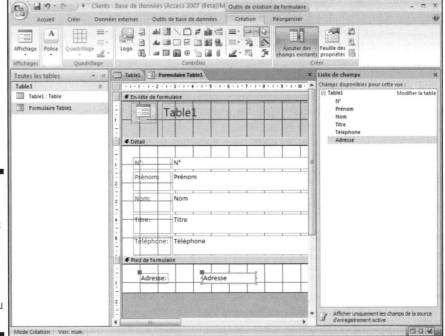

Figure 16.11
Le volet Liste de
champs affiche
tous les champs
de la table du
formulaire, vous
permettant de
sélectionner
ceux que vous
voulez ajouter au
formulaire.

12. **Dans le groupe Affichage du ruban, cliquez sur la flèche pointant vers le bas du bouton Affichage, et sélectionnez Mode Formulaire dans le menu qui apparaît.**

   Access affiche le formulaire en mode Formulaire. Remarquez que votre nouveau champ y apparaît, ainsi que les données qu'il contient pour l'enregistrement affiché.

13. **Cliquez sur le Bouton Office et sélectionnez Enregistrement pour enregistrer les modifications apportées à votre formulaire.**

Fermer et enregistrer une base de données

Une fois que vous avez terminé ce que vous vouliez faire avec une table d'une base de données, vous pouvez fermer le fichier, ou même quitter Access. Pour fermer une table d'une base de données, Access vous donne le choix entre deux possibilités :

✔ Fermer uniquement la table concernée.

  ✔ Fermer le fichier de la base de données elle-même.

Fermer une table d'une base de données

Fermer simplement une table d'une base de données ne fait que la faire disparaître de l'affichage, Access aussi bien que le fichier de la base de données correspondante restant ouverts. Pour fermer une table d'une base de données, suivez ces étapes :

1. **Cliquez du bouton droit sur l'onglet de la base de données que vous voulez fermer (en haut du volet d'affichage des tables et formulaires).**

   Un menu apparaît (Figure 16.12).

Figure 16.12 Sélectionnez Fermer dans ce menu pour fermer cette table.

	Enregistrer						✕
Tab	Fermer			Titre ·	Téléphone ·	Adresse ·	Ajou
	Fermer tout		A définir	85 64 23 41 15	25, rue du Moulin	
	Mode Création		Normalisateur	52 75 64 23 52	3, rue Lagarde	
	Mode Feuille de données		Normalisateur adjoint	52 75 64 19 42	3, rue Lagarde	
	Mode Tableau croisé dynamique					
	Mode Graphique croisé dynamique					

2. **Dans ce menu, sélectionnez Fermer.**

   Access ferme la table de cet onglet.

Si vous sélectionnez Fermez tout dans ce menu, vous fermez toutes les tables et tous les formulaires ouverts en une seule opération.

Fermer le fichier d'une base de données

Vous pouvez fermer le fichier d'une base de données sans quitter Access, de manière à pouvoir ouvrir le fichier d'une autre base de données. Pour fermer une base de données sans quitter Access, suivez ces étapes :

1. **Cliquez sur le Bouton Office et sélectionnez Fermer la base de données.**

   Si vous voulez quitter Access, cliquez sur le bouton Quitter Access (dans le coin inférieur droit de ce menu).

Si vous avez fait des modifications que vous n'avez pas encore enregistrées, une boîte de dialogue apparaît, vous demandant si vous voulez enregistrer vos dernières modifications.

2. **Cliquez sur Oui (ou sur Non).**

Le fichier de la base de données ouverte se ferme, et Access reste ouvert, vous permettant d'ouvrir une nouvelle base de données.

Lorsque vous enregistrez une base de données Access, vous n'enregistrez que les modifications que vous avez apportées à une table ou un formulaire de cette base de données. Access enregistre automatiquement dans le fichier de la base de données toutes les modifications apportées aux données elles-mêmes au fur et à mesure que vous les effectuez (lorsque vous modifiez des données ou en entrez de nouvelles, elles sont automatiquement enregistrées aussitôt que vous validez la modification en cliquant dans un autre champ).

Chapitre 17

Rechercher, trier et faire des requêtes

Dans ce chapitre :

▶ Rechercher et filtrer des données dans une base de données.

▶ Trier des données dans une base de données.

▶ Créer et utiliser des requêtes.

Si vous recherchez un nom dans votre base de données, il est possible mais fastidieux de passer en revue vos enregistrements par ordre alphabétique pour le trouver. En revanche, si vous avez besoin de trouver les noms de tous vos clients qui ont passé des commandes pour plus de 50 000 au cours des trois derniers mois, ce sera extrêmement fastidieux et ça vous prendra un temps considérable. C'est le genre d'information qu'Access peut trouver pour vous en un clin d'œil.

Si vous recherchez régulièrement des informations d'un type particulier, vous n'avez sans doute pas envie de reformuler à chaque fois de la même manière votre demande à Access. Pour cela, il vous suffit de créer une *requête*. Une requête vous permet de définir par des critères ce que vous recherchez, et d'enregistrer les paramètres correspondants afin de pouvoir réutiliser cette requête par la suite.

En dehors de faire des recherches sur vos données, Access peut aussi les trier. Une opération de tri peut être aussi simple que le tri d'une liste de noms par ordre alphabétique, mais aussi compliquée que le tri par code postal, salaire annuel ou autre. Le tri réorganise vos données d'une manière qui en met en évidence tel ou tel aspect.

En recherchant, en triant et en faisant des requêtes sur vos données, vous pouvez en tirer des informations nouvelles extrêmement utiles.

Rechercher des données

Une base de données sur papier permet de stocker des informations, mais elle est loin d'être pratique pour les retrouver par la suite. Si vous avez des milliers de cartes de visite dans un fichier rotatif, combien de temps vous faut-il pour retrouver le numéro de téléphone d'une personne ?

Comme la possibilité de retrouver rapidement des données dans une base de données est un aspect crucial de son utilité, Access vous offre deux manières différentes de rechercher des données :

✔ Rechercher un enregistrement particulier.

✔ Utiliser un filtre pour identifier les enregistrements qui satisfont un certain critère.

Rechercher un enregistrement particulier

Le type de recherche le plus simple consiste à rechercher un enregistrement particulier. Pour rechercher un enregistrement, il vous faut connaître au moins une partie du contenu de l'un de ses champs, par exemple un numéro de téléphone ou une adresse de messagerie.

Plus vous avez d'informations sur l'élément recherché, plus Access le trouvera facilement. Si vous recherchez tous les enregistrements contenant le prénom Frédéric, Access pourra en trouver un certain nombre. Mais si vous savez que le nom de famille de ce Frédéric est Marchand et qu'il habite à Marseille, il y a de fortes chances qu'Access trouve exactement l'enregistrement que vous voulez.

Pour rechercher un enregistrement particulier dans une base de données, suivez ces étapes :

1. **Dans le volet de gauche de la fenêtre Access, double-cliquez sur le nom de la table dans laquelle se trouve l'enregistrement que vous recherchez.**

   Access affiche la table sélectionnée en mode Feuille de données.

2. **Dans le ruban, cliquez sur l'onglet Accueil.**

3. **Dans le groupe Rechercher de cet onglet, cliquez sur le bouton Rechercher.**

   La boîte de dialogue Rechercher et remplacer apparaît (Figure 17.1).

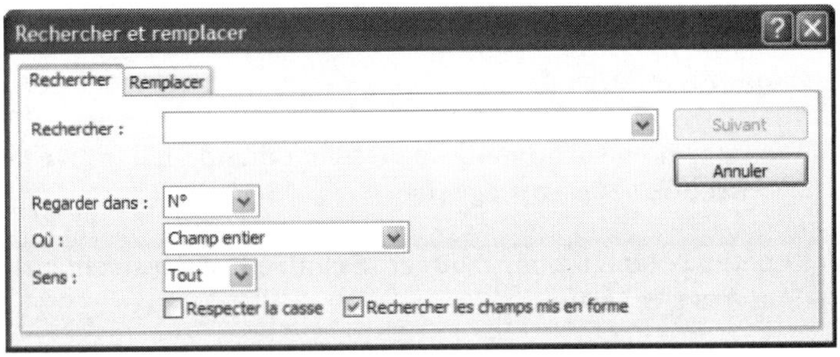

Figure 17.1
Rechercher un
enregistrement
dans une table.

4. **Cliquez dans le champ Rechercher et entrez le contenu d'un champ que vous connaissez dans l'enregistrement que vous recherchez.**

   Par exemple, si vous cherchez le numéro de téléphone d'une personne dont vous connaissez le nom, entrez ce nom dans le champ Rechercher.

5. **Cliquez sur la flèche pointant vers le bas dans le champ Regarder dans, et sélectionnez la table complète dans la liste qui apparaît.**

6. **Si vous le souhaitez, cliquez sur la flèche pointant vers le bas dans le champ Où, et sélectionnez l'une des options qui vous sont proposées :**

   • *N'importe où dans le champ :* Access trouvera les enregistrements comportant les caractères que vous avez entrés dans le champ Rechercher, quel que soit leur emplacement dans le champ.

   • *Champ entier :* Access trouvera les enregistrements dont un champ entier correspond aux caractères que vous avez entrés dans le champ Rechercher.

   • *Début de champ :* Access trouvera les enregistrements dont le début d'un champ correspond aux caractères que vous avez entrés dans le champ Rechercher.

7. **Si vous le souhaitez, cliquez sur la flèche pointant vers le bas dans le champ Sens, et sélectionnez l'une des options qui vous sont proposées :**

- *Haut :* La recherche se fait vers le haut à partir de l'emplacement du curseur, jusqu'au début de la table.

- *Bas :* La recherche se fait vers le bas à partir de l'emplacement du curseur, jusqu'à la fin de la table.

- *Tout :* La recherche se fait sur la totalité de la table.

8. **Cliquez sur Suivant.**

   Access met en surbrillance le premier champ qu'il trouve selon les critères que vous avez spécifiés.

9. **Répétez l'étape 8 pour trouver les autres enregistrements correspondant à ces critères.**

10. **Cliquez sur Annuler ou sur le bouton de fermeture de la boîte de dialogue Rechercher et remplacer.**

Filtrer une base de données

Il est facile de faire une recherche dans une base de données avec la méthode que nous venons de voir, mais il ne s'agit que de trouver un enregistrement particulier. Si vous voulez trouver plusieurs enregistrements, vous pouvez utiliser un filtre.

Un filtre vous permet de demander à Access de n'afficher que les enregistrements qui satisfont certains critères, par exemple les enregistrements des personnes dont le salaire est supérieur à 200 000 $ par an, qui sont mariées, habitent à Las Vegas, et possèdent plus de deux voitures. Vous allez sûrement trouver de cette façon un certain nombre d'enregistrements.

Pour filtrer une table d'une base de données, vous devez dire à Access quel champ utiliser comme filtre, puis définir le critère pour ce filtre. Si vous voulez filtrer votre table pour ne voir que les enregistrements des personnes de 65 ans ou plus, vous allez filtrer sur le champ Âge, et définir le critère comme : *supérieur ou égal à 65.*

Le filtrage a simplement pour effet de masquer les enregistrements de la table qui ne satisfont pas les critères de filtrage. Naturellement, il n'efface aucun enregistrement.

Utiliser un filtre à correspondance exacte

Le critère de filtrage le plus simple recherche une correspondance exacte. Lorsque vous filtrez sur la base d'un champ avec une correspondance exacte, vous dites à Access : "Je ne veux voir que les enregistrements qui contiennent exactement ces données dans ce champ." En utilisant un filtre à correspondance exacte, vous pouvez par exemple n'afficher que les enregistrements dont le code postal commence par 75.

Pour filtrer une table d'une base de données, suivez ces étapes :

1. **Dans le volet de gauche, double-cliquez sur le nom de la table que vous voulez filtrer :**

   Access affiche la table sélectionnée en mode Feuille de données.

2. **Dans le ruban, cliquez sur l'onglet Accueil.**

3. **Cliquez sur le champ (l'en-tête de colonne) sur la base duquel vous voulez filtrer.**

4. **Dans le groupe Trier et filtrer de l'onglet Accueil, cliquez sur le bouton Filtrer.**

   Un menu apparaît au-dessous du champ sélectionné, comme le montre la Figure 17.2.

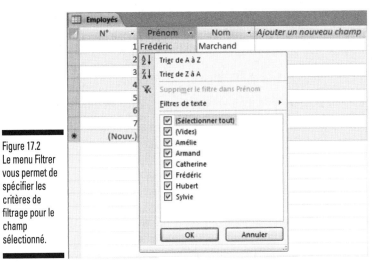

Figure 17.2
Le menu Filtrer vous permet de spécifier les critères de filtrage pour le champ sélectionné.

5. **Si vous le souhaitez, ôtez les coches d'une ou de plusieurs des cases qui apparaissent dans la liste des données de ce menu.**

6. **Juste au-dessus de cette liste de données, cliquez sur Filtres de texte (ou Filtres de chiffre, ou de tout autre type de données selon le type du champ sélectionné).**

7. **Dans le menu qui apparaît, sélectionnez Est égal à.**

   Une boîte de dialogue Filtre personnalisé apparaît, contenant un champ vous permettant de spécifier la valeur de référence.

8. **Entrez la valeur de référence dans ce champ, et cliquez sur OK.**

   La table est filtrée selon le critère que vous venez de spécifier : seuls sont affichés les enregistrements satisfaisant ce critère.

Filtrer par formulaire

L'inconvénient du filtrage en mode Feuille de données est que tous les enregistrements sont affichés à la fois. Pour éviter cela, Access vous permet de définir un filtre en utilisant un *formulaire*, ce qui consiste essentiellement à afficher un enregistrement vide vous permettant de cliquer dans les champs que vous voulez utiliser pour filtrer votre table.

Pour filtrer par formulaire, suivez ces étapes :

1. **Dans le volet de gauche, double-cliquez sur le nom de la table que vous voulez filtrer.**

   Access affiche la table sélectionnée en mode Feuille de données.

2. **Dans le ruban, cliquez sur l'onglet Accueil.**

3. **Dans le groupe Trier et filtrer de cet onglet, cliquez sur le bouton Options de filtre avancé.**

4. **Dans le menu qui apparaît (Figure 17.3), sélectionnez Filtrer par formulaire.**

   Access affiche un enregistrement vide.

5. **Cliquez dans un champ par lequel vous voulez filtrer.**

   Une flèche pointant vers le bas apparaît dans le champ.

Figure 17.3
Les options de
filtre avancé.

6. **Cliquez sur cette flèche.**

La liste des données que contient ce champ dans la table correspondante apparaît, comme le montre la Figure 17.4.

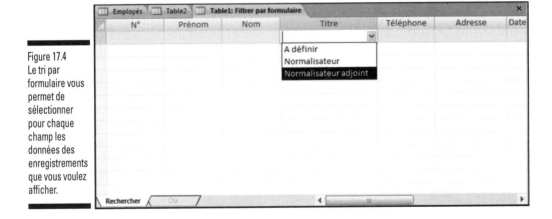

Figure 17.4
Le tri par
formulaire vous
permet de
sélectionner
pour chaque
champ les
données des
enregistrements
que vous voulez
afficher.

7. **Sélectionnez la donnée avec laquelle vous voulez filtrer pour ce champ.**

Naturellement, vous ne pouvez sélectionner qu'une seule donnée pour chaque champ.

8. **Répétez les étapes 5 à 7 pour chacun des champs pour lesquels vous voulez spécifier un critère de filtrage.**

9. **Dans le groupe Trier et filtrer de l'onglet Accueil du ruban, cliquez sur le bouton Appliquer le filtre.**

Access affiche les enregistrements de la table correspondant aux critères de filtrage que vous venez de spécifier.

Utiliser des critères de filtrage

Il peut être utile de rechercher une correspondance exacte dans un champ, mais vous aurez parfois besoin d'afficher les enregistrements qui satisfont certains critères, par exemple tous les employés dont le salaire est supérieur à une certaine valeur et qui ont été embauchés après une certaine date. Au lieu d'une correspondance exacte, vous devez définir des critères de filtrage.

Les critères que vous pouvez définir sont déterminés par le type des données stockées dans chaque champ. Les trois types les plus utilisés sont Texte, Numérique et Date/Heure, qui vous permettent de définir différents critères de filtrage, comme le montre le Tableau 17.1.

Tableau 17.1 : Critères de filtrage selon le type de données.

Type de données	Critère de filtrage	Description
Texte	Est égal à	Le contenu du champ correspond exactement à la chaîne indiquée.
	Est différent de	Le contenu du champ est différent de la chaîne indiquée.
	Commence par	Les premiers caractères du contenu du champ correspondent exactement à la chaîne indiquée.
	Ne commence pas par	Les premiers caractères contenu du champ sont différents de la chaîne indiquée.
	Contient	La chaîne indiquée est une partie ou la totalité du contenu du champ.
	Ne contient pas	La chaîne indiquée ne se trouve dans aucune partie du contenu du champ
	Se termine par	Les derniers caractères du contenu du champ correspondent exactement à la chaîne indiquée.
	Ne se termine pas par	Les derniers caractères du contenu du champ sont différents de la chaîne indiquée.

Tableau 17.1 : **Critères de filtrage selon le type de données. (*suite*)**

Type de données	Critère de filtrage	Description
Numérique	Est égal à	Le contenu du champ correspond exactement à la valeur indiquée.
	Est différent de	Le contenu du champ est différent de la valeur indiquée.
	Plus petit que	Le contenu du champ est plus petit que la valeur indiquée.
	Plus grand que	Le contenu du champ est plus grand que la valeur indiquée.
	Entre	Le contenu du champ est compris entre les deux valeurs indiquées.
Date/Heure	Est égal à	Le contenu du champ correspond exactement à la valeur indiquée.
	Est différent de	Le contenu du champ est différent de la valeur indiquée.
	Avant	Le contenu du champ correspond à un moment antérieur à la valeur indiquée.
	Après	Le contenu du champ correspond à un moment postérieur à la valeur indiquée.
	Entre	Le contenu du champ correspond à un moment compris entre les deux valeurs indiquées.

Pour définir des critères de filtrage, suivez ces étapes :

1. **Dans le volet de gauche de la fenêtre, double-cliquez sur le nom de la table que vous voulez filtrer.**

   La table sélectionnée apparaît en mode Feuille de données.

2. **Dans le ruban, cliquez sur l'onglet Accueil.**

3. **Cliquez sur le champ (l'en-tête de colonne) pour lequel vous voulez définir un critère de filtrage.**

4. **Dans le groupe Filtrer de l'onglet Accueil du ruban, cliquez sur le bouton Filtrer.**

Un menu apparaît au-dessous du champ sélectionné (Figure 17.2).

5. **Dans ce menu, cliquez sur Filtre de [*type de données*] (le libellé de cette option dépend du type de données du champ sélectionné).**

Le sous-menu des options de filtrage pour ce type de données apparaît, comme le montre la Figure 17.5.

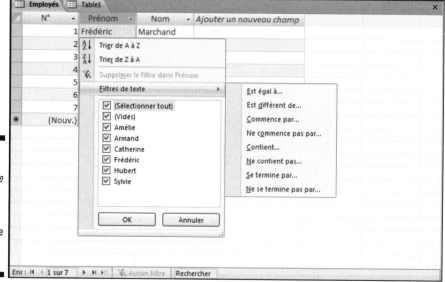

Figure 17.5
Le sous-menu Filtre de [*type de données*] vous permet de spécifier le critère de filtrage pour le champ sélectionné.

6. **Dans ce sous-menu, sélectionnez l'option de filtrage qui vous convient.**

La boîte de dialogue Filtre personnalisé apparaît (Figure 17.6). Elle contient l'énoncé du critère de filtrage (par exemple, "Date de naissance est le ou avant"), suivi d'un champ vous permettant de saisir la valeur correspondante.

7. **Dans cette boîte de dialogue, saisissez la ou les valeurs demandées dans les champs qui vous sont proposés, et cliquez sur OK.**

Access affiche la table filtrée selon le critère que vous venez de spécifier.

Figure 17.6
Saisissez la
valeur qui définit
votre critère de
filtrage.

8. **Répétez les étapes 5 à 7 pour tous les champs pour lesquels vous voulez définir un critère de filtrage.**

Désactiver un filtre

Lorsque vous avez appliqué un filtre à une table, seuls sont affichés les enregistrements de cette table qui satisfont les critères de filtrage. Access affiche l'indication Filtré dans la barre d'état, ainsi qu'un bouton Filtré en bas de la zone d'affichage de la table.

Pour désactiver un filtre afin d'afficher à nouveau tous les enregistrements de la table, vous pouvez procéder de l'une des deux manières suivantes :

✔ Cliquer sur le bouton Supprimer le filtre dans le groupe Trier et filtrer de l'onglet Accueil du ruban.

✔ Cliquer sur le bouton Filtrer, en bas de la zone d'affichage de la table.

Access désactive le filtre et affiche à nouveau tous les enregistrements de la table.

Lorsque vous utilisez la commande Enregistrer (Ctrl+S) pour enregistrer une table d'une base de données, Access enregistre avec elle le dernier filtre que vous avez défini. La prochaine fois que vous ouvrirez cette table, vous pourrez à nouveau utiliser ce filtre. Si vous voulez enregistrer plusieurs filtres, vous devez les enregistrer en tant que requêtes (pour en savoir plus, reportez-vous à la section "Émettre des requêtes dans une base de données", plus loin dans ce chapitre).

Trier une base de données

Le tri ne fait rien d'autre que réorganiser la manière dont Access affiche vos informations. Il peut être très pratique pour classer vos enregistrements par ordre alphabétique sur le nom de chaque personne, ou par département, ou par pays. Vous pouvez aussi trier sur la base d'une valeur numérique, par exemple selon le montant total des commandes de chaque client l'année dernière.

Pour trier une table d'une base de données, suivez ces étapes :

1. **Dans le volet de gauche de la fenêtre, double-cliquez sur le nom de la table que vous voulez trier.**

   Access affiche la table sélectionnée en mode Feuille de données.

2. **Dans le ruban, cliquez sur l'onglet Accueil.**

3. **Cliquez sur le champ (l'en-tête de colonne) sur la base duquel vous voulez trier cette table.**

4. **Dans le groupe Trier et filtrer de l'onglet Accueil du ruban, cliquez sur le bouton Croissant ou sur le bouton Décroissant (ces deux icônes sont situées dans le coin supérieur gauche de ce groupe).**

   Access affiche la table triée dans l'ordre demandé, avec une petite flèche pointant vers le haut ou vers le bas à l'extrémité droite de l'en-tête de colonne du champ par lequel vous avez trié, comme le montre la Figure 17.7.

5. **Si vous voulez voir à nouveau votre table sans le tri (dans l'ordre où les enregistrements ont été saisis), cliquez sur le bouton Effacer tous les tris, dans le groupe Trier et filtrer de l'onglet Accueil du ruban.**

Émettre des requêtes dans une base de données

L'un des inconvénients du tri et du filtrage est que vous devez constamment définir comment vous voulez filtrer ou trier votre table. Si vous utilisez réguliè-rement une certaine manière de trier ou de filtrer une table, vous pouvez créer pour cela une requête que vous pourrez réutiliser par la suite.

Une *requête* n'est rien d'autre qu'une version enregistrée d'un ensemble de critères de tri ou de filtrage. En enregistrant cet ensemble de critères en tant que requête, vous pourrez par la suite sélectionner cette requête par son nom.

Créer une requête simple

Si votre table comporte des dizaines de champs, vous aurez peut-être du mal à mettre en évidence le sens des informations qu'elle contient. Une requête

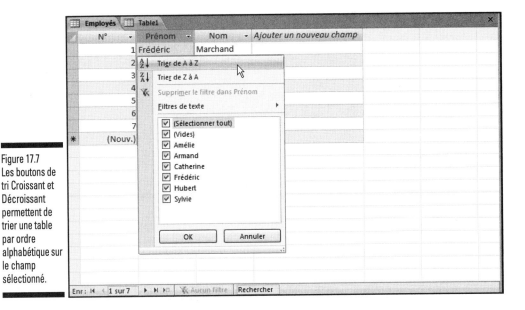

Figure 17.7
Les boutons de tri Croissant et Décroissant permettent de trier une table par ordre alphabétique sur le champ sélectionné.

simple vous permet de masquer les champs qui ne vous sont pas nécessaires, de manière à n'afficher que ceux dont vous avez besoin (par exemple, le nom et le numéro de téléphone de chaque employé, mais pas la date d'embauche, le numéro de Sécurité sociale ou d'autres informations inutiles pour ce que vous êtes en train de faire).

Pour créer une requête, suivez ces étapes :

1. **Dans le ruban, cliquez sur l'onglet Créer.**

2. **Dans le groupe Autre de cet onglet, cliquez sur le bouton Assistant Requête.**

   La boîte de dialogue Nouvelle requête apparaît (Figure 17.8).

3. **Cliquez sur Assistant Requête simple, puis sur OK.**

   La boîte de dialogue Assistant Requête simple apparaît (Figure 17.9).

4. **Dans la liste Champs disponibles, cliquez sur le nom d'un champ que vous voulez afficher avec votre requête, et cliquez sur le bouton >.**

   Le champ sélectionné apparaît dans la liste Champs sélectionnés.

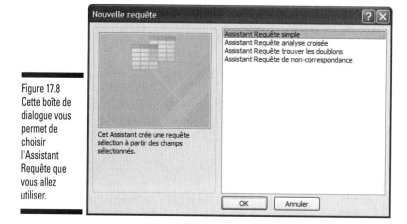

Figure 17.8
Cette boîte de dialogue vous permet de choisir l'Assistant Requête que vous allez utiliser.

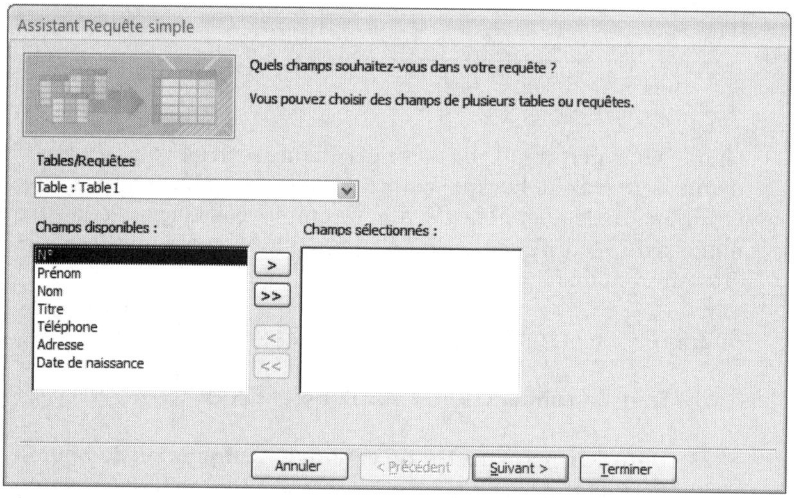

Figure 17.9
L'Assistant Requête simple vous permet de sélectionner les champs à utiliser pour votre requête.

5. **Répétez l'étape 4 pour tous les champs que vous voulez afficher avec votre requête.**

6. **Cliquez sur Suivant.**

   La boîte de dialogue suivante de l'Assistant apparaît (Figure 17.10), vous disant que ce sont toutes les informations dont il a besoin pour créer votre requête, et vous proposant de donner à celle-ci le nom que vous voulez.

7. **Entrez le nom descriptif que vous voulez pour votre requête, et cliquez sur le bouton Terminer.**

   Access affiche le résultat de votre requête dans un nouvel onglet.

8. **Cliquez sur le Bouton Office, et sélectionnez Enregistrer pour enregistrer votre requête.**

Créer une requête d'analyse croisée

Une requête d'analyse croisée vous permet de faire un calcul sur la base de plusieurs champs pour afficher le résultat dans une nouvelle présentation. Par exemple, si chaque enregistrement d'une table correspond à une commande d'une certaine quantité d'un certain produit avec un champ contenant le nom du commercial, un champ contenant le nom du produit et un champ contenant le montant de la commande, vous pouvez utiliser tous ces champs pour produire une analyse croisée montrant le résultat global de chaque commercial par produit, comme le montre la Figure 17.11.

Pour créer une requête d'analyse croisée, vous devez identifier trois types de champs :

✔ De un à trois champs pour identifier chaque enregistrement (dans notre exemple, le nom et le prénom du commercial). Ces champs seront utilisés comme en-têtes de lignes dans le résultat de l'analyse croisée.

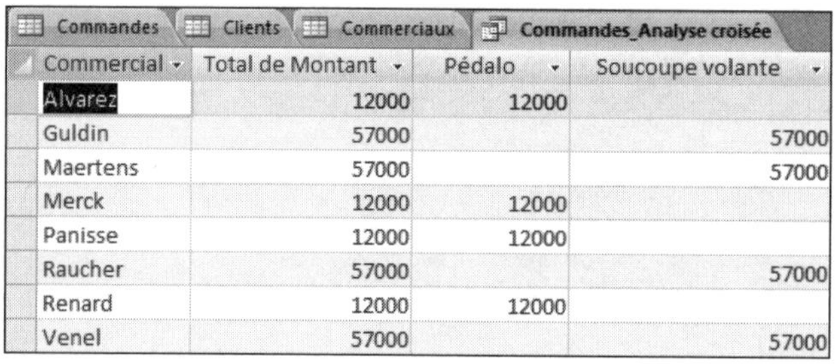

Figure 17.11
Une requête
d'analyse
croisée extrait
des informations
de plusieurs
champs.

Commercial	Total de Montant	Pédalo	Soucoupe volante
Alvarez	12000	12000	
Guldin	57000		57000
Maertens	57000		57000
Merck	12000	12000	
Panisse	12000	12000	
Raucher	57000		57000
Renard	12000	12000	
Venel	57000		57000

✔ Un seul champ indiquant à quoi se rapporte la valeur qui sera utilisée pour le calcul (dans notre exemple, le champ Produit, qui contient le nom du produit vendu). Chaque produit correspondra à un en-tête de colonne dans le résultat de l'analyse croisée.

✔ Un champ d'analyse croisée contenant la valeur qui sera utilisée pour le calcul (dans notre exemple, Montant).

Pour créer une requête d'analyse croisée, suivez ces étapes :

1. **Dans le ruban, cliquez sur l'onglet Créer.**

2. **Dans le groupe Autre de cet onglet, cliquez sur le bouton Assistant Requête.**

   La boîte de dialogue Nouvelle requête apparaît (Figure 17.8).

3. **Cliquez sur Assistant Requête analyse croisée, puis sur OK.**

   L'Assistant Requête analyse croisée apparaît (Figure 17.12).

4. **Cliquez sur la table à utiliser, puis sur Suivant.**

   La deuxième boîte de dialogue de l'Assistant apparaît, vous demandant de sélectionner les champs que vous voulez utiliser comme en-tête de ligne (trois au maximum), comme le montre la Figure 17.13.

5. **Dans la liste Champs disponibles, cliquez sur un champ dont vous voulez que le contenu définisse les en-têtes de lignes dans le résultat de votre requête, et cliquez sur le bouton > pour le faire passer dans la liste Champs sélectionnés.**

6. **Répétez l'étape 5 pour chaque autre champ que vous voulez utiliser pour définir les en-têtes de lignes.**

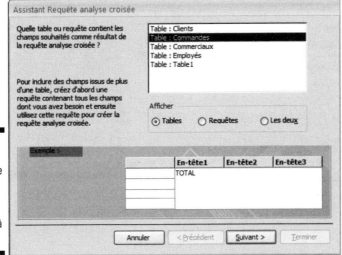

Figure 17.12
L'Assistant
Requête analyse
croisée vous
demande
d'abord de
choisir la table à
utiliser.

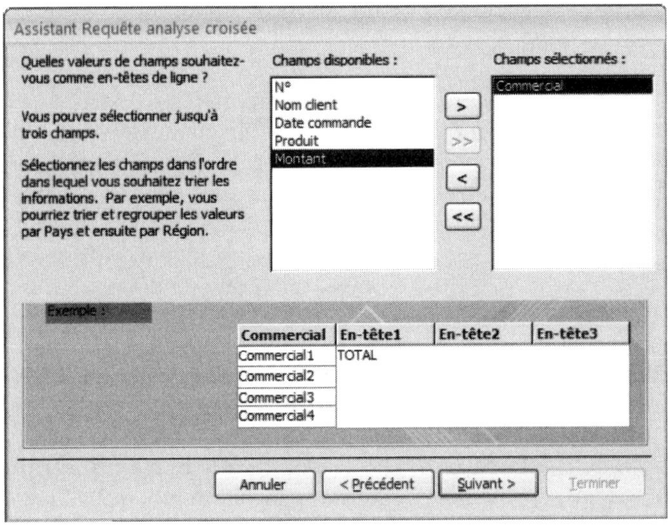

Figure 17.13
Commencez par
sélectionner les
champs qui vont
fournir les en-
têtes des lignes
dans le résultat
de la requête.

7. Cliquez sur Suivant.

La fenêtre suivante de l'Assistant apparaît, vous demandant quel champ
utiliser pour définir les en-têtes de colonnes, comme le montre la
Figure 17.14.

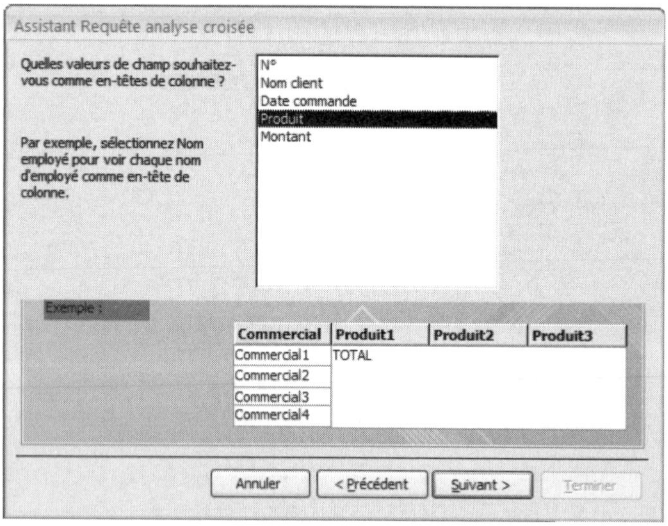

Figure 17.14
Sélectionnez le
champ qui va
fournir les en-
têtes des
colonnes.

8. Cliquez sur le nom du champ à utiliser pour les en-têtes des colonnes, et cliquez sur Suivant.

Ce champ est généralement un champ de type Texte, mais ce n'est pas obligatoire. Dans notre exemple, c'est le champ Produit, qui contient le nom du produit vendu par le commercial dans la commande correspondant à cet enregistrement. Mais ce produit pourrait aussi bien être identifié par un code numérique, ce qui est sans importance : il ne fait qu'indiquer à quoi correspond la valeur qui sera utilisée pour le calcul. Lorsque vous cliquez sur Suivant, la boîte de dialogue suivante de l'Assistant apparaît (Figure 17.15).

9. Dans la liste Champs, cliquez sur le champ contenant la valeur que vous voulez utiliser pour le calcul.

10. Dans la liste Fonctions, cliquez sur la fonction à utiliser pour le calcul (dans notre exemple, c'est la fonction Somme, qui va permettre de calculer le total des montants vendus pour chaque produit par chaque commercial), et cliquez sur Suivant.

La dernière boîte de dialogue de l'Assistant apparaît, vous proposant de donner le nom que vous voulez à votre requête, comme le montre la Figure 17.16.

11. Entrez un nom descriptif pour votre requête dans le champ qui vous est proposé, et cliquez sur le bouton Terminer.

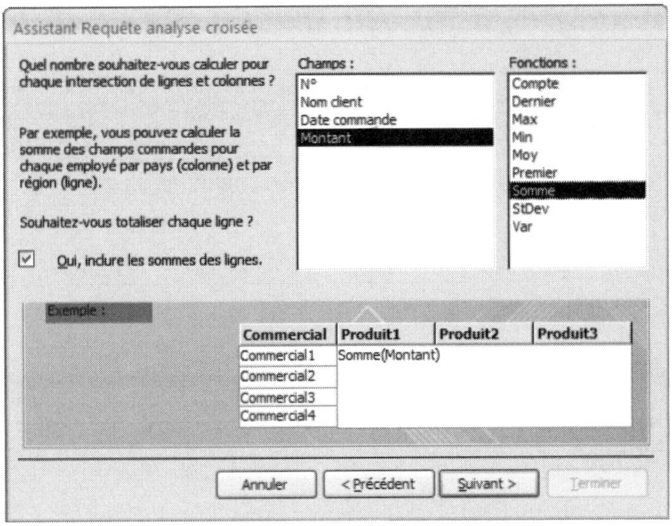

Figure 17.15
Sélectionnez maintenant le champ contenant la valeur à utiliser pour le calcul.

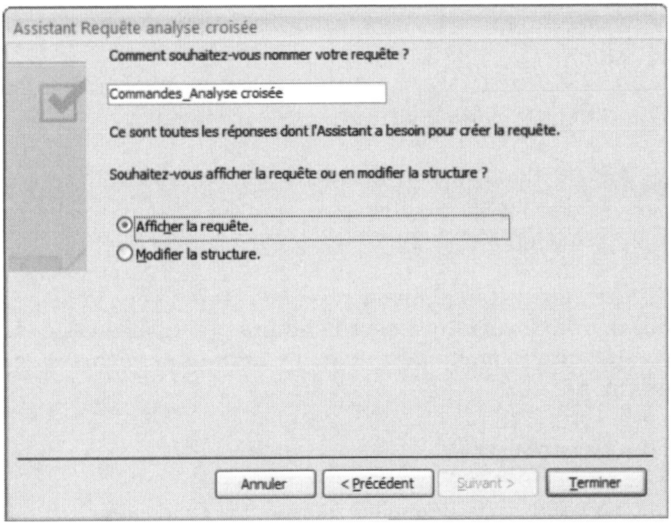

Figure 17.16
Donnez un nom descriptif à votre requête.

Access affiche le résultat de votre requête d'analyse croisée (Figure 17.12).

12. Cliquez sur le Bouton Office, et sélectionnez Enregistrer pour enregistrer votre requête.

Créer une requête qui trouve les doublons

Imaginez que votre catalogue contienne une centaine de produits. Comment savoir quels sont les produits les plus achetés par les clients ? Naturellement, vous pouvez passer en revue manuellement la table Commandes de votre base de données pour compter le nombre de fois que chaque produit apparaît dans le champ Produit.

Il est plus simple de créer une requête qui effectuera la même opération pour vous. Pour cela, suivez ces étapes :

1. **Dans le ruban, cliquez sur l'onglet Créer.**

2. **Dans le groupe Autre de cet onglet, cliquez sur le bouton Assistant Requête.**

   La boîte de dialogue Nouvelle requête apparaît (Figure 17.8).

3. **Cliquez sur Assistant Requête trouver les doublons, et cliquez sur OK.**

   L'Assistant Requête trouver les doublons apparaît, vous demandant de sélectionner la table à utiliser

4. **Cliquez sur la table à utiliser, puis sur Suivant.**

   La boîte de dialogue suivante de l'Assistant apparaît, vous demandant de sélectionner les champs dans lesquels rechercher des doublons, comme le montre la Figure 17.17.

5. **Cliquez sur le nom d'un champ dans lequel vous voulez rechercher des doublons, et cliquez sur le bouton >. Répétez cette étape pour chaque autre champ pour lequel vous voulez rechercher des doublons.**

6. **Cliquez sur Suivant.**

   Une nouvelle boîte de dialogue apparaît, vous demandant de sélectionner les champs à afficher en plus de ceux contenant des doublons. Si vous voulez savoir quelle quantité vous avez vendue de chaque produit, vous pouvez aussi afficher les noms des commerciaux, de manière à savoir également qui en a vendu le plus.

7. **Cliquez sur un champ à afficher en plus, puis sur le bouton >. Répétez cette étape pour chaque champ que vous voulez afficher en plus.**

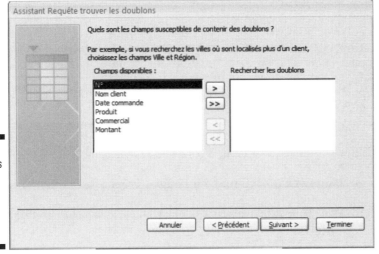

Figure 17.17
Sélectionnez les champs dans lesquels vous voulez rechercher des doublons.

8. **Cliquez sur Suivant.**

   La dernière boîte de dialogue de l'Assistant apparaît, vous proposant de donner le nom que vous voulez à votre requête.

9. **Entrez un nom descriptif pour votre requête dans le champ qui vous est proposé, et cliquez sur le bouton Terminer.**

   Access affiche le résultat de votre requête dans un nouvel onglet.

10. **Cliquez sur le Bouton Office, et sélectionnez Enregistrer pour enregistrer votre requête.**

Créer une requête de non-correspondance

Access peut stocker d'énormes quantités de données, mais plus vous en accumulez, plus elles sont difficiles à visualiser. Pour les organiser plus commodément, vous pouvez les diviser en tables. Par exemple, vous pouvez avoir une table contenant la liste de vos clients, et une autre contenant la liste de vos commerciaux.

Lorsque vous stockez vos données dans des tables distinctes, celles-ci peuvent avoir des champs en commun. Par exemple, la table qui contient la liste de vos clients comporte un champ contenant le nom du client. Réciproquement, la table de la liste de vos commandes comporte un champ contenant le nom du client qui a émis la commande.

Une requête de non-correspondance compare deux tables d'une base de données à la recherche d'informations manquantes. Par exemple, vous pouvez utiliser une telle requête pour identifier les clients qui n'ont rien commandé depuis six mois, ou bien une région commerciale pour laquelle aucune commande d'un certain produit n'a été reçue le mois dernier. Une requête de non-correspondance peut vous permettre d'identifier ce genre de choses.

Pour créer une requête de non-correspondance, suivez ces étapes :

1. **Dans le ruban, cliquez sur l'onglet Créer.**

2. **Dans le groupe Autre de cet onglet, cliquez sur le bouton Assistant Requête.**

   La boîte de dialogue Nouvelle requête apparaît (Figure 17.8).

3. **Cliquez sur Assistant Requête de non-correspondance, puis sur OK.**

   L'Assistant Requête de non-correspondance apparaît, vous demandant de sélectionner la première table à utiliser.

4. **Cliquez sur la première des deux tables que vous voulez comparer, et cliquez sur Suivant.**

   La boîte de dialogue suivante apparaît, vous demandant de sélectionner la table à comparer avec celle que vous avez sélectionnée à l'étape précédente (cette table doit donc avoir au moins un champ en commun avec la précédente pour que la comparaison puisse avoir un sens).

5. **Cliquez sur la deuxième des tables que vous voulez comparer, puis sur Suivant.**

   La boîte de dialogue suivante apparaît, vous demandant d'identifier le champ que ces deux tables ont en commun, comme le montre la Figure 17.18.

6. **Dans chacune des deux listes, cliquez sur le nom du champ que ces deux tables ont en commun (le nom du champ peut très bien ne pas être le même dans chaque table).**

7. **Cliquez sur <=> entre ces deux listes, puis sur Suivant.**

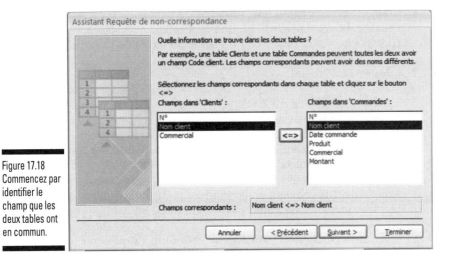

Figure 17.18
Commencez par
identifier le
champ que les
deux tables ont
en commun.

La boîte de dialogue suivante apparaît, vous demandant de sélectionner ceux des champs de la première table sélectionnée (à l'étape 4) que vous voulez voir apparaître dans les résultats de la requête, comme le montre la Figure 17.19.

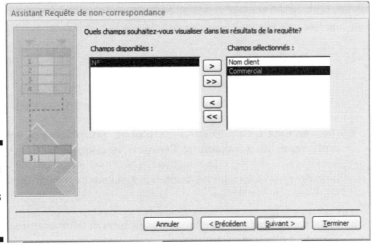

Figure 17.19
Sélectionnez les
champs à
afficher dans les
résultats de la
requête.

8. **Cliquez sur un champ que vous voulez voir dans les résultats de la requête, et cliquez sur le bouton >. Répétez cette étape pour chaque champ que vous voulez voir dans les résultats de la requête.**

9. **Cliquez sur Suivant.**

   La dernière boîte de dialogue de l'Assistant apparaît, vous proposant de donner un nom descriptif à votre requête.

10. **Entrez un nom descriptif dans le champ qui vous est proposé, et cliquez sur le bouton Terminer.**

    Access affiche les résultats de votre requête, ne montrant que les champs que vous avez sélectionnés à l'étape 8.

11. **Cliquez sur le Bouton Office, et sélectionnez Enregistrer pour enregistrer votre requête.**

Afficher et supprimer des requêtes

Chaque fois que vous créez et enregistrez une requête, Access la conserve et vous pourrez la réutiliser. Après avoir enregistré une requête, vous pouvez ajouter des données dans vos tables et en supprimer, puis appliquer à nouveau cette requête sur les données modifiées.

Pour afficher une requête, suivez ces étapes :

1. **Dans le volet de gauche de la fenêtre, cliquez sur le triangle pointant vers le bas.**

   Un menu apparaît (Figure 17.20).

2. **Dans ce menu, cliquez sur Type d'objet, puis faites apparaître à nouveau ce menu, comme à l'étape 1, et cliquez sur Requêtes.**

   Le volet de gauche affiche maintenant la liste de toutes les requêtes que vous avez enregistrées.

3. **Cliquez du bouton droit sur une requête, et sélectionnez Renommer dans le menu qui apparaît.**

   Le nom de la requête apparaît en surbrillance.

4. **Tapez un nouveau nom et appuyez sur Entrée.**

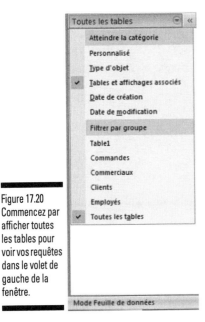

Figure 17.20
Commencez par afficher toutes les tables pour voir vos requêtes dans le volet de gauche de la fenêtre.

Si vous n'avez plus besoin d'une requête, vous pouvez la supprimer. Pour cela, suivez ces étapes :

1. **Dans le volet de gauche de la fenêtre, cliquez sur le triangle pointant vers le bas.**

   Un menu apparaît (Figure 17.20).

2. **Dans ce menu, sélectionnez Toutes les tables.**

   Access affiche la liste de toutes les tables dans le volet de gauche de la fenêtre, avec les requêtes qu'elles comportent.

3. **Cliquez du bouton droit sur une requête, et sélectionnez Supprimer dans le menu qui apparaît.**

   Une boîte de dialogue s'affiche, vous demandant confirmation.

4. **Cliquez sur Oui (ou sur Non si vous changez d'avis).**

Chapitre 18

Créer un état de base de données

. . . .

Dans ce chapitre :

▶ Créer un état avec l'Assistant État.

▶ Afficher et imprimer des états.

▶ Modifier la présentation d'un état.

▶ Supprimer un état.

. . . .

Comme les données ne servent à rien si on ne peut pas en comprendre le sens, Access vous donne la possibilité de créer des états. Un *état* est une forme imprimée de vos données, dans une présentation utile.

Un état permet par exemple d'imprimer la liste de vos dix meilleurs commerciaux, ou des dix produits qui ont fait vos meilleures ventes de l'année dernière. C'est simplement une manière d'imprimer vos données de manière que le sens en apparaisse clairement à la lecture.

Utiliser l'Assistant État

La manière la plus facile de créer un état consiste à utiliser l'Assistant État, qui vous guide pas à pas pour sélectionner et organiser les données que vous allez imprimer. Pour utiliser l'Assistant État, suivez ces étapes :

1. **Dans le ruban, cliquez sur l'onglet Créer.**

2. **Dans le groupe États de cet onglet, cliquez sur le bouton Assistant État.**

L'Assistant État apparaît (Figure 18.1).

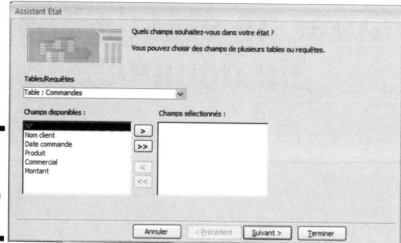

3. **Cliquez sur la flèche pointant vers le bas dans le champ Tables/ Requêtes, et sélectionnez dans la liste qui apparaît la table ou la requête contenant les données que vous voulez imprimer dans l'état.**

4. **Dans la liste Champs disponibles, cliquez sur un champ que vous voulez voir apparaître dans l'état, et cliquez sur le bouton >. Répétez cette étape pour chaque champ que vous voulez voir apparaître dans l'état.**

5. **Cliquez sur Suivant.**

   La boîte de dialogue suivante apparaît, vous demandant si vous voulez regrouper vos données sur la base d'un champ, comme le montre la Figure 18.2.

6. **Si vous souhaitez regrouper les données sur la base d'un champ, cliquez sur celui-ci dans la liste proposée, et cliquez sur le bouton >. La fenêtre d'aperçu vous permet de vous rendre compte de l'effet obtenu. Répétez cette étape pour chaque champ pour lequel vous voulez un regroupement supplémentaire.**

7. **Cliquez sur Suivant.**

   La boîte de dialogue suivante apparaît, vous demandant quel ordre de tri vous souhaitez pour vos données, comme le montre la Figure 18.3.

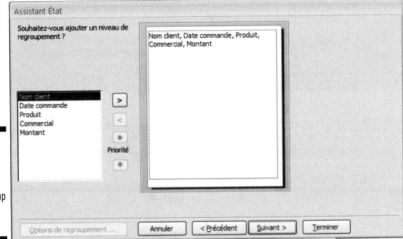

Figure 18.2
Un état peut
regrouper vos
données sur la
base d'un champ
que vous
sélectionnez.

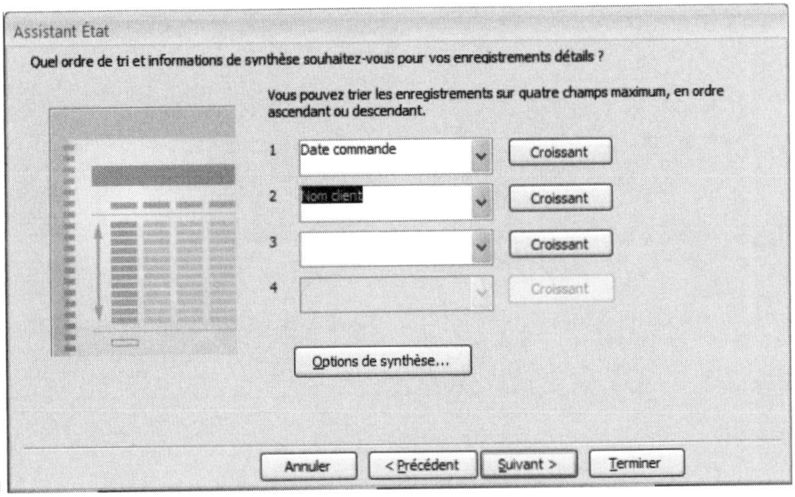

Figure 18.3
Vous pouvez
utiliser jusqu'à
quatre champs
pour trier vos
données.

8. **Cliquez sur la flèche pointant vers le bas dans le premier champ de tri qui vous est proposé, et sélectionnez le premier champ sur la base duquel trier vos données.**

Les données seront triées dans l'ordre que vous aurez défini pour chaque champ de tri.

9. **Si vous souhaitez inverser l'ordre de tri, cliquez sur le bouton Crois-sant associé à ce champ.**

10. **Cliquez sur Suivant.**

    La boîte de dialogue suivante apparaît, vous demandant comment vous souhaitez présenter votre état, comme le montre la Figure 18.4.

11. **Dans la zone Disposition, cliquez sur le bouton radio correspondant à ce que vous voulez obtenir (la zone d'aperçu vous donne une idée du résultat obtenu).**

12. **Si nécessaire, sélectionnez l'option qui vous convient (Portrait ou Paysage) dans la zone Orientation.**

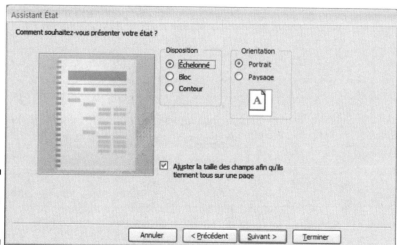

Figure 18.4
Sélectionnez vos
options de
présentation.

13. **Cliquez sur Suivant.**

    La boîte de dialogue suivante apparaît, vous demandant de choisir le style de votre état, comme le montre la Figure 18.5. La zone d'aperçu vous donne une idée du style correspondant.

14. **Cliquez sur Suivant.**

    La dernière boîte de dialogue de l'Assistant apparaît, vous proposant de donner à votre état le nom que vous voulez, comme le montre la Figure 18.6.

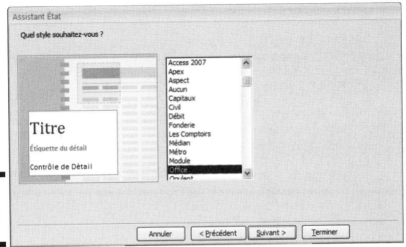

Figure 18.5
Choisissez un
style pour votre
état.

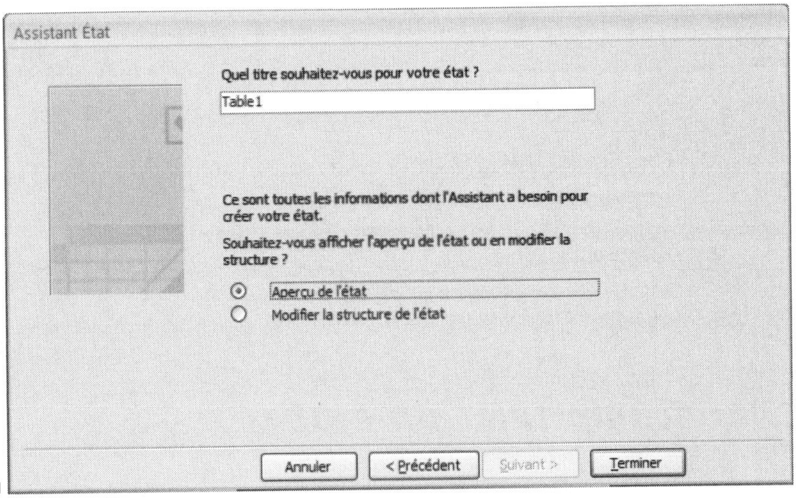

Figure 18.6
Donnez à votre
état le nom que
vous voulez.

15. **Tapez un nom descriptif pour votre état dans le champ qui vous est proposé, et cliquez sur le bouton Terminer.**

Access affiche votre état, comme le montre la Figure 18.7.

16. **Cliquez du bouton droit sur l'onglet de l'état.**

17. **Dans le menu qui apparaît, cliquez sur Fermer.**

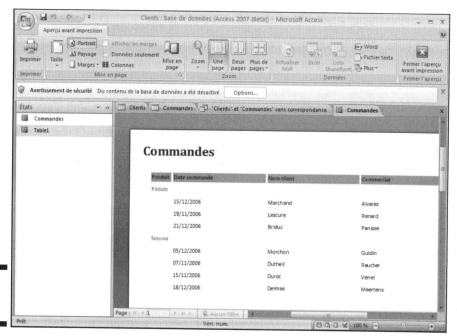

Figure 18.7
Access affiche
votre état.

Une boîte de dialogue apparaît, vous demandant si vous voulez enregistrer votre état.

18. Cliquez sur Oui.

Access enregistre et ferme votre état.

Afficher et imprimer un état

Lorsque vous créez un état, Access l'affiche à l'écran. Après l'avoir fermé, vous pouvez modifier à votre guise les données de la table correspondante, puis ouvrir à nouveau cet état dans lequel seront affichées les données modifiées.

Pour afficher un état, suivez ces étapes :

1. En haut du volet de gauche de la fenêtre, cliquez sur le triangle pointant vers le bas.

Un menu apparaît (Figure 18.8).

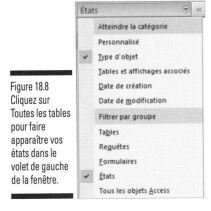

Figure 18.8
Cliquez sur
Toutes les tables
pour faire
apparaître vos
états dans le
volet de gauche
de la fenêtre.

2. Dans ce menu, cliquez sur Type d'objet, puis faites apparaître à nouveau ce menu, comme à l'étape 1, et cliquez sur États.

Le volet de gauche affiche maintenant la liste de tous les états que vous avez enregistrés.

3. Double-cliquez sur le nom de l'état que vous voulez afficher.

Access affiche l'état sélectionné, avec toutes les modifications que vous avez apportées à la table depuis la dernière fois que vous avez affiché cet état.

Une fois qu'un état est affiché, vous pouvez utiliser la commande Aperçu avant impression pour visualiser sa présentation exacte lorsqu'il sera imprimé. L'Aperçu avant impression vous permet également de modifier la présentation de votre état, par exemple en ajustant les marges de la page ou en changeant l'orientation.

Pour afficher l'Aperçu avant impression d'un état et l'imprimer, suivez ces étapes :

1. Assurez-vous que votre état est bien affiché (suivez les étapes de la précédente liste d'étapes).

2. Cliquez sur le Bouton Office.

3. Dans le menu qui apparaît, placez le pointeur sur Imprimer.

Un sous-menu s'affiche, comportant la commande Aperçu avant impression.

4. Cliquez sur Aperçu avant impression.

Access affiche l'Aperçu avant impression de votre état, et le ruban est remplacé par un seul onglet Aperçu avant impression, comme le montre la Figure 18.9.

Figure 18.9
L'onglet Aperçu
avant impression
vous offre un
certain nombre
de commandes
pour modifier la
présentation de
votre état.

5. Si vous le souhaitez, vous pouvez utiliser les commandes de cet onglet, en particulier :

- *Taille :* Vous permet de spécifier la taille du papier, par exemple A4 ou Fiche bristol.

- *Portrait/Paysage :* Vous permet de sélectionner l'orientation de l'impression sur la page.

- *Marges :* Vous permet de spécifier les marges de votre page.

6. Dans le groupe Imprimer de l'onglet Aperçu avant impression, cliquez sur le bouton Imprimer pour imprimer votre état.

7. Dans le groupe Fermer l'aperçu, cliquez sur le bouton Fermer l'aperçu avant impression.

Manipuler les données dans un état

Après avoir créé un état, vous pouvez manipuler les données qu'il contient, par exemple pour les trier, leur appliquer un filtre, ou n'afficher que celles qui satis-font certains critères.

Un état vous permet d'obtenir différentes présentations de vos données. En mani-pulant les données qu'il contient, vous pouvez obtenir plusieurs présentations différentes d'un même état. Les manières les plus courantes d'extraire des informations d'un état sont les suivantes :

✔ Compter.

✔ Trier.

✔ Filtrer.

Pour manipuler les données d'un état, vous devez commencer par l'afficher en mode Page. Pour cela, suivez ces étapes :

1. **Assurez-vous que votre état est affiché (suivez les étapes de la première liste d'étapes de la section précédente).**

2. **Dans le groupe Affichages de l'onglet Accueil du ruban, cliquez sur la flèche pointant vers le bas du bouton Affichage.**

3. **Dans le menu qui apparaît, cliquez sur Mode Page.**

   Access affiche l'état en mode Page, mettant en évidence une colonne entière à la fois, comme le montre la Figure 18.10.

Figure 18.10
Le mode Page met en évidence une colonne à la fois, vous permettant de manipuler les données de cette colonne.

Compter des enregistrements ou des valeurs

Un état est encore plus utile si vous demandez à Access de calculer pour vous quels sont ceux de vos produits qui se vendent le mieux en comptant leur nombre dans la table de vos commandes. En comptant des enregistrements ou en additionnant des valeurs stockées dans des champs, Access vous permet d'interpréter plus facilement les données affichées dans un état.

Pour compter un nombre d'enregistrements ou le nombre d'apparitions d'une certaine valeur dans un état, suivez ces étapes :

1. **Affichez votre état en mode Page, en suivant les étapes de la section précédente, "Manipuler les données dans un état."**

2. **Cliquez du bouton droit sur le champ (l'en-tête de colonne) dont vous voulez compter les valeurs.**

   Access met en évidence la colonne sélectionnée, et affiche un menu contextuel (Figure 18.11).

Figure 18.11
Ce menu vous permet d'effectuer différentes opérations sur le champ sélectionné.

3. **Cliquez sur Total [*nom du champ*].**

Un sous-menu apparaît, comportant notamment les options Compter les enregistrements et Compter les valeurs.

4. **Sélectionnez l'une de ces deux options.**

Access affiche dans chaque champ de la colonne le nombre d'enregistrements pour lesquels ce champ contient la même valeur, et le nombre total d'enregistrements tout en bas de la colonne.

Le sous-menu Total [*nom du champ*] vous permet d'activer ou de désactiver ce que vous voulez afficher ou non dans votre état. Lorsque les valeurs des totaux sont affichées dans votre état, l'option correspondante est précédée d'une coche dans ce sous-menu. Si vous voulez les faire disparaître, cliquez à nouveau sur cette option dans ce sous-menu pour ôter la coche de cette option et désactiver l'affichage des totaux.

Trier sur la base d'un champ

Access peut trier les données de votre état sur la base de chaque champ, par ordre ascendant ou descendant. Pour cela, suivez ces étapes :

1. **Affichez votre état en mode Page, en suivant les étapes de la section "Manipuler les données dans un état", plus haut dans ce chapitre.**

2. **Cliquez du bouton droit sur le champ (l'en-tête de colonne) sur la base duquel vous voulez trier les données de l'état.**

Access met en évidence la colonne sélectionnée, et affiche un menu contextuel (Figure 18.11).

3. **Sélectionnez l'une des options suivantes :**

   - Trier de A à Z : Trie les données par ordre ascendant.

   - Trier de Z à A : Trie les données par ordre descendant.

Access trie les données de votre état.

Filtrer sur la base d'un champ

Le *filtrage* permet de n'afficher que les données qui satisfont certains critères, par exemple les enregistrements dans lesquels la valeur d'un champ est supérieure à une valeur spécifiée. Par exemple, dans votre table Commandes, vous pouvez n'afficher que les commandes supérieures à 1 000 €.

Pour filtrer les données sur la base d'un champ, suivez ces étapes :

1. **Affichez votre état en mode Page, en suivant les étapes de la section "Manipuler les données dans un état", plus haut dans ce chapitre.**

2. **Cliquez du bouton droit sur le champ (l'en-tête de colonne) sur la base duquel vous voulez filtrer les données de l'état.**

   Access met en évidence la colonne sélectionnée, et affiche un menu contextuel (Figure 18.11).

3. **Cliquez sur Filtres de [*type de données du champ*].**

   Un sous-menu apparaît (Figure 18.12).

4. **Sélectionnez un critère de filtrage (par exemple Contient ou Commence par).**

   La boîte de dialogue Filtre personnalisé apparaît, vous permettant de spécifier votre critère, comme le montre la Figure 18.13.

5. **Entrez la valeur définissant votre critère de filtrage dans le champ qui vous est proposé, et cliquez sur OK.**

   Access applique ce filtre à votre état.

Pour désactiver le filtre, cliquez sur le bouton Supprimer le filtre dans le groupe Trier et filtrer de l'onglet Accueil du ruban.

Modifier un état

Après avoir créé un état, vous pouvez vouloir le modifier, par exemple pour en améliorer la présentation ou en éliminer certains champs.

Pour modifier un état, vous devez commencer par l'afficher en mode Création. Pour cela, suivez ces étapes :

Figure 18.12
La commande
Filtres vous
propose un
certain nombre
de critères de
filtrage.

Figure 18.13
Spécifiez votre
critère de
filtrage.

1. **Assurez-vous que votre état est bien affiché (pour cela, suivez les étapes de la section "Afficher et imprimer un état", plus haut dans ce chapitre).**

2. **Dans le ruban, cliquez sur l'onglet Accueil.**

3. **Dans le groupe Affichages de cet onglet, cliquez sur la flèche pointant vers le bas du bouton Affichage.**

4. **Dans le menu qui apparaît, sélectionnez Mode Création.**

Access affiche votre état en mode Création, comme le montre la Figure 18.14. Vous pouvez maintenant déplacer, redimensionner, ajouter ou supprimer des champs dans votre état. Les noms des champs qui apparaissent en gras sont les en-têtes de pages (et ce sont bien les noms des champs qui apparaissent ici dans l'état). Là où le nom d'un champ apparaît en maigre, c'est la valeur de ce champ dans l'enregistrement correspondant qui sera affichée dans l'état.

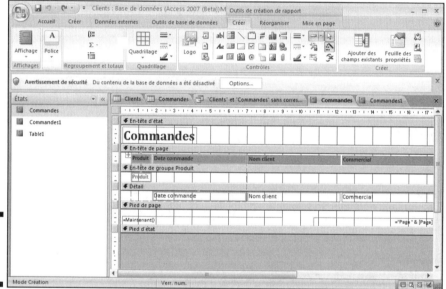

Figure 18.14
L'affichage d'un état en mode Création.

Redimensionner des champs

Lorsque l'Assistant État crée un état, il n'accorde pas toujours suffisamment de place à chaque champ pour afficher entièrement les données qu'il contient. Quand un champ est trop petit, son contenu peut apparaître sous la forme "xxxxxxxxx".

Dans ce cas, il vous suffit de redimensionner ce champ pour lui donner la taille qui convient (vous pouvez aussi bien d'ailleurs réduire un champ trop grand). Pour redimensionner un champ, suivez ces étapes :

1. **Affichez votre état en mode Création en suivant les étapes de la section précédente, "Modifier un état".**

2. Cliquez sur le champ à redimensionner.

Access entoure le champ correspondant d'un cadre orange pour le mettre en évidence, comme le montre la Figure 18.15.

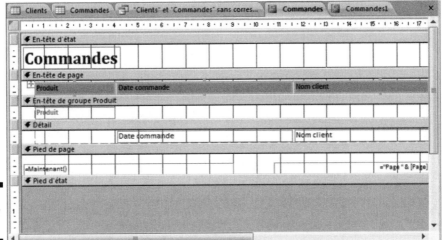

Figure 18.15
Redimensionner
un champ.

3. Placez le pointeur de la souris sur le bord droit ou le bord gauche du champ.

Le pointeur prend la forme d'une flèche à double pointe, indiquant que vous pouvez maintenant redimensionner le champ.

4. En maintenant enfoncé le bouton gauche de la souris, faites glisser le bord droit ou gauche du champ pour lui donner la taille voulue.

5. Dans le groupe Affichages de l'onglet Accueil du ruban, cliquez sur la flèche pointant vers le bas du bouton Affichage.

6. Dans le menu qui apparaît, cliquez sur Mode Rapport (ce sera peut-être "Mode État" dans la version commerciale du logiciel que vous allez utiliser).

Access affiche votre état avec la nouvelle taille du champ.

Supprimer des champs

Si un état contient des données que vous ne voulez plus afficher, vous pouvez les supprimer en suivant ces étapes :

1. **Affichez votre état en mode Création en suivant les étapes de la section "Modifier un état", plus haut dans ce chapitre.**

2. **Cliquez sur le champ à supprimer.**

   Access entoure le champ correspondant d'un cadre orange pour le mettre en évidence (Figure 18.15), et affiche un menu contextuel.

3. **Dans ce menu, cliquez sur Supprimer.**

   Access supprime le champ sélectionné.

   Si vous supprimez un champ par erreur, appuyez immédiatement sur Ctrl+Z pour annuler la commande Supprimer, et le faire réapparaître.

4. **Dans le groupe Affichages de l'onglet Accueil du ruban, cliquez sur la flèche pointant vers le bas du bouton Affichage.**

5. **Dans le menu qui apparaît, cliquez sur Mode Rapport (ce sera peut-être "Mode État" dans la version commerciale du logiciel que vous allez utiliser).**

   Access affiche votre état, dont le champ que vous venez de supprimer a disparu.

Supprimer un état

Si vous réalisez que vous n'avez finalement plus besoin d'un état, vous pouvez le supprimer. Pour cela, suivez ces étapes :

1. **En haut du volet de gauche, cliquez sur la flèche pointant vers le bas.**

   Un menu apparaît (Figure 18.8).

2. **Cliquez sur Tables et affichages associés.**

   Access affiche dans le volet de gauche la liste de vos tables et de tous les éléments associés, notamment des états.

3. Cliquez du bouton droit sur l'état que vous voulez supprimer.

4. Dans le menu qui apparaît, sélectionnez Supprimer.

Une boîte de dialogue de confirmation apparaît.

Lorsque vous supprimez un état, soyez sûr de ce que vous faites, car vous ne pourrez pas le récupérer ensuite.

5. Cliquez sur Oui (ou sur Non si vous changez d'avis).

Septième partie
Les dix commandements

"Je déteste quand tu emportes Office en randonnée."

Dans cette partie...

Après avoir passé un certain temps à faire connaissance avec les fonctions d'Office 2007 et ce qu'il vous permet de faire, vous allez maintenant pouvoir découvrir dans cette dernière partie un certain nombre d'astuces et de raccourcis utiles, qui vous permettront d'utiliser Office 2007 encore plus facilement et plus efficacement.

Prenez garde simplement que les membres de votre famille, vos collègues ou votre patron ne vous surprennent pas à lire ces deux chapitres. Au cas où ils se seraient imaginé que vous étiez un super-gourou d'Office 2007, ils se rendraient compte que vous n'êtes qu'un individu ordinaire puisant ses connaissances dans un livre (mais pourquoi pas ? C'est ce que font la plupart des meilleurs gourous.)

Ce qui vous donne encore une possibilité : vous pouvez acheter des exemplaires supplémentaires de ce livre pour les distribuer à vos amis, vos collègues et votre patron, de manière qu'ils puissent se débrouiller tout seuls avec Office 2007 et vous laisser le temps de travailler pour vous-même.

Chapitre 19

Dix astuces pour utiliser Office 2007

Ce chapitre a donc pour objet de vous présenter quelques-unes d'entre elles pour que vous puissiez en tirer avantage pour vous-même.

Enregistrer les fichiers d'Office 2007

La plupart des gens enregistrent leurs documents dans un dossier du dossier Mes documents. Par conséquent, pour accéder plus facilement aux documents que vous voulez ouvrir, vous pouvez personnaliser chaque application d'Office 2007 pour accéder directement au dossier voulu quand il s'agit d'ouvrir un fichier.

Non seulement vous pouvez spécifier un dossier par défaut pour ouvrir les fichiers, mais vous pouvez aussi spécifier un format de fichier par défaut pour les applications d'Office 2007. De plus, pour protéger vos données (autant que possible) des inévitables plantages de l'ordinateur et pannes de disque dur, les applications d'Office 2007 comportent une fonction de récupération automatique qui enregistre le document en cours à intervalles réguliers (par défaut, toutes les dix minutes). De cette façon, si vous avez une coupure d'électricité en plein travail, vous n'aurez perdu que le travail que vous aurez fait depuis le dernier enregistrement automatique.

Access ne comporte pas de fonction de récupération automatique, car il enregistre automatiquement toutes les modifications que vous apportez à vos données.

Pour personnaliser l'emplacement et le format de vos fichiers, ainsi que l'intervalle entre deux enregistrements automatiques dans une application d'Office 2007, suivez ces étapes :

1. **Lancez l'application Office que vous voulez personnaliser (par exemple Word ou PowerPoint).**

2. **Cliquez sur le Bouton Office.**

3. **Dans le menu qui apparaît, cliquez sur le bouton Options.**

   Selon l'application utilisée, ce bouton peut être libellé Options Word ou Options Excel, etc. La boîte de dialogue Options apparaît.

4. **Dans le volet de gauche de cette boîte de dialogue, cliquez sur Enregistrement.**

   Les options d'enregistrement apparaissent dans le volet de droite.

5. **Si vous souhaitez spécifier un format de fichier par défaut, cliquez sur la flèche pointant vers le bas dans le champ Enregistrer les fichiers au format suivant, et sélectionnez le format qui vous convient.**

   Cette option permet d'enregistrer vos fichiers dans un format d'une version précédente d'Office (au lieu du format Office 2007 qui n'est pas compatible avec les versions précédentes), sans avoir à spécifier ce format dans la boîte de dialogue Enregistrer sous.

6. **Si vous souhaitez spécifier un dossier d'enregistrement par défaut, spécifiez celui-ci dans le champ Dossier par défaut (vous pouvez aussi cliquer sur le bouton Parcourir, à droite de ce champ, et naviguer jusqu'à ce dossier dans la boîte de dialogue qui apparaît).**

7. **Si vous souhaitez modifier l'intervalle entre deux enregistrements de récupération automatique, spécifiez celui-ci dans le champ Enregistrer les informations de récupération automatique toutes les (vous pouvez aussi utiliser les flèches que comporte ce champ).**

8. **Cliquez sur OK.**

Protéger vos fichiers par un mot de passe

Si vous voulez empêcher des intrus éventuels d'aller voir le contenu de vos fichiers Word, Excel ou PowerPoint (et a fortiori de les modifier), vous pouvez les protéger par un mot de passe. Toute personne voulant ouvrir vos fichiers se voit alors demander le mot de passe.

On peut trouver sur Internet des programmes capables de casser la protection par mot de passe des fichiers Office 2007. Ne perdez pas de vue que ce n'est qu'une protection limitée.

Pour protéger un fichier par un mot de passe, suivez ces étapes :

1. **Lancez Word, Excel ou PowerPoint.**

2. **Cliquez sur le Bouton Office.**

3. **Dans le menu qui apparaît, sélectionnez Enregistrer sous.**

   La boîte de dialogue Enregistrer sous apparaît.

4. **Cliquez sur le bouton Outils.**

5. **Dans le menu qui apparaît, sélectionnez Options générales.**

   La boîte de dialogue Options générales apparaît.

6. **Si vous souhaitez protéger votre fichier pour la lecture, cliquez dans le champ Mot de passe pour la lecture, tapez le mot de passe que vous voulez utiliser, et appuyez sur Entrée.**

   Une boîte de dialogue apparaît, vous demandant de retaper le mot de passe pour le confirmer.

7. **Tapez une nouvelle fois votre mot de passe, et cliquez sur OK.**

8. **Si vous souhaitez protéger également votre fichier pour la modification, répétez les étapes 4 et 5, cliquez dans le champ Mot de passe pour la modification, tapez le mot de passe que vous voulez utiliser, et appuyez sur Entrée.**

   Ce mot de passe peut être différent de celui que vous avez entré à l'étape 7. À nouveau, une boîte de dialogue de confirmation du mot de passe apparaît.

9. **Tapez une nouvelle fois votre mot de passe, et cliquez sur OK.**

   La boîte de dialogue Options générales se ferme, et vous êtes de retour dans la boîte de dialogue Enregistrer sous.

10. **Cliquez sur le bouton Enregistrer pour enregistrer votre document.**

Avec les étapes ci-dessus, vous pouvez tout aussi bien créer un mot de passe que le modifier ou le supprimer.

Se protéger contre les vers et les virus de macro

Les vers et les virus de macro sont des programmes malicieux conçus pour s'attacher à des fichiers Word, Excel et PowerPoint. Quand une victime innocente ouvre un fichier infecté par un tel virus ou ver, celui-ci peut s'activer et causer des dégâts plus ou moins importants, par exemple effacer un certain nombre de vos fichiers, ou même tout votre disque dur.

Pour barrer la route à ces malfaisants, procurez-vous un programme antivirus, n'acceptez et ne téléchargez aucun fichier d'origine inconnue, et activez la fonction intégrée de sécurité des macros d'Office 2007, qui peut désactiver les macros ou limiter le champ des dégâts que peut faire un virus de macro ou un ver s'il arrive effectivement à infecter votre ordinateur.

Pour activer la sécurité des macros, suivez ces étapes :

1. **Lancez Word, Excel ou PowerPoint.**

2. **Cliquez sur le Bouton Office.**

3. **Dans le menu qui apparaît, sélectionnez Enregistrer sous.**

   La boîte de dialogue Enregistrer sous apparaît.

4. **Cliquez sur le bouton Outils.**

5. **Dans le menu qui apparaît, sélectionnez Options générales.**

   La boîte de dialogue Options générales apparaît.

6. **Cliquez sur le bouton Sécurité des macros.**

   La boîte de dialogue Centre de gestion de la confidentialité apparaît, affichant l'onglet Paramètre des macros.

7. **Sélectionnez l'un des boutons radio suivants :**

   • *Désactiver toutes les macros sans notification :* C'est le paramétrage le plus sûr, mais le plus restrictif. Il empêche l'exécution de toute macro lorsque vous ouvrez un fichier.

- *Désactiver toutes les macros avec notification :* Ce paramétrage empêche également les macros de s'exécuter à l'ouverture d'un fichier, mais en affichant une boîte de dialogue qui vous demande si vous voulez activer les macros, au cas où vous seriez sûr de leur contenu.

- *Désactiver toutes les macros à l'exception des macros signées numériquement :* Bloque toutes les macros, sauf celles qui sont authentifiées par une signature numérique.

- *Activer toutes les macros (non recommandé ; risque d'exécution de code potentiellement dangereux) :* Ce paramétrage permet l'exécution automatique de toutes les macros à l'ouverture d'un fichier, sans restriction et sans vous demander confirmation, ce qui est évidemment le mode opératoire le plus dangereux.

8. **Cliquez deux fois de suite sur OK, pour revenir à la boîte de dialogue Enregistrer sous.**

9. **Cliquez sur Enregistrer pour enregistrer votre fichier avec le paramétrage que vous venez de spécifier.**

Créer vos propres raccourcis clavier pour Word

En utilisant Word, vous allez vous apercevoir que vous utilisez très fréquemment certaines commandes, et vous allez trouver fastidieux de passer toujours par le ruban pour y accéder. Word vous offre donc la possibilité de définir vos propres raccourcis clavier pour les commandes que vous utilisez fréquemment.

Pour assigner un raccourci clavier à une commande, suivez ces étapes :

1. **Lancez Word.**

2. **Cliquez sur le Bouton Office.**

3. **Dans le menu qui apparaît, cliquez sur le bouton Options Word.**

   La boîte de dialogue Options Word apparaît.

4. **Dans le volet de gauche de cette boîte de dialogue, cliquez sur Personnaliser.**

   Les options de personnalisation apparaissent dans le volet de droite.

5. **En bas à gauche dans le volet de droite, cliquez sur le bouton Person-naliser.**

   La boîte de dialogue Personnaliser le clavier apparaît.

6. **Dans la liste de gauche (Catégories), cliquez sur la catégorie à laquelle appartient la commande pour laquelle vous voulez définir un raccourci clavier.**

   La liste de droite (Commandes) affiche la liste des commandes de la catégorie que vous venez de sélectionner.

7. **Dans la liste Commandes, cliquez sur la commande pour laquelle vous voulez définir un raccourci clavier.**

   Dans la partie inférieure de la boîte de dialogue, la zone Touches actuelles affiche la liste des raccourcis clavier déjà définis pour la commande sélectionnée.

8. **Cliquez dans le champ Nouvelle touche de raccourci.**

9. **Appuyez sur la séquence de touches que vous voulez définir comme raccourci pour cette commande (par exemple, Ctrl+F7 ou Alt+8).**

   Si ce raccourci clavier est déjà attribué à une autre commande (c'est presque toujours le cas), un message apparaît au-dessous de la liste Touches actuelles pour vous en informer. Le raccourci que vous définissez prévaut sur le précédent.

10. **Cliquez sur le bouton Attribuer (dans le coin inférieur gauche de la boîte de dialogue).**

    Word attribue à la commande sélectionnée le raccourci que vous venez d'entrer.

11. **Cliquez sur le bouton Fermer.**

    La boîte de dialogue Personnaliser le clavier se ferme, et vous êtes de retour dans la boîte de dialogue Options Word.

12. **Cliquez sur OK.**

    Vous pouvez utiliser votre nouveau raccourci clavier dans vos documents Word.

Utiliser le zoom pour le confort de vos yeux

Si vous travaillez sur un document Word, Excel ou PowerPoint contenant du texte en petits caractères, l'affichage à la taille normale peut être trop petit pour être lisible. Il est facile de surmonter ce petit problème en utilisant le zoom pour agrandir le document à l'affichage dans les proportions nécessaires.

Pour agrandir (ou réduire) l'affichage de votre document à l'écran, vous disposez des trois moyens suivants :

✔ Faire glisser l'index de zoom qui apparaît dans le coin inférieur droit de la fenêtre.

✔ Si vous disposez d'une souris à molette, maintenir enfoncée la touche Ctrl tout en faisant tourner cette molette en avant ou en arrière.

✔ Cliquer sur l'onglet Affichage du ruban, puis sur le bouton Zoom dans le groupe Zoom de cet onglet, et spécifier le facteur de zoom voulu dans la boîte de dialogue Zoom qui apparaît.

Le zoom n'a pour effet que d'agrandir ou de réduire l'affichage du document à l'écran. Il ne change pas la taille des caractères dans le document.

Utiliser le bouton droit de la souris

Tout d'abord, souvenez-vous toujours de cette règle générale : commencez par sélectionner l'élément auquel vous voulez appliquer une commande, puis sélectionnez la commande à lui appliquer.

En utilisant le bouton droit de la souris, cela devient : cliquez du bouton droit de la souris sur l'élément auquel vous voulez appliquer une commande, puis sélectionnez celle-ci dans le menu contextuel qui apparaît. Autrement dit, cliquer du bouton droit sur un élément a pour effet de le sélectionner tout en faisant apparaître un menu contextuel contenant les commandes applicables à cet élément, dans lequel vous n'avez plus qu'à sélectionner celle que vous voulez. Pour la plupart des éléments dans Office (mais pas toujours tout de même), il y a un menu contextuel qui permet d'utiliser cette méthode.

Figer les en-têtes de lignes et de colonnes dans Excel

L'un des inconvénients des grandes feuilles de calcul dans Excel est qu'il est difficile d'y identifier les lignes et les colonnes si vous en avez fait défiler le contenu et que les en-têtes ne se trouvent plus à l'affichage.

Pour vous débarrasser de cette contrariété, il vous suffit de figer la ligne ou la colonne (ou les deux) qui contient les en-têtes dont vous avez besoin. Vous pourrez ainsi faire défiler tant que vous voudrez le contenu de votre feuille de calcul, les en-têtes de lignes ou de colonnes resteront toujours affichés à l'écran.

Pour figer une ligne ou une colonne dans une feuille de calcul Excel, suivez ces étapes :

1. **Cliquez sur l'onglet Affichage dans le ruban.**

2. **Dans le groupe Fenêtre de cet onglet, cliquez sur le bouton Figer les volets.**

3. **Dans le menu qui apparaît, sélectionnez l'une des trois options suivantes :**

   - *Figer les volets :* Divise la feuille de calcul en quatre volets, en fonction de la position du curseur de cellule.

   - *Figer la ligne supérieure :* La première ligne reste toujours affichée lorsque vous faites défiler le contenu de la feuille de calcul.

   - *Figer la première colonne :* La première colonne reste toujours affichée lorsque vous faites défiler le contenu de la feuille de calcul.

Pour libérer la ligne, la colonne ou les volets figés, c'est exactement la même chose que ci-dessus, mais les commandes deviennent "Libérer" au lieu de Figer.

Afficher la diapositive que vous voulez dans une présentation PowerPoint

Lorsque vous projetez une présentation PowerPoint, vos diapositives apparaissent dans l'ordre dans lequel vous les avez disposées, en commençant par la première. Si vous voulez afficher vos diapositives dans l'ordre que vous voulez au cours de votre présentation, procédez ainsi :

1. **Chargez votre présentation dans PowerPoint, et appuyez sur la touche F5.**

   La première diapositive de votre présentation apparaît.

2. **Tapez le numéro de la diapositive que vous voulez afficher, et appuyez sur Entrée.**

   Si vous voulez passer directement à la cinquième diapositive de votre présentation, tapez **5** et appuyez sur Entrée. Quelle que soit la diapositive affichée, un clic de la souris ou une pression sur la barre d'espace affiche la diapositive suivante dans l'ordre normal de la présentation.

Vous pouvez imprimer la liste des titres de vos diapositives avec leurs numéros pour ne pas vous tromper de numéro au cours de votre présentation.

Réduire le spam dans Outlook

Si vous avez un compte de messagerie, vous aurez tôt ou tard du spam, c'est-à-dire du courrier non désiré (publicité, faux messages dissimulant des virus, phishing, ...) tentant de vous séduire par des moyens divers et variés dans des buts diversement inavouables. À moins d'apprécier l'activité qui consiste à supprimer ces messages manuellement, vous pouvez demander à Outlook de les filtrer pour vous.

Configurer le filtre de courrier indésirable d'Outlook

Outlook peut donner une couleur particulière aux messages soupçonnés d'être du spam ou les déplacer automatiquement vers le dossier Courrier indésirable. Comme Outlook identifie les messages indésirables sur la base de mots-clés, il ne lui est pas possible de les identifier tous avec certitude, mais il peut identifier les plus flagrants et vous faire gagner pas mal de temps pour vous en débarrasser chaque jour.

Pour activer le filtre de courrier indésirable (ou antispam) d'Outlook, suivez ces étapes :

1. **Sélectionnez Atteindre/Courrier ou appuyez sur Ctrl+1.**

   La Boîte de réception apparaît dans le volet de droite.

2. **Sélectionnez Outils/Options.**

La boîte de dialogue Options apparaît, avec l'onglet Préférences au premier plan.

3. **Dans l'onglet Préférences de la boîte de dialogue Options, cliquez sur le bouton Courrier indésirable.**

La boîte de dialogue Options du courrier indésirable apparaît (Figure 19.1).

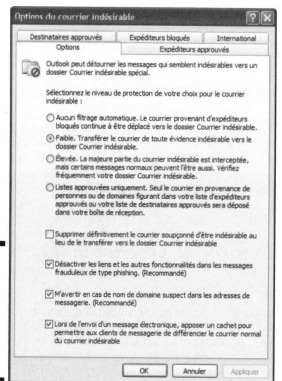

Figure 19.1
Cette boîte de dialogue vous permet de spécifier les options du filtre de courrier indésirable d'Outlook.

4. **Sélectionnez l'un des boutons radio suivants :**

• *Aucun filtrage automatique :* Désactive le filtre de courrier indésirable.

• *Faible :* Identifie et déplace vers le dossier Courrier indésirable les messages les plus manifestement indésirables.

- *Élevée :* Identifie et déplace vers le dossier Courrier indésirable presque tous les messages indésirables. Mais comme ce traitement énergique identifie aussi comme indésirables certains messages qui ne le sont pas, prenez soin de vérifier attentivement le contenu de votre dossier Courrier indésirable avant de le vider.

5. **Cliquez sur OK.**

   La boîte de dialogue Options réapparaît.

6. **Cliquez sur OK.**

   La boîte de dialogue Options se ferme.

Créer une liste approuvée

Une liste approuvée est une liste d'adresses de messagerie dont vous acceptez tous les messages, qui sont donc déposés dans votre Boîte de réception. Tous les autres messages sont dérivés vers le dossier Courrier indésirable.

L'avantage d'une liste approuvée est qu'elle vous garantit que vous n'aurez jamais de spam dans votre Boîte de réception. En revanche, elle vous garantit aussi que si quelqu'un que vous ne connaissez pas encore vous envoie un message qui n'a rien à voir avec du spam, vous ne le trouverez pas dans votre Boîte de réception, mais dans le dossier Courrier indésirable.

Pour créer une liste approuvée, suivez les étapes 1 à 4 de la section précédente pour ouvrir la boîte de dialogue Options du courrier indésirable, puis suivez ces étapes :

1. **Dans la boîte de dialogue Options du courrier indésirable (Figure 19.1), cliquez sur l'onglet Options.**

2. **Cliquez sur le bouton radio Listes approuvées uniquement.**

3. **Cliquez sur l'onglet Destinataires approuvés.**

   L'onglet Destinataires approuvés apparaît au premier plan.

4. **Cliquez sur le bouton Ajouter.**

   La boîte de dialogue Ajouter une adresse ou un domaine apparaît, vous permettant de spécifier l'adresse de messagerie ou le domaine à ajouter à la liste.

5. **Entrez une adresse de messagerie dont vous voulez recevoir les messages dans votre Boîte de réception. Vous pouvez aussi entrer un nom de domaine (*nom_de_domaine.fr*) dont vous savez que le courrier qui en provient n'est pas du spam.**

6. **Cliquez sur OK.**

7. **Répétez les étapes 6 à 8 pour toutes les adresses de messagerie et tous les noms de domaine que vous voulez ajouter à la liste.**

8. **Cliquez sur OK successivement dans toutes les boîtes de dialogue ouvertes pour les fermer.**

Créer une liste d'expéditeurs bloqués

Si vous recevez fréquemment du spam d'une adresse particulière (ou d'un domaine), vous pouvez bloquer tous les messages qui en proviennent, c'est-à-dire les identifier comme courrier indésirable et les faire envoyer automatiquement dans le dossier Courrier indésirable. Pour créer une liste d'expéditeurs bloqués, commencez par suivre les étapes 1 à 4 de la section "Configurer le filtre de courrier indésirable d'Outlook", un peu plus haut dans ce chapitre, pour faire apparaître la boîte de dialogue Options de courrier indésirable, et suivez ces étapes :

1. **Dans la boîte de dialogue Options de courrier indésirable (Figure 19.1), cliquez sur le bouton radio Listes approuvées uniquement.**

2. **Cliquez sur l'onglet Expéditeurs bloqués.**

   L'onglet Expéditeurs bloqués apparaît au premier plan.

3. **Cliquez sur le bouton Ajouter.**

   La boîte de dialogue Ajouter une adresse ou un domaine apparaît, vous permettant de spécifier l'adresse de messagerie ou le domaine à ajouter à la liste.

4. **Entrez une adresse de messagerie dont vous voulez envoyer tous les messages dans le dossier Courrier indésirable. Vous pouvez aussi entrer un nom de domaine (*nom_de_domaine.fr*) dont vous savez que le courrier qui en provient est toujours du spam.**

5. **Cliquez sur OK.**

6. **Répétez les étapes 6 à 8 pour toutes les adresses de messagerie et tous les noms de domaine que vous voulez ajouter à la liste.**

7. **Cliquez sur OK successivement dans toutes les boîtes de dialogue ouvertes pour les fermer.**

Utiliser Pocket Office

Les ordinateurs de poche sous Windows disposent de versions réduites de Word, Excel, PowerPoint et Access, dont l'ensemble constitue *Pocket Office*. Cette version "de poche" d'Office ne comporte évidemment pas toutes les fonctionnalités d'Office 2007, mais elle vous permettra d'afficher, de modifier et d'enregistrer vos fichiers, donc de les emporter avec vous sans avoir à vous encombrer d'un ordinateur portable.

Chapitre 20

Dix raccourcis clavier pour Office 2007

L'une des caractéristiques principales d'Office 2007 est que toutes les applications qui le composent se présentent et fonctionnent de la même façon. Une fois familiarisé avec l'utilisation du ruban et de ses onglets dans Word, vous n'aurez guère de difficultés à vous en servir dans Excel et dans PowerPoint.

Mieux : ces différentes applications utilisent les mêmes raccourcis clavier pour les fonctions qu'elles partagent. Si vous mémorisez les raccourcis clavier indiqués dans ce chapitre, vous pourrez vous servir d'Office 2007 plus rapidement et plus efficacement, quelle que soit l'application que vous utilisez.

Vous protéger avec Annuler (Ctrl+Z) et Répéter (Ctrl+Y)

Comme beaucoup de gens ont terriblement peur de faire une erreur en utilisant Office 2007, ils en arrivent à ne jamais rien apprendre de nouveau qui pourrait leur faire gagner du temps et leur simplifier la vie. Lorsque vous faites quelque chose dans Office 2007, que ce soit supprimer ou modifier du texte, ou insérer une image dans une page, vous pouvez presque toujours annuler immédiatement ce que vous venez de faire (la dernière commande que vous avez appliquée) en sélectionnant la commande Annuler (Ctrl+Z).

Sous la protection de la commande Annuler, vous pouvez vous sentir libre d'expérimenter toutes sortes de commandes. Lorsque les choses ne se passent pas comme vous voulez, appuyez simplement sur Ctrl+Z pour annuler ce que vous venez de faire.

Et si vous annulez votre dernière commande pour réaliser aussitôt qu'en fait vous préfériez conserver cette dernière modification, vous pouvez la restaurer en répétant la dernière commande au moyen de la commande Répéter (Ctrl+Y).

Pour annuler plusieurs commandes consécutives, suivez ces étapes :

1. **Cliquez sur la flèche pointant vers le bas du bouton Annuler, dans la barre d'outils Accès rapide.**

   Un menu apparaît, contenant les dernières commandes utilisées, en commençant par la plus récente.

2. **Faites glisser le pointeur sur les commandes que vous voulez annuler, à partir de la plus récente, pour les mettre en surbrillance. Cliquez lorsque toutes les commandes à annuler sont en surbrillance.**

3. **Si vous changez d'avis et voulez répéter les commandes annulées, utilisez la commande Répéter, de l'une des deux manières suivantes :**

   • Cliquez sur le bouton Répéter dans la barre d'outils Accès rapide.

   • Appuyez sur Ctrl+Y.

   La commande Répéter répète la plus ancienne des commandes que vous venez d'annuler. Autrement dit, si vous venez d'annuler plusieurs commandes et voulez toutes les rétablir, utilisez la commande Répéter autant de fois que nécessaire.

 Certaines commandes ne peuvent pas être annulées. Dans ce cas, une boîte de dialogue apparaît pour vous en avertir avant de l'exécuter, en vous conseillant de sauvegarder vos dernières modifications au préalable.

Couper (Ctrl+X), Copier (Ctrl+C) et Coller (Ctrl+V)

La modification d'un document signifie bien souvent déplacer ou copier des données d'un endroit à un autre. Les trois commandes que vous allez utiliser très couramment pour cela sont Couper, Copier et Coller.

 Les commandes Couper et Coller sont très souvent utilisées avec la commande Copier, mais la commande Couper, si elle n'est pas utilisée avec Copier, est l'équivalent de la commande Supprimer pour supprimer du texte ou des objets.

Utiliser les commandes Couper et Coller

Les commandes Couper et Coller servent essentiellement à déplacer du texte ou d'autres éléments d'un endroit à un autre, le plus souvent dans le même fichier, mais tout aussi bien d'un fichier à un autre.

Pour couper un élément et le coller à un autre emplacement, suivez ces étapes :

1. **Sélectionnez l'élément (texte, image ou autre) que vous voulez couper.**

2. **Sélectionnez la commande Couper en cliquant sur le bouton Couper dans la barre d'outils Accès rapide (ou en appuyant sur Ctrl+X).**

   L'élément sélectionné disparaît.

3. **Placez le curseur d'insertion à l'endroit où vous voulez coller l'élément que vous venez de couper.**

4. **Sélectionnez la commande Coller en cliquant sur le bouton Coller dans la barre d'outils Accès rapide (ou en appuyant sur Ctrl+V).**

   L'élément coupé apparaît à l'endroit où vous avez placé le curseur d'insertion.

Utiliser les commandes Copier et Coller

Les commandes Copier et Coller servent essentiellement à recopier du texte ou d'autres éléments d'un endroit à un autre (sans le faire disparaître du premier emplacement). Pour copier un élément et le coller à un autre emplacement, suivez ces étapes :

1. **Sélectionnez l'élément (texte, image ou autre) que vous voulez copier.**

2. **Sélectionnez la commande Copier en cliquant sur le bouton Copier dans la barre d'outils Accès rapide (ou en appuyant sur Ctrl+C).**

   L'élément sélectionné reste à sa place dans le document.

3. **Placez le curseur d'insertion à l'endroit où vous voulez coller l'élément que vous venez de copier.**

4. **Sélectionnez la commande Coller en cliquant sur le bouton Coller dans la barre d'outils Accès rapide (ou en appuyant sur Ctrl+V).**

L'élément copié apparaît à l'endroit où vous avez placé le curseur d'insertion.

Utiliser la commande Coller avec le Presse-papiers Office

Chaque fois que vous utilisez la commande Couper ou la commande Coller, Office enregistre l'élément concerné dans le Presse-papiers Office, qui peut contenir jusqu'à 24 éléments. Lorsque des éléments sont stockés dans le Presse-papiers Office après avoir été coupés ou copiés, vous pouvez les y récupérer pour les coller à l'emplacement que vous voulez.

Si vous quittez Office, ou si votre ordinateur s'arrête (par exemple à cause d'une panne d'électricité), le contenu du Presse-papiers Office est perdu.

Pour récupérer un élément contenu dans le Presse-papiers Office en le collant dans un document, suivez ces étapes :

1. **Cliquez sur l'onglet Accueil du ruban.**

2. **Dans le groupe Presse-papiers de cet onglet, cliquez sur le bouton Presse-papiers (juste à droite de la mention "Presse-papiers").**

Le volet Presse-papiers apparaît dans la fenêtre, affichant tous les éléments qu'il contient.

3. **Placez le curseur d'insertion à l'endroit où vous voulez coller l'élément.**

4. **Dans le volet Presse-papiers, cliquez sur l'élément que vous voulez coller à cet endroit.**

Office 2007 colle l'élément sélectionné à l'emplacement du curseur d'insertion.

Enregistrer un fichier (Ctrl+S)

Quelles que soient leurs qualités (ils ont tout de même quelques qualités), votre ordinateur et votre système d'exploitation peuvent très bien vous faire défaut au moment où vous avez besoin d'eux. Il est donc recommandé de sauvegarder vos fichiers aussi souvent que nécessaire pendant que vous travaillez. Une coupure d'électricité, par exemple, vous fait perdre tout le travail que vous avez fait depuis votre dernière sauvegarde.

Le mieux est de prendre l'habitude de sauvegarder le fichier sur lequel vous êtes en train de travailler chaque fois que vous venez de lui apporter des modifications significatives. Pour enregistrer votre fichier, vous pouvez :

✔ Appuyer sur Ctrl+S.

✔ Cliquer sur l'icône Enregistrer dans la barre d'outils Accès rapide.

 La première fois que vous enregistrez un fichier après sa création, la boîte de dialogue Enregistrer sous apparaît, vous permettant de donner à votre fichier le nom que vous voulez et de sélectionner l'emplacement (le dossier) où vous voulez l'enregistrer sur le disque dur.

Imprimer un fichier (Ctrl+P)

En dépit de toutes les promesses sur le bureau sans papier, beaucoup de gens impriment furieusement et consomment encore plus de papier qu'auparavant. L'une des commandes que vous allez utiliser le plus souvent est la commande Imprimer.

Pour lancer la commande Imprimer, appuyez sur Ctrl+P, ou cliquez sur l'icône Imprimer (ou sur l'icône Impression rapide) dans la barre d'outils Accès rapide.

Vérifier l'orthographe (F7)

La perfection n'étant pas de ce monde, vous trouverez sûrement utile de pouvoir vérifier l'orthographe de votre document avant de le faire lire par quelqu'un d'autre. Appuyez simplement sur la touche F7, et Office 2007 vérifie avec diligence l'orthographe de votre prose. Lorsque le vérificateur d'orthographe trouve un mot susceptible de comporter une faute, il affiche une boîte de dialogue (Figure 20.1) qui vous permet de choisir l'orthographe correcte ou d'ignorer la supposée erreur (de laisser le mot tel quel), ou encore d'enregistrer le mot dans le dictionnaire d'Office 2007, de manière qu'il ne soit plus identifié comme une erreur potentielle dans la suite du document.

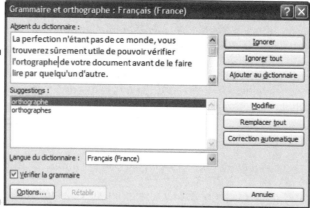

Figure 20.1
Vous avez le choix entre plusieurs manières de traiter une faute potentielle identifiée par le vérificateur d'orthographe.

Un vérificateur d'orthographe est bien pratique et bien utile, mais il est facile de le tromper. Celui d'Office 2007 vérifie l'orthographe et la grammaire, mais le vérificateur grammatical n'est pas infaillible et ne peut pas tout détecter. Il ne vous dispense pas de relire vous-même votre texte.

Si vous voulez faire vérifier l'orthographe d'un mot ou d'une simple portion de texte, et non tout le document, commencez simplement par sélectionner la portion de texte à vérifier, et appuyez sur la touche F7.

Ouvrir un fichier (Ctrl+O)

Vous allez sans doute passer bien plus de temps à travailler sur des fichiers existants qu'à en créer de nouveaux. Voici deux moyens rapides d'ouvrir un fichier existant :

- Utiliser le volet Documents récents du menu affiché par le Bouton Office.

- Appuyer sur Ctrl+O.

La première méthode est utile si le document que vous voulez ouvrir fait partie de ceux que vous avez utilisés assez récemment pour être affichés dans le volet Documents récents du menu Office. Office se souvient de la liste des derniers documents que vous avez ouverts et vous permet de les ouvrir facilement en sélectionnant dans cette liste celui que vous voulez.

Pour utiliser la liste Documents récents, suivez ces étapes :

1. **Lancez un programme Office 2007, par exemple Word ou Excel.**

2. **Cliquez sur le Bouton Office.**

   Le menu Office apparaît, avec la liste Documents récents dans le volet de droite.

3. **Dans cette liste, cliquez sur le nom du fichier que vous voulez ouvrir.**

   Le fichier sélectionné apparaît.

La seconde méthode indiquée ci-dessus n'est rien d'autre que le raccourci clavier de la commande Ouvrir, qui ouvre la boîte de dialogue Ouvrir dans laquelle vous pouvez sélectionner le fichier que vous voulez ouvrir.

Créer un nouveau fichier (Ctrl+N)

Chaque programme Office 2007 vous offre deux moyens de créer un nouveau fichier :

✔ Sélectionner la commande Nouveau dans le menu du Bouton Office.

✔ Appuyer sur Ctrl+N.

Lorsque vous sélectionnez la commande Nouveau dans le menu Office, une boîte de dialogue Nouveau document apparaît, vous permettant de créer un nouveau document vierge, ou un nouveau document basé sur un modèle existant.

Lorsque vous appuyez sur Ctrl+N, un nouveau document vierge est créé directement, sans passer par une boîte de dialogue.

Si vous voulez créer un nouveau document sur la base d'un modèle, sélectionnez la commande Nouveau dans le menu Office. Si vous voulez créer un nouveau document vierge, appuyez simplement sur Ctrl+N.

Dans Outlook 2007, le raccourci Ctrl+N crée un nouvel élément du type correspondant au module d'Outlook dans lequel vous vous trouvez à ce moment (un message si vous êtes dans le module Courrier, une tâche si vous êtes dans le module Tâches, etc.).

Rechercher du texte (Ctrl+F)

La commande Rechercher vous permet de rechercher un mot ou un groupe de mots se trouvant quelque part dans votre document. Pour l'utiliser, suivez ces étapes :

1. **Appuyez sur Ctrl+F.**

   La boîte de dialogue Rechercher et remplacer apparaît, avec l'onglet Rechercher au premier plan.

2. **Dans le champ Rechercher, tapez le mot ou le groupe de mots que vous voulez rechercher.**

3. **Si vous souhaitez spécifier d'autres paramètres de recherche, cliquez sur le bouton Plus.**

   Le volet inférieur de cette boîte de dialogue apparaît, vous permettant de spécifier des caractéristiques supplémentaires pour le texte que vous recherchez.

4. **Si vous avez cliqué sur le bouton Plus pour spécifier les paramètres supplémentaires, cochez les cases suivantes :**

   • *Respecter la casse :* Recherche le texte dont les majuscules et les minuscules sont exactement conformes à ce que vous avez tapé dans le champ Rechercher.

   • *Mots entiers :* Recherche uniquement des mots entiers. Si vous avez tapé "chat" dans le champ Rechercher, vous trouverez toutes les occurrences de "chat" dans votre document, mais pas le mot "chatouiller", ni "galuchat", ni tout autre mot contenant "chat".

   • *Caractères génériques :* Cette option (qui n'est disponible que dans Word) vous permet d'utiliser des caractères génériques dans le champ Rechercher, c'est-à-dire des caractères qui symbolisent d'autres caractères, selon un code que vous voyez apparaître dans le menu du bouton Spécial lorsque cette option est sélectionnée. Le caractère générique "*", par exemple, représente un ou plusieurs caractères, quels qu'ils soient. Si vous tapez "tou*" dans le champ Rechercher, vous allez trouver tous les mots commençant par "tou".

- *Recherche phonétique (anglais) :* Cette option (qui ne fonctionne qu'avec un texte en anglais) permet de rechercher des mots sur la base d'une orthographe phonétique. Par exemple, vous allez trouver le mot "elephant" en tapant "elefant" dans le champ Rechercher.

- *Rechercher toutes les formes du mot (anglais) :* Cette option (qui ne fonctionne qu'avec un texte en anglais) permet de rechercher toutes les formes d'un mot à partir de celle que vous avez tapée dans le champ Rechercher. Par exemple, si vous avez tapé "sing", vous allez trouver "singing", "sang", et toutes les autres formes de ce verbe.

5. **Cliquez sur le bouton Suivant, et répétez cette étape chaque fois qu'une occurrence du texte recherché est trouvée, jusqu'à ce que tout le document ait été parcouru.**

6. **Une fois que vous avez terminé, cliquez sur le bouton Annuler.**

Si vous avez sélectionné une portion de texte avant de lancer la recherche, celle-ci se fait uniquement dans le texte sélectionné.

Rechercher et remplacer du texte (Ctrl+H)

La commande Rechercher et remplacer vous permet de rechercher et de remplacer une portion de texte par une autre dans votre document (par exemple, "la baleine" par "le cachalot").

Pour utiliser la commande Rechercher et remplacer, suivez ces étapes :

1. **Appuyez sur Ctrl+H.**

   La boîte de dialogue Rechercher et remplacer apparaît, avec l'onglet Remplacer au premier plan.

2. **Dans le champ Rechercher, tapez le mot ou le groupe de mots que vous voulez rechercher et remplacer.**

3. **Dans le champ Remplacer, tapez le texte par lequel vous voulez remplacer ce que vous recherchez.**

4. **Si vous souhaitez spécifier d'autres paramètres de recherche, cliquez sur le bouton Plus, et spécifiez vos paramètres, conformément aux indications de l'étape 4 de la section précédente.**

5. **Cliquez sur le bouton Suivant.**

Office trouve la première occurrence du texte que vous avez tapé dans le champ Rechercher.

6. Cliquez sur le bouton Remplacer, ou sur le bouton Remplacer tout.

La commande Remplacer remplace la dernière occurrence trouvée du texte recherché et passe à la suivante, ce qui vous permet de vérifier pour chaque occurrence que vous voulez effectivement la remplacer (si vous ne voulez pas, cliquez sur le bouton Suivant au lieu du bouton Remplacer pour passer directement à l'occurrence suivante). La commande Remplacer tout remplace toutes les occurrences du texte recherché dans le document, sans vous permettre de vérifier si vous voulez vraiment remplacer chacune d'elles. Elle peut vous réserver des surprises et provoquer de véritables catastrophes dans un document si vous vous apercevez trop tard pour pouvoir l'annuler que vous vous êtes trompé. Ne l'utilisez que si vous êtes sûr de savoir exactement ce que vous faites. Par exemple, si vous l'utilisez pour remplacer "baleine" par "cachalot", vous allez obtenir un certain nombre de "la cachalot" et de "une cachalot", mais il y a beaucoup de pièges plus subtils et moins faciles à éviter que celui-ci (surtout si vous oubliez de cocher la case Mots entiers).

7. Une fois que vous avez terminé, cliquez sur le bouton Annuler.

Fermer une fenêtre (Ctrl+W)

Pour fermer une fenêtre, vous pouvez cliquer sur son bouton de fermeture dans son coin supérieur droit, ou bien cliquer sur le Bouton Office et sélectionner Fermer dans le menu qui apparaît, ou encore utiliser le raccourci clavier Ctrl+W.

Si vous n'avez pas enregistré les dernières modifications de votre document avant de fermer la fenêtre, une boîte de dialogue apparaît pour vous en avertir et vous demander si vous voulez les enregistrer.

Index

Office 2007
Pour les Nuls

Mon opinion sur ce livre :

❏ Excellent   ❏ Moyen

❏ Satisfaisant   ❏ Insuffisant

Ce que j'aime dans ce livre :

_____

_____

_____

_____

_____

_____

_____

_____

Mes suggestions pour l'améliorer :

_____

_____

_____

_____

_____

_____

_____

_____

En informatique, je me considère comme :

❏ Débutant   ❏ Expérimenté

❏ Initié   ❏ Professionnel

Mon équipement :

- Matériel : _____

- Système d'exploitation : _____

J'utilise mon ordinateur :

❏ Au bureau   ❏ À l'école

❏ À la maison   ❏ Autre : _____

Lieu d'achat du livre :

- Pays : _____

- Ville : _____

❏ Grande librairie   ❏ Petite librairie

❏ Grande surface   ❏ Hypermarché

❏ Magasin spécialisé   ❏ Autre : _____

Mon adresse :

Nom : _____

Prénom : _____

Adresse : _____

_____

Code postal : _____

Ville : _____

Pays : _____

J'ai vraiment adoré ce livre !

Vous pouvez citer mon témoignage dans vos documents promotionnels. Voici mon numéro de téléphone en journée :

Fiche lecteur à découper ou à photocopier, et à nous retourner à :

FIRST
> Interactive

2 ter rue des Chantiers
F-75005 Paris - France
Tél. : 01 45 49 60 00 – Fax : 01 45 49 60 01

Découvrez en exclusivité nos prochaines parutions sur internet :
http://www.efirst.com